perdida

CARINA RISSI

Um amor que ultrapassa as barreiras do tempo

31ª edição
Rio de Janeiro-RJ / São Paulo-SP, 2023

VERUS
EDITORA

Editora: Raïssa Castro
Coordenadora editorial: Ana Paula Gomes
Revisão: Gabriela Lopes Adami
Projeto gráfico: André S. Tavares da Silva
Capa: AF. Capas

ISBN: 978-85-7686-244-4

Copyright © Verus Editora, 2013

Direitos reservados em língua portuguesa, no Brasil, por Verus Editora. Nenhuma parte desta obra pode ser reproduzida ou transmitida por qualquer forma e/ou quaisquer meios (eletrônico ou mecânico, incluindo fotocópia e gravação) ou arquivada em qualquer sistema ou banco de dados sem permissão escrita da editora.

Verus Editora Ltda.
Rua Argentina, 171, São Cristóvão, Rio de Janeiro/RJ, 20921-380
www.veruseditora.com.br

CIP-BRASIL. CATALOGAÇÃO NA FONTE
SINDICATO NACIONAL DOS EDITORES DE LIVROS, RJ

R483p

Rissi, Carina
    Perdida : um amor que ultrapassa as barreiras do tempo / Carina Rissi. - 31. ed. - Rio de Janeiro, RJ : Verus, 2023.

ISBN 978-85-7686-244-4

1. Romance brasileiro. I. Título.

13-00410   CDD: 869.93
                                     CDU: 821.134.3(81)-3

Revisado conforme o acordo ortográfico de 1990

Seja um leitor preferencial Record.
Cadastre-se no site www.record.com.br e receba informações sobre nossos lançamentos e nossas promoções.

Atendimento e venda direta ao leitor:
sac@record.com.br

Impresso no Brasil pelo Sistema Cameron da Divisão Gráfica da
DISTRIBUIDORA RECORD DE SERVIÇOS DE IMPRENSA S.A.

Para Adri e Lalá

Não é o tempo nem a oportunidade que determinam a
intimidade, é só a disposição. Sete anos seriam insuficientes
para algumas pessoas se conhecerem, e sete dias são
mais que suficientes para outras.
– JANE AUSTEN, *Razão e sensibilidade*

1

Eu sabia que devia ter voltado para a cama assim que saí de casa e tentei pegar um táxi – era o dia de rodízio do meu carro. Eu devia ter voltado para baixo dos lençóis assim que aquele motorista idiota passou rente ao meio-fio e literalmente ensopou meus jeans dos joelhos para baixo.

Eu *devia* ter voltado!

Mas, em vez disso, respirei fundo e o insultei por uns dois minutos com todos os palavrões que eu conhecia. Ignorei, claro, os pedestres que me atiraram olhares reprovadores.

Não ficou melhor quando cheguei – vinte minutos atrasada – ao escritório e o imbecil, rechonchudo e desalmado do meu chefe me fuzilou com os olhos e depois disse com desdém:

– Além de chegar atrasada, você ainda aparece aqui usando essa roupa imunda? Você devia se vestir um pouco melhor, Sofia. Com o salário que eu te pago...

Ah, sim. Que salário!

Eu mal conseguia pagar minhas contas em dia. Trabalhava naquela empresa desde o estágio da faculdade. Depois que me formei, acabei sendo efetivada e, como não apareceu coisa melhor, me acomodei um pouco. Além disso, eu tinha um plano: Carlos já estava esperando sua aposentadoria e eu tinha grandes chances de substituí-lo. Claro que, antes, teria que passar pela provação de suportá-lo até que isso acontecesse.

– Eu sei, seu Carlos – comecei. – Mas acontece que um motorista idiota passou...

– Ah! Chega de desculpas. Já estou farto delas. Acha mesmo que eu acredito em suas histórias? Não entendo por que ainda não te demiti! – ele arqueou uma sobrancelha desafiadoramente.

Porque eu sou a pessoa mais competente de todo este prédio, seu porco arrogante!

– Desculpa. Vou pra minha mesa agora mesmo pra compensar o atraso, tá bem? – E, sem esperar por mais um de seus ataques, marchei em direção à minha mesa, espiando sua reação pelo canto dos olhos.

Carlos ficou parado me encarando por um momento, bufou e depois saiu resmungando.

Tentei dissolver a pilha de papéis acumulada em minha mesa o mais rápido que pude. Era uma pilha considerável, mas eu era eficiente e terminaria tudo em pouco tempo.

No entanto, perto da hora do almoço, meu computador travou e depois apagou completamente. Tentei religá-lo, mas nada aconteceu. Estava morto!

Bati algumas vezes na máquina – tentando fazê-la voltar à vida por meio de tortura –, mas nem uma única luz acendeu.

– Preciso desses papéis na minha mesa até as cinco! – Carlos urrou da porta. Ele devia ter visto meu embate com a máquina.

– Eu sei! Mas não é culpa minha se o computador pifou. Como posso fazer todos os contratos sem ele?

Ele sorriu ironicamente e apoiou uma mão na porta.

– Como fazíamos antes de inventarem essas máquinas complicadas que sempre deixam a gente na mão.

Olhei para ele sem compreender. Do que diabos aquele homem estava falando?

Carlos notou minha expressão – cética, imaginei – e acrescentou:

– Você sabe que os computadores nem sempre estiveram aqui, não é? – ele disse devagar, como se eu fosse uma débil mental.

Grrrr!

– Claro que eu sei!

Eu preciso deste emprego! Não adianta nada pular no pescoço dele e estrangulá-lo!, repeti para mim mesma várias vezes. Contudo, não me convenci inteiramente.

– Então, mãos à obra, Sofia. Você tem até as cinco. A máquina de datilografia está no armário do almoxarifado. Ela não trava, não dá pau, o cartucho não acaba... Você vai gostar. É muito eficiente. Dá até saudades do tempo em que o escritório era preenchido pelo barulho dos botões. – Um sorriso cínico apareceu em seus lábios. Um sorriso que dizia *Você não vai conseguir!*

Vamos ver, careca! – e fui buscar a tal máquina. Era pesada e desajeitada para carregar. Coloquei-a sobre minha mesa e observei.

Hummm... Eu já tinha ouvido falar sobre ela.

Mas cadê o botão de ligar?

Experimentei uma tecla qualquer.

Tec. Tec, tec, tec, tec, tec, plim!

Plim? *Será que eu quebrei esse troço? Ai, meu Deus! Só me faltava essa!*

Joana, que ria alto, provavelmente da minha cara de pânico, saiu de sua mesa – duas atrás da minha – e veio ao meu socorro. Ela era a funcionária mais antiga da empresa, com certeza já tinha trabalhado com aquela coisa pré-histórica.

– Sofia, pare de olhar para a máquina com essa cara – ela disse, empurrando os óculos marrons com o dedo indicador. – Isso não é um objeto alienígena.

– Não – concordei. – Se fosse, eu provavelmente saberia como usar. O problema é que... – Eu estava *mesmo* com medo daquela máquina barulhenta cheia de *tecs* e *plins*, mas precisava terminar meu trabalho. – Bem... Eu já *vi* uma dessas uma vez no Museu da Tecnologia, mas...

– Você não sabe usá-la – ela concluiu, ainda rindo, com as bochechas vermelhas.

As minhas também deviam estar vermelhas, mas de vergonha. Não existia programa algum de computador que eu não soubesse utilizar, sempre aprendia depressa assim que um novo aparecia. Mas aquela máquina ultrapassada...

– Eu nem sei ligar essa coisa! – sussurrei. Algumas pessoas nos observavam com olhos curiosos.

Joana explodiu em outra gargalhada e quase todos no escritório voltaram a atenção para onde eu estava. Devo ter ficado roxo-berinjela!

– É bem simples, Sofia. Você coloca o papel aqui. – Pegou um papel em branco, enfiou numa fenda e depois girou um botão enorme na lateral da coisa. *Rec, rec, rec, rec.* – Depois prende com isso. – Ela ergueu uma pequena e fina haste metálica, encaixou a folha e depois soltou a haste, prendendo o papel. – E pronto!

– Ah! Parece fácil!

Joana não pareceu acreditar muito na minha convicção. Voltou para sua mesa sacudindo levemente a cabeça, erguendo os óculos grandes para poder enxugar as lágrimas dos olhos. Que bom que pelo menos *ela* estava se divertindo!

Concentrei-me na máquina.

Experimentei digitar com certa cautela e percebi que nada saía no papel.

– Precisa apertar com mais força! – Joana gritou, ainda me observando. – Tem que fazer *tec*.

Tentei outra vez. Ah! Deu certo. As letras apareceram no papel.

Digitei – quer dizer, datilografei – algumas linhas, meio desajeitada, e parei. Observei o teclado atentamente. Não. Não estava lá.

– Joana, onde fica o delete?

Ela ergueu as sobrancelhas e abriu ligeiramente a boca.

– Como? – perguntou, como se eu estivesse falando em japonês.

– Não tem delete. Eu errei um número e não tô encontrando a tecla delete em lugar algum.

O escritório todo explodiu em uma gargalhada estrondosa, me deixando com vontade de me enterrar debaixo da papelada à minha frente.

Ugh!!!

Passei a tarde inteira tentando organizar a pilha de contratos, depois de receber uma rápida aula sobre como usar a máquina antiquada. Entretanto, o serviço não rendeu muito, já que ela era muito lenta. Ou talvez fosse minha falta de habilidade mesmo...

Como as pessoas conseguiram viver sem computador por tanto tempo? – pensei. Levaria dias para que eu conseguisse colocar em ordem meus e-mails, minha conta no Facebook e, bem provável, não conseguiria ler todas as postagens no Twitter. Teria que fazer isso assim que chegasse em casa. Ficar sem internet era como se *eu* deixasse de existir, não fizesse mais parte do mundo. Completamente isolada virtualmente.

Saí do escritório um pouco depois das seis com a cabeça estourando de tantos *tecs* e *plins* e *recs* – mas não sem antes ligar para o técnico e fazer com que ele me prometesse entregar meu computador no dia seguinte. Na primeira hora!

Peguei um táxi e, assim que entrei na avenida abarrotada de carros, ônibus e pedestres que insistiam em atravessar fora da faixa, me arrependi. Entretanto, não havia o menor perigo para os pedestres, pelo menos não àquela hora, com tudo absolutamente parado como estava. Eu chegaria em casa mais depressa se tivesse ido a pé também.

Mal entrei em meu apartamento e me lembrei de que precisava encontrar uma boa faxineira. Com urgência! Nada estava onde deveria estar. Roupas estavam jogadas por toda a mobília, canecas e copos espalhados pela superfície de quase tudo, pilhas e pilhas de papéis amontoadas desordenadamente em cima da mesa de jantar. O apartamento estava ficando pequeno para tanta bagunça.

Joguei as chaves e a bolsa sobre a mesa entulhada e fui tomar banho. Deixei a água quente escorrer por meu pescoço e minhas costas, esperando relaxar. E até que relaxei um pouco, na verdade. Vesti meu pijama e me joguei no sofá, procurando algo para me distrair enquanto meu jantar girava dentro do micro-ondas. Não encontrei nada na TV, então liguei meu mp3 e abri meu livro favorito. Meu livro *livro* mesmo, com capa e folhas de papel e tudo o mais. Não no tablet. Eu tinha vários livros eletrônicos, inclusive armazenados no celular, mas este em especial eu simplesmente não conseguia ler de outra forma que não fosse a tradicional. Ele tinha minhas páginas preferidas marcadas por orelhas e estava todo esfrangalhado, por já tê-lo lido tantas vezes. Eu não sabia explicar por que gostava tanto daquela história, mas era incrível poder me perder em séculos passados, costumes tão diferentes, roupas tão lindas, paisagens bucólicas e tranquilas, o amor sendo posto à prova pela ideia retrógrada de que pobres e ricos não se misturavam, o cavalheirismo, a delicadeza do primeiro amor... Glicose da boa!

Realmente não sabia explicar o motivo – já que eu não era uma romântica incorrigível –, mas eu adorava aquele livro. E ficaria meio difícil me perder no século dezenove se estivesse lendo em um tablet.

Senti as juntas de meus dedos doerem quando terminei o jantar. Seria um alívio nunca mais precisar daquele trambolho centenário outra vez, pensei, enquanto jogava os pratos e talheres dentro da lava-louças.

Meu celular tocou.

– Você vai sair amanhã? – inquiriu a voz antes mesmo que eu conseguisse dizer alô.

– Oi pra você também, Nina. Como foi o...

– Você vai, não é? – ela me interrompeu apressada. – Não vai me enrolar outra vez, Sofia. Você sempre acaba arranjando uma desculpa pra não sair de casa. Amanhã você vai sair! – E a voz se tornou mais ameaçadora. – Nem que eu mesma tenha que te buscar à força! Ou posso pedir para o Rafa e os amigos dele passarem aí pra...

– Calma, Nina. Tá certo. Não precisa ameaçar. – Não queria nem imaginar Rafa e seus amigos trogloditas no meu apartamento minúsculo. Tremi só de pensar. – Tô mesmo precisando sair e beber alguma coisa. Essa semana foi um inferno!

Ela respirou fundo do outro lado da linha. Quase conseguia ver o bico que ela devia estar fazendo.

– Nem me fale! – Outro suspiro. – Por isso mesmo preciso que você saia com a gente amanhã. Quero te contar uma coisa.

Ai, Senhor! De novo?

– Brigou com o Rafa outra vez, Nina? – Honestamente, aquilo já estava passando dos limites.

– Não, não. Quer dizer, não muito. Mas não é sobre o Rafa. – Ouvi barulho de buzina ao fundo, seguido de um grito abafado de Nina: *Passa por cima, imbecil!* – Não é só sobre o Rafa que eu quero conversar. Olha, preciso desligar agora. A gente se vê amanhã lá no Oca, está bem? – Mais barulho de buzinas.

– Beleza. – Fiquei curiosa com o assunto misterioso da Nina. Em geral, ela desatava a falar, mesmo quando eu explicava que não podia conversar porque tinha prazos a cumprir ou porque simplesmente estava no meio do banho. O que aquela maluca estaria aprontando dessa vez?

• • •

Acordei na hora certa, para variar. Graças a Deus era sexta-feira! Cheguei às oito em ponto ao escritório – sem manchas de lama, com a roupa perfeitamente limpa e passada – e quase gritei de alegria quando vi minha CPU no lugar de costume. Corri até minha mesa e me abracei ao monitor.

– Não me abandone nunca mais! – murmurei aliviada por não precisar mais da máquina torturadora de dedos.

– Tendo um caso com o computador, Sofia? Olha, você precisa usar alguma proteção, garota. Sabe como é... Pode acabar pegando um vírus! – Era Gustavo, o *engraçadinho*, é claro, gargalhando até perder o fôlego.

– Rá-rá – foi tudo o que eu disse a ele.

O dia no escritório transcorreu como sempre – sem um único minuto para pensar em como eu arrumaria uma faxineira e como ganharia mais dinheiro para poder pagá-la. Meu salário era digno de pena e o trabalho parecia nunca ter fim. Eu tinha que arrumar tempo para fazer um bico... Só não tinha tempo para arrumar mais tempo!

Saí do escritório, peguei meu carro no estacionamento e fui direto para o bar. O Oca ficava a três quadras dali. Foi meio demorado encontrar uma vaga, parecia que quase todo mundo tinha resolvido sair do trabalho e dar uma esticadinha em algum bar ali perto.

O telhado em um grande arco escuro, as pequenas janelas na fachada e uma grande porta em forma de U deixavam o bar parecido com uma oca indígena. Leo's Bar era o nome oficial, mas todo mundo o conhecia como Oca mesmo. Era bem simples, até mesmo em seu interior – as mesas e cadeiras de madeira rústica e sem verniz –, com exceção dos clientes, sempre descolados.

Contudo, eu não estava muito descolada. Ainda estava vestida com as roupas de escritório: jeans escuros e camisa branca de mangas curtas, os cabelos presos em um rabo de cavalo. Nem muito profissional, nem muito descolada, mas eu não podia furar com a Nina outra vez e não daria tempo de ir até em casa para me arrumar de forma mais casual.

E eu *queria* sair e me divertir um pouco. Estava ficando esgotada e minhas férias estavam muito, muito longe para que eu pudesse sequer começar a planejá-las.

– Nossa! Vai cair um pé-d'água! Olha só quem resolveu se juntar aos vivos – Rafa (sempre tão agradável!) praticamente gritou quando me viu, fazendo com que muitas outras pessoas no bar parassem o que estavam fazendo só para me observar.

— Eu *estou* viva, Rafa! — falei asperamente. — Só não tenho tempo pra sair quando eu bem entender. Eu trabalho, sabia? Você já deve ter ouvido falar a respeito. Algumas pessoas não nascem com a vida toda garantida e precisam ganhar seu próprio dinheiro.

Rafael sempre teve tudo do bom e do melhor, sem precisar se esforçar para isso. A família dele era dona de uma grande empresa de cosméticos, e me irritava um pouco — ainda que não fosse da minha conta — que ele nem se interessasse pelo negócio fundado tanto tempo atrás por sua tataravó. Em vez disso, ele decidira cursar educação física e seguir seu próprio caminho. Era uma pena que também não se esforçasse na profissão que escolhera e ficasse mais em casa, grudado no videogame, do que em algum outro lugar suando a camisa para garantir uma grana.

— Ei! Foi só uma brincadeira. Dá um tempo! Não precisa me passar um sermão — reclamou, levantando as duas mãos grandes com as palmas para frente, como que se rendendo.

Eu realmente precisava beber alguma coisa. Estava começando a ficar implicante e mal-humorada.

Depois de mais ou menos uma hora — e quatro chopes, talvez? —, Nina aproveitou que Rafa tinha ido até a mesa de sinuca (para uma partida rápida, ele disse) para começar a falar.

— Quero sua ajuda. Sua opinião, na verdade — explicou, com os olhos verdes inquietos.

— Tudo bem. Desembucha aí. — Eu estava mais relaxada, o chope começando a agir no meu organismo.

Ela olhou rapidamente para Rafa e depois de volta para mim.

— Eu acho que... Acho que eu...

Seus olhos estavam ansiosos, meio inseguros. Ela parecia assustada. *Oh-oh!*

— Meu Deus, Nina! Você tá grávida, não tá? — Fiquei gelada. Nina cuidando de um bebê! Um bebê que chora e vaza meleca por vários orifícios diferentes. *O tempo todo!* Se bem que, se ela era capaz de suportar o Rafa, com seus quase dois metros de altura, resmungando e pedindo coisas o tempo todo, seria capaz de cuidar de um bebê de cinquenta centímetros e que, com certeza, reclamaria *muito* menos.

– Não! – gritou horrorizada. – Sofia, você ficou doida? Eu não estou grávida. – Seu olhar correu em direção ao Rafa para se certificar de que ele não tinha ouvido, e aparentemente ele não tinha.

– É que você... Eu pensei... que... que... Esquece o que eu pensei! Desculpa, Nina. Conta logo o que tá te deixando tão apreensiva.

Nina baixou a cabeça por um instante, observando seu copo quase vazio, e depois, com aquele sorriso que dizia "aprontei-outra-vez" nos lábios, se voltou para mim.

– Acho que vou convidar o Rafa pra morar comigo – ela soltou, quicando na cadeira, irradiando ansiedade e excitação.

– Ah! – Levei meu copo à boca e tomei um grande gole. – Hã...
Seu rosto delicado murchou um pouquinho.

– Eu sabia que você não ia gostar – murmurou, baixando os olhos e sacudindo levemente a cabeça, fazendo os cachos negros tremularem um pouco.

Olhei para ela, para minha amiga, minha melhor amiga, que muitas vezes foi uma irmã mais velha. Eu sabia que minha aprovação era importante para ela. Tentei parecer menos tensa do que na verdade estava.

– Não é isso. É claro que é... legal. *Muito* legal. – Tomei outro gole de chope. – É só que... Você tem certeza, Nina? Tem certeza que ele é o cara certo pra você?

– Tenho! – falou firme, o semblante sério, mas os cantos de seus lábios cheios teimavam em subir um pouco.

– Mas vocês dois vivem brigando! – constatei o óbvio. – Feito cão e gato! Já perdi as contas de quantas vezes você apareceu lá em casa chorando por causa dele.

– Eu sei, Sofia. Mas eu tô apaixonada por ele! Não quero ficar longe dele um minuto sequer! Você não vê isso?

Claro que eu via. Desde que conheceu o Rafa, Nina ficou maluca por ele. No começo, achei que ela tinha tirado a sorte grande agarrando um cara como ele – grande, forte, loiro, com olhos rápidos e brilhantes e um sorriso debochado –, mas, assim que engataram um relacionamento mais sério e ele começou a agir de forma infantil, e às vezes até rude, mudei de ideia rapidinho.

– Eu sei quanto você gosta dele. Todo mundo sabe! Mas tem certeza que isso vai dar certo? – tentei falar de forma gentil. Não queria magoá-la dando minha verdadeira opinião sobre o Rafa.

– Não. – Nina sorriu. – Não tenho certeza. É claro que não! Não se tem certeza de nada quando se está apaixonada, Sofia!

– Ah, se tem sim! Dá pra ter certeza que seu coração será estilhaçado em um milhão de pedaços no final.

Tomei outro gole. Meu copo ficou vazio.

– Sofia! Não acontece *sempre* assim com *todo* mundo... – Ela viu meu olhar cético e continuou. – Não acontece! Existem pessoas que passam a vida toda juntas.

– Ãrrã!

– Existem sim. Além do mais, nós ficamos juntos o tempo todo, menos quando estou trabalhando. Metade das minhas coisas está na casa dele. Facilitaria muito se morássemos debaixo do mesmo teto, e já que meu apartamento é maior...

– E a outra metade das suas coisas está na minha casa, eu acho...

Humm. Esqueci de devolver a blusa verde que ela me emprestou para ir àquele fórum. E a saia. E os sapatos também.

Era uma sorte Nina ter quase o meu tamanho, sendo apenas centímetros mais baixa – porém ela era mais curvilínea que eu, fazia o tipo boazuda. Isso para não falar de sua pele marrom, linda e lisa, contrastando com os olhos de esmeraldas, que a deixavam parecida com uma deusa nigeriana, enquanto eu tinha olhos castanhos e comuns, pele muito branca e sem graça, sem nenhum atrativo exuberante, e cabelos ondulados e indomáveis.

– Eu sabia que aquela blusa não tinha fugido da minha gaveta. – Nina era um amor. Sempre me socorria nas mais diversas emergências. As de moda inclusas. – Mas o que você acha?

– O quê? Sobre roupas fugindo de casa? Acho que faz todo o sentido. Tenho várias delas desaparecidas.

Ela bufou, estreitando os olhos.

– Você as encontraria se as dobrasse e guardasse em vez de jogar tudo de qualquer jeito. – Fiz uma careta. Ela continuou: – Mas não foi isso que eu perguntei.

Eu sabia disso. Sabia que ela estava perguntando sobre os dois morarem juntos. Não queria magoá-la e dizer que realmente achava uma péssima ideia, que toda essa baboseira de amor acaba assim que a rotina aparece. Que isso só servia para vender revistas e livros e que, na vida real, você sempre acabava sozinha com um buraco no lugar em que costumava ficar seu coração.

– Eu acho... – comecei cautelosa. – Eu acho que se você vai ficar feliz. Se isso vai te fazer feliz, eu também fico.

Ela pulou da cadeira e me abraçou forte.

– Obrigada, Sofia! Você sabe como é importante pra mim que você goste da ideia. Você é a única que não detesta o Rafael.

Nina tinha brigado com os pais logo depois que se envolveu com Rafa. Obviamente, eles também não tiveram uma boa impressão dele, e ela se recusou a terminar o namoro. Rompeu relações com os pais na mesma época em que perdi os meus num acidente de carro fatal. Foi um período muito... ruim. Nós nos apoiamos uma na outra e seguimos em frente. Sendo justa, Rafa também me ajudou naquela época. Nem sei o que teria acontecido se eu não tivesse os dois ao meu lado...

– Deixa disso! – eu disse, tentando aliviar o clima, que de súbito ficou mais pesado. – Vamos comemorar! Não é todo dia que uma amiga vai passar para o lado das seriamente comprometidas.

Ela me soltou e revirou os olhos.

– Ai, Sofia! Às vezes, você fala como se casamento fosse uma sentença de morte.

E não era?

Viver em função de uma única pessoa, como se sua vida só tivesse sentido com ela por perto? Acordar e olhar para a *mesma* pessoa todo santo dia! Sexo com somente uma pessoa pelo resto da vida! Ter que cuidar da casa, do marido, dos filhos, do cachorro, além de trabalhar... Não era um tipo de sentença de escravidão, pelo menos?

Eu não entendia o que levava uma pessoa lúcida a se casar. Se bem que a maioria não parecia gozar de plena sanidade quando estava apaixonada.

– Não é! – ela retrucou, provavelmente vendo a descrença estampada em meu rosto. – Tenho esperanças de que você encontre o cara certo um dia desses, sabia? Já tá na hora de viver uma história de amor de verdade e esquecer as dos livros. Acho que vai ser divertido ver como você vai se sair quando se apaixonar pela primeira vez.

– Eu já me apaixonei uma vez! E não tem nada de errado em gostar de ler histórias de amor, pelo menos nos livros elas têm final feliz! Não machucam ninguém.

Não gostei do rumo que a conversa estava tomando.

– Ah, não! Você não se apaixonou, não!

– Claro que me apaixonei! Você sabe disso.

Estávamos na faculdade. Já éramos amigas na época. Nina esteve do meu lado quando me envolvi com Bruno. Um desses idiotas por quem, *sabe-se-lá-por-quê*, acabei me apaixonando.

– Você não se apaixonou pelo Bruno. Você gostava dele, sentia atração por ele. Mas não amor. – Ela pegou um amendoim e mastigou. – Se você o amasse de verdade, não teria ficado tão tranquila quando o flagramos aos beijos com a Denise. – Ela se recostou na cadeira, o rosto triunfante.

– Só porque não fiquei chorando pelos cantos por décadas não significa que não estivesse apaixonada. Eu fiquei arrasada, sim! O que você queria que eu fizesse? Que me atirasse da ponte? Se ele quis outra, paciência. A fila anda! – Levei o copo à boca, mas estava vazio.

Droga!

– Exatamente! Se estivesse mesmo apaixonada, a fila demoraria um pouco mais para começar a andar. E você ficou arrasada porque foi trocada por outra, não por perdê-lo. Desista, Sofia. Não vai conseguir me convencer. *Quando* se apaixonar de verdade, vai me dar razão.

Não fazia sentido começar uma discussão com a Nina, ela não cederia. Nem eu.

Suspirei derrotada.

– Preciso ir ao banheiro. – O chope precisava sair. E eu queria que o assunto morresse. – Pede mais uma rodada pra gente comemorar.

Eu não estava bêbada – não muito. Dei algumas tropeçadas no caminho, mas isso até era meio comum para mim. Eu apenas estava *um pouquinho* mais devagar que o normal, tipo em câmera lenta.

Entrei no banheiro lotado e esperei minha vez. Praticamente me joguei dentro da cabine quando a porta se abriu. Desabotoei a calça em um ritmo frenético, me equilibrei meio em pé, meio agachada – não havia condições técnicas de me sentar ali – e... Ah! O alívio!

Foi então que ouvi um *ploct*.

Olhei para baixo bem a tempo de ver meu celular – com todos os meus contatos, minha agenda, minhas músicas – cair do bolso da calça, boiar por dois segundos e depois mergulhar dentro do vaso sanitário.

A luz do sol batendo em meu rosto me acordou. Levei alguns segundos para entender onde eu estava.

Ai, minha cabeça! Quanto eu bebi ontem?

Olhei em volta com os olhos semicerrados, o sol fazendo minha cabeça latejar ainda mais. Ah! Meu sofá. Minha sala. Meu apartamento.

Fiquei deitada por mais um tempinho tentando, sem sucesso, fazer desaparecer a sensação horrível em meu estômago. Ainda estava com as mesmas roupas da noite passada – porém sem os sapatos. Sentei-me lentamente, sentindo que talvez meu cérebro fosse explodir em milhares de pedaços. Fui até a cozinha e tomei dois copos grandes de água e um analgésico – talvez isso limpasse meu organismo e diminuísse o barulho dentro da minha cabeça.

Deixei a água quente do meu superchuveiro cair no rosto, enquanto a memória da noite anterior enchia minha mente latejante. Ao que parecia, a comemoração – que o Rafa não tinha ideia do que era, ainda, mas que comemorou com muito entusiasmo mesmo assim – tinha saído do controle. Era óbvio que eu tinha exagerado um pouco. Um pouco demais! Mas não era todo dia que sua melhor amiga resolvia ser a *namorida* de alguém, infelizmente na mesma noite em que seu celular se afoga numa privada imunda.

Eu precisava comprar outro. *Urgente!* O que uma garota podia fazer sem seu celular?

Fechei o registro do chuveiro e fui me vestir. Dei uma olhada pela janela do quarto e aquela manhã de fevereiro parecia agradavelmente quente. Vesti roupas leves – regata branca, saia jeans e tênis de lona; não iria usar saltos numa manhã de sábado nem que a rainha de algum lugar exigisse, sob pena de cortar minha cabeça fora!

Dei uma última olhada no espelho, que agora mostrava uma imagem bem melhor que a de quando acordei – meu rosto pálido não tinha mais o tom esverdeado –, e passei as mãos nos cabelos para arrumar melhor minhas ondas. Não havia muito que eu pudesse fazer a esse respeito, meu cabelo tinha vida própria, não importava o que eu fizesse com ele. Havia desistido da briga fazia tempo.

Peguei minha bolsa e tomei mais água antes de sair de casa, ainda não era seguro comer. Esperava encontrar meu novo celular rapidamente. Daria um trabalhão colocar todos os meus dados e arquivos nele, já que não consegui enfiar a mão na privada e resgatar ao menos o cartão de memória do meu falecido aparelho.

Constatei, assim que saí do prédio, que o dia estava bastante agradável. O sol estava quente e confortável, e uma brisa suave trazia o perfume das flores da pequena praça próxima ao meu prédio. Um leve aroma de comida fez meu estômago se agitar um pouco, mas a náusea estava ficando mais suportável.

Passei pela pracinha e notei com estranheza que havia poucas pessoas ali. Normalmente, ela ficava cheia de ciclistas e pessoas fazendo exercícios, famílias com seus filhos correndo pela grama e até cachorros levando seus donos para um passeio matinal. Naquela manhã, porém, estava quase deserta. Talvez porque já estivesse perto da hora do almoço, pensei.

Entrei na primeira loja que encontrei e fui direto para o balcão dos celulares. Estranhei ao ver que a loja também estava vazia, exceto por uma vendedora. Será que era feriado ou coisa assim e eu não estava sabendo?

Deixei o assunto de lado assim que olhei para a vitrine do balcão. Ah, tantos modelos, com tantas funções e ferramentas, tantas possibilidades ao meu alcance – desde que parcelasse no cartão de crédito, claro. Sentia-me como uma criança numa loja de brinquedos.

A vendedora se aproximou com um sorriso no rosto delicado.

– Procurando por algum modelo em especial, querida? – ela perguntou com a voz suave.

– Hum... Não. Nenhum modelo em particular, pra falar a verdade. Eu preciso de um celular que faça tudo.

Ela arqueou as sobrancelhas escuras.

– Tudo?

– É! Tudo. Mp3, wi-fi, 3G, fotografia e filmagem, agenda, alguns jogos, um bom programa de e-mail, essas coisas – dei de ombros, tentando não demonstrar como estava desesperada para ter um daqueles monstrinhos em minhas mãos.

– Você precisa que o aparelho tenha todas essas funções? – ela indagou de forma curiosa.

– Precisar mesmo, eu não preciso. Mas se já existe um aparelho que tenha tudo, por que não comprá-lo e aproveitar o que ele pode me oferecer? – Eu ainda olhava para o balcão cheio de possibilidades brilhantes.

Ela suspirou. Pareceu-me uma desaprovação. Olhei para ela e seu rosto pequeno parecia *mesmo* me reprovar.

– Parece que você gosta muito de novas tecnologias. – E me lançou um olhar meio triste.

– Claro. Quem não gosta? Esta coisinha salva minha vida quase todo santo dia! – Quantos problemas, contratos, rescisões eu resolvi no último mês usando apenas o celular?

– Ok – ela disse devagar. – Talvez ele realmente salve algumas vidas em certas situações, mas acho um pouco exagerado dizer...

– Em todas as situações – eu a corrigi. Tudo dependia do celular. O trabalho, os amigos, minha vida toda gravada na agenda. – Eu não saberia viver sem meu celular ou meu computador. – Pensei por um momento e acrescentei: – Ou o micro-ondas!

Eu ri e esperei que ela fizesse o mesmo, mas a vendedora, de cabelos e olhos cinzentos e bonitas feições, apesar da idade – uns cinquenta, talvez –, não achou graça na minha brincadeira. Seu rosto de repente ficou pesaroso e eu comecei a ficar um pouco tensa.

– Você tem o que eu quero? – perguntei levemente apreensiva.

– Talvez eu tenha *exatamente* o que você precisa – ela disse, mais para si mesma. Ou pelo menos foi o que me pareceu.

Ela abriu uma gaveta do balcão e retirou uma caixa pequenina. Prendeu minha atenção no mesmo instante.

— Este modelo não está na vitrine. Esta é a última unidade — falou, se aproximando mais.

Última?

— É um aparelho *muito* especial — ela continuou. Não desgrudei os olhos da caixa. — Muito especial mesmo! Apenas algumas unidades foram fabricadas. É muito raro!

Ah, droga! Raro significa caro.

— E este está na promoção. Um preço muito bom! Quase me sinto mal por vendê-lo a um valor tão baixo.

Humm!

— E parcelamos no cartão, claro. Além disso, ele possui tudo o que você deseja ou *precisa* — ela enfatizou a palavra com um sorriso esquisito. — É fantástico. Aposto que mudará sua vida, querida.

Eu observei a caixa nas mãos dela. As palavras "Everything You Need in Just One Click" me ganharam.

— Acho que vou levar.

— Tem certeza?

Eu a encarei por um momento. Estava ficando irritada com aquela mulher. Afinal ela queria ou não me vender o telefone?

— Tenho — confirmei, olhando em seus olhos cinzentos.

Uma expressão estranha cruzou seu rosto. Pena, tristeza e mais alguma coisa. Será que ela pretendia reservar o celular para outra pessoa — uma amiga — e agora teria que me vender a última unidade? Ou será que ela pretendia comprá-lo para si mesma? Mas, então, por que teria me mostrado o aparelho em primeiro lugar?

— Você não poderá devolvê-lo nem trocá-lo. Como eu já disse, este é o último aparelho.

— Ele está com algum defeito ou coisa assim? Tem garantia? — perguntei, um pouco desconfiada.

— Tem garantia, sim. E não tem defeito algum. Apenas por se tratar de uma peça única não poderá ser trocado, pois não existe outro similar a este.

— Mas ele funciona bem? — me certifiquei.

– Perfeitamente bem. Ele possui tudo o que você sempre *quis* na vida. Tenho certeza que ficará muito satisfeita. – E sorriu alegre.

Que mulher mais sinistra!

– Eu fico com ele, então.

– Ótimo! Vou te explicar como funciona. – Ela retirou o pequeno aparelho prateado da caixa.

– É tão lindo! – exclamei, incapaz de me conter.

– Sim, é mesmo – ela disse rapidamente, sem muito entusiasmo. – Veja, apenas dois botões, liga e desliga. Já vem com a bateria carregada, cartão de memória e o número. Você não poderá trocá-lo. Este aparelho só funciona com *este* chip.

– Beleza. – Meu antigo número boiava em algum lugar no esgoto naquele exato momento. – Ele é *touch screen*? – perguntei excitada.

– Sim. E as funções estão no manual, mas é bem simples de usar.

O aparelho era lindo. Todo cromado, a tela grande e escura, apenas dois pequenos botões embaixo dela. Muito mais bonito e moderno que o meu antigo.

– Onde eu pago? – Eu queria sair logo dali para poder *fuçar* nele.

– Aqui mesmo. A forma de pagamento será no cartão? – Humm... Ela ainda parecia relutante de alguma forma.

Aposto que ela pretendia ficar com ele!

Desgrudei, relutante, os olhos do meu futuro novo monstrinho para procurar meu cartão de crédito na bolsa. Remexi dentro dela e não o encontrei. Olhei nervosa para a vendedora, coloquei a bolsa sobre o balcão e tornei a procurar.

Batom, blush, chaves, absorventes, lixa de unha, camisinha – eu era uma mulher precavida. Nada de cartão. Continuei procurando, *tinha* que estar ali! A última vez que usei meu Visa tinha sido no almoço do dia anterior, e eu tinha certeza de tê-lo guardado de volta na bolsa.

Encontrei meu romance estropiado, remédio para dor de cabeça, minha nécessaire de higiene, caneta, elástico para cabelo, sachê de ketchup – *como é que isso veio parar aqui?*

Ah! Encontrei!

– Aqui está! – eu disse, triunfante, entregando o cartão a ela.

– Volto num minuto, Sofia – ela disse com um sorriso nos lábios.

Eu já ia voltar a atenção para o aparelho quando algo me pareceu fora do lugar.

Espera aí!

– Como você sabe meu nome? – perguntei com um pequeno sobressalto.

O sorriso dela desapareceu.

– Está escrito no cartão, querida – replicou sem hesitar.

– Ah – respondi um pouco desconfiada, pois me pareceu que ela não tinha olhado sequer uma única vez para o cartão.

Ela saiu e logo me distraí de novo olhando para o celular. Tão lindo e moderno! Tinha certeza de que caberiam mais de mil músicas nele. Isso era uma coisa muito importante para mim. Eu era movida a música. Quase que literalmente. Usava música para quase tudo: para me acalmar, para relaxar, só por ouvir, para tomar banho, para ler, para tudo. Às vezes, quando eu dormia, alguns sonhos tinham até trilha sonora. Música era importante assim para mim.

– É só assinar aqui – disse a vendedora, com aquela voz estranha e agradável.

Peguei meu cartão, assinei a notinha e a devolvi para ela.

– Tudo certo, então? – eu quis saber, guardando o cartão de volta na bolsa enquanto ela colocava a pequena caixa numa sacola.

– Tudo absolutamente certo. Espero que te traga a felicidade que procura. – E me entregou a sacola.

Sorri para ela.

– Ah, vai trazer, sim!

– Tenho certeza disso – a voz dela ficou séria e tão baixa que fiquei em dúvida se tinha ouvido direito.

– O que disse?

– Boa sorte, Sofia. Espero vê-la em breve – ela sorriu de novo e, quando o fez, seu rosto pequeno se tornou tão angelical, tão bonito, que só pude sorrir em resposta e dizer:

– Claro! Até logo. – E saí da loja apressada.

Mulher estranha, pensei outra vez. Mas eu tinha coisas mais importantes para ocupar meus pensamentos do que a vendedora esquisitona que não conseguia se decidir se queria ou não fazer uma venda. Coisas muito importantes. Coisas como ligar meu celular *high-tech* novinho! Eu poderia esperar até chegar em casa, como uma pessoa normal faria, mas estava ansiosa demais para vê-lo em ação. Abri a embalagem, peguei o monstrinho e guardei a caixa dentro da bolsa de couro marrom para dar uma olhada no manual mais tarde. Joguei a sacola plástica numa lixeira da rua.

Deus abençoe o inventor das maxibolsas!

Segurei o pequeno aparelho prateado e apertei a tecla liga. Nada aconteceu. Virei o telefone em busca de algum outro botão, mas não encontrei nada. Apertei a tecla verde novamente.

Nada! *Mas que droga! Não me admira custar tão pouco. Não funciona!* Talvez fosse esse o motivo de a vendedora agir de forma tão estranha e relutante. Ela sabia que estava quebrado.

Cheguei à praça praticamente deserta e tentei mais uma vez.

Nada de novo!

Girei nos calcanhares para voltar até a loja e dizer umas coisinhas àquela vendedora esquisita, enquanto apertava freneticamente o botão verde.

Então, de repente, a tela se acendeu. Pouco a pouco foi ficando mais clara, até se tornar insuportável e eu não conseguir mais olhar para ela. Parecia que tudo ao meu redor estava envolto naquela luz absurdamente forte e branca. Cega pelo clarão, acabei tropeçando em alguma coisa e caí.

Aos poucos, bem devagar, a luz enfraqueceu e tentei ajustar o foco da minha visão, mas ainda não era capaz de enxergar nada. Alguns minutos se passaram até que eu pudesse me recuperar. Quando finalmente meus olhos voltaram ao normal, pude ver a pedra em que meu pé se enroscou, a grama debaixo de meu corpo e a luz do sol – natural e confortável outra vez.

O que foi aquilo?

O celular devia ter pifado ou algo assim. E por que toda aquela luz? Parecia ter saído dele, mas não poderia ser isso, poderia? Nunca tinha ouvido nada sobre luzes ofuscantes nos novos aparelhos. Talvez ele tivesse entrado em curto.

Ainda no chão, olhei para o celular, que estava apagado outra vez.

Foi então que percebi que algo estava diferente. Muito, muito diferente! Olhei em volta com assombro. Meus olhos procuravam por qualquer coisa familiar. Qualquer coisa que deveria estar ali. Que deveria estar ali e não estava!

3

Onde estavam os prédios? Onde estava a rua? Onde estava a praça em que tropecei meio minuto atrás?, perguntei-me, desesperada. Eu me encontrava no chão de um vasto gramado – como um campo de futebol –, no qual havia apenas uma árvore de médio porte a alguns metros. Notei uma estreita estrada de terra batida onde *deveria* estar a rua.

Eu devia ter batido a cabeça com muita força. Só podia ser isso.

Olhei freneticamente em todas as direções e não havia nada ali. Nada! As pessoas, a cidade, *tudo* havia sumido.

Quanto eu bebi na noite passada? Talvez ainda esteja bêbada! Isso. Com certeza, bêbada!

Eu não conseguia me mover, me levantar e provar que estava tão embriagada que não podia sequer ficar de pé; minha mente estava tão doida que tinha feito tudo desaparecer. Fechei os olhos e os apertei bem forte, rezando para que, quando os abrisse outra vez, tudo tivesse voltado ao normal. Então ouvi um barulho. Abri os olhos e avistei um homem em cima de um cavalo marrom-claro vindo em minha direção. Estreitei os olhos para entender o que estava vendo.

Realmente era um homem em um cavalo!

Continuei a observar enquanto ele se aproximava e notei que o animal diminuía sua corrida. Diminuiu um pouco mais até parar bem perto de onde eu estava.

Admirei o homem, completamente confusa. Suas roupas eram muito esquisitas e antigas. Muito, muito antigas! Vestia um casaco escuro e comprido, um colete sob ele, gravata – ou talvez fosse um lenço branco amarrado no pescoço – e botas pretas na altura dos joelhos. Ele estaria indo para alguma festa à fantasia? Ou um casamento temático, talvez?

Fiquei observando o rapaz enquanto ele descia de seu cavalo com uma expressão preocupada no rosto.

– Está bem, senhorita? – ele perguntou, se agachando ao meu lado.

Seus olhos procuraram alguma coisa ao redor. Assim como eu, também não encontrou nada ali, apenas a árvore, a pedra e eu, ainda caída no chão. Ele voltou a observar meu rosto, depois avaliou o resto de mim e sua cara assumiu um tom avermelhado quando examinou minhas pernas. Rapidamente, voltou a me encarar com o semblante confuso.

– Está bem, senhorita? – ele repetiu.

– O-o quê? – balbuciei pateticamente. Minha cabeça girava muito, me deixando tonta.

– A senhorita tem um ferimento na cabeça. Está sangrando muito. – Ele moveu a mão em direção à minha testa, mas não me tocou.

Estava tão confusa que não notei, a princípio, o líquido quente e pulsante em minha têmpora.

– Ai! – gemi, tocando minha testa. Doeu um pouco.

Então eu não estava sonhando! Nem tendo um pesadelo.

– O que aconteceu? Parece assustada e... suas roupas... hã...

– Cadê a cidade? – inquiri, com a voz quase sem som.

– Foi de lá que a senhorita veio? – ele franziu a testa.

– Como foi que eu vim parar aqui? Como tudo sumiu tão depressa? Cadê as pessoas...? – perguntei, agarrando com as duas mãos a gola de seu casaco.

Olhei em volta de novo, procurando uma maneira lógica de explicar o que estava acontecendo, mas não havia nada ali, além da paisagem rural. Estava assustada demais para entender qualquer coisa. O rapaz se espantou um pouco com minha reação. Mas, sinceramente, o que mais eu poderia fazer, além de ter um ataque?

– Melhor levá-la até minha casa e chamar o médico. Depois arrumarei uma carruagem para levá-la até sua casa. – Ele me fitava de uma forma muito estranha. Era um olhar intenso. Fiquei zonza. Soltei seu casaco imediatamente.

Um médico seria bom. Talvez ele receitasse alguma coisa que me fizesse acordar ou sair daquele pileque mais depressa.

– Posso ajudá-la a se levantar, senhorita? – E estendeu as mãos, para que eu as usasse como apoio.

Apenas assenti. Tinha certeza de que não conseguiria ficar de pé sozinha. Meus joelhos pareciam feitos de gelatina. Estiquei os braços para pegar suas mãos, quando o que ele disse finalmente entrou no meu redemoinho de pensamentos.

– Carruagem?

– Talvez seja mais prudente permitir que o dr. Almeida a examine primeiro. Um ferimento na cabeça pode ser muito perigoso.

– Não é nada – afirmei. – Nem sei como aconteceu. Você também viu aquela luz? – perguntei aflita, querendo encontrar algum sentido naquilo tudo.

Ele pareceu confuso.

– Luz? Refere-se à luz do sol?

– Não! – sacudi a cabeça. – A luz branca insuportável que fez tudo desaparecer!

Ele balançou a cabeça lentamente.

Eu fui a única que vi, então?

– Vejo que está um pouco atordoada. Vamos até minha casa. Descanse um pouco e, depois que falar com o médico, prometo que farei o possível para ajudá-la, está bem? – com sua voz baixa e rouca, os olhos intensos, ele não me deixou outra escolha.

Eu nem mesmo tinha outra escolha.

– Tá – murmurei.

Ele alcançou minhas mãos e me ajudou a levantar.

– Não é prudente que uma jovem como a senhorita fique sozinha neste lugar, ainda mais com seus trajes nestas condições. – Passou a mão em minha cintura para me dar apoio e começou a me conduzir até seu cavalo.

Senti algo muito estranho quando ele me tocou. Tipo um déjà-vu, ou como se já nos conhecêssemos de algum lugar. Perdi ligeiramente o equilíbrio.

– Por que está vestido desse jeito? – eu quis saber, tocando seu casaco. – Estava indo para alguma festa?

A confusão em seu rosto era parecida com a que devia estar no meu.

– Estou voltando de uma viagem longa – falou por fim.

Viajando a cavalo vestido daquele jeito? Ele era louco?

– Não acha que seria melhor usar uma roupa mais confortável? E por que você foi a cavalo?

Sua expressão se intensificou.

– Creio que estou vestido adequadamente, senhorita. E prefiro ir a cavalo. É bem mais rápido que a carruagem. – Um pequeno sorriso surgiu em seus lábios, e meu estômago se agitou. – Contudo, sei que é pouco prudente de minha parte. Muitas coisas mudaram nessa última década. Acredito que não seja mais tão seguro, com tantos vândalos e golpistas por aí se aproveitando de viajantes solitários. – E me lançou um olhar significativo.

– Ah! Não. Eu não fui atacada por ninguém. Eu não sei o que aconteceu. – Parei quando cheguei perto do cavalo, seu braço ainda estava em minha cintura. – Num minuto, eu estava na praça e, segundos depois, estava aqui neste... campo, e tudo... *puf!* Sumiu.

– Tenho certeza que se lembrará de tudo assim que sua cabeça melhorar. Mas penso que foi atacada por ladrões sem escrúpulos. Seria essa a única explicação para terem deixado uma dama nestas condições! – ele desviou os olhos.

– Que condições? – perguntei, confusa pelo tom reprovador de sua voz.

– Suas vestes, senhorita – ele murmurou. – Mal posso crer na audácia de tais bárbaros!

– O que é que tem minhas roupas? – olhei para elas, para ver se ainda existiam ou se, de repente, não tinham desaparecido como todo o resto. Havia um pouco de grama presa na saia e nos joelhos, mas, fora isso, estava tudo normal. Pelo menos com as roupas.

– As coisas mudaram muito depressa, como eu disse. Não acho prudente que mais alguém a veja praticamente sem... – ele pigarreou e baixou tanto a voz que quase não pude ouvir – ... roupas.

– Como assim, sem roupas? – De que raios aquele maluco estava falando?

– Não se preocupe com isso. Elisa lhe arrumará algo para vestir. – Ele me empurrou gentilmente para mais perto do cavalo.

Eu recuei, me soltando de seu abraço.

– Sabe de uma coisa? Eu tô legal! – Eu não sabia que tipo de maluco ele era, mas que não estava em seu juízo perfeito, isso era um fato. – Vou tentar descobrir como cheguei aqui e depois vou voltar para casa. Mas valeu pela ajuda, moço.

Girei para o outro lado, querendo ficar o mais longe possível daquele lunático, quando parei, petrificada. Uma carruagem surgiu na estrada. Uma carruagem de verdade, de madeira, com dois cavalos na frente e um carinha sentado quase no teto vestindo roupas engraçadas.

– Está tendo um desfile ou coisa parecida por aqui? – questionei, observando a carruagem se aproximar mais.

– Desfile?

Virei-me para observá-lo. Seu rosto ansioso acompanhava o trajeto da carruagem.

– É, desfile. Aonde aquele troço antigo está indo?

– A carruagem? Não é antiga! É da família Albuquerque, eles acabaram de adquiri-la. A antiga estava causando muitos transtornos a eles.

Apenas fiquei olhando para ele, esperando encontrar sentido no que me dizia.

– Nova? – caçoei. – Aquele troço? Deve ter pelo menos uns duzentos anos!

Sua testa se enrugou, as sobrancelhas se arquearam.

– Garanto-lhe que é nova. Foi construída há apenas alguns meses.

– Ah, entendi. Ele é tipo um colecionador.

– Colecionador? *Tipo*? Senhorita, creio que esteja um pouco desorientada neste momento. Ficarei mais aliviado depois que o dr. Almeida examiná-la. Então...

A carruagem parou na estrada e, através da pequena janela lateral, uma cabeça usando cartola – cartola! – apareceu.

– Está tudo bem, senhor Clarke? Algum problema? – perguntou o homem de rosto gordinho e bigode enorme, me examinando dos pés à cabeça. Os olhos se arregalaram e, quando olhou para minhas pernas, ruborizou.

O rapaz ao meu lado se colocou na minha frente, me impedindo de ver a imagem pitoresca.

– Esta jovem foi assaltada, senhor Albuquerque. Vou levá-la para minha casa. A pobre tem um ferimento na cabeça – ele contou, um pouco ríspido. Antes, quando falava comigo, pareceu tão doce...

– Ah, esses tempos modernos estão acabando com o sossego das pessoas de bem – o bigodudo sacudiu a cabeça, exasperado. Por que ele também vestia roupas estranhas? – Precisa de ajuda?

– Se puder avisar o dr. Almeida que precisarei de seus serviços imediatamente, lhe serei muito grato.

– Então partirei prontamente! Avise-me se precisar de mais alguma ajuda.

O rapaz assentiu. E, com um aceno de cabeça do bigodudo para o carinha sentado do lado de fora, a carruagem partiu. Fiquei olhando até que sumisse de vista.

– Podemos ir, senhorita?

– O que está acontecendo aqui? – exigi saber, desconfiada que ele mentisse sobre o desfile.

– Não tenho certeza se a compreendi. – E seu rosto pareceu sincero.

– Por que você fala desse jeito estranho, tá vestido com essas roupas e tem carruagens passando pela estrada?

– Senhorita... – falou, aflito. – Por favor, vamos até minha casa! Acho que pode ter tido uma lesão. A pancada que levou deve ter sido muito forte.

– Não vou pra sua casa, ficou doido? Eu sei lá o que você pretende fazer comigo? Você pode muito bem ser um psicopata que quer me cortar em pedacinhos e me guardar dentro do freezer pra comer aos poucos. Não sabe em que ano estamos? – Eu estava desconfiada que ele fosse maluco, mas para ser sincera ele não parecia ser um psicopata. Nem um pouco!

Tinha alguma coisa diferente nele: o brilho em seus olhos negros me parecia familiar, seus traços bonitos e bem delineados o deixavam parecido com um deus da Grécia Antiga. E seu tamanho – tão grande e forte, mas não bombado – me transmitia segurança. Ele não podia ser um psicopata... Mas, afinal, quantos psicopatas eu conhecia para poder comparar?

Nenhum. Pelo menos não que eu soubesse.

– Estamos no ano de 1830 e garanto-lhe que sou um homem de bem. Não tenho outra intenção que não seja ajudá-la! – ele respondeu, ofendido, à minha pergunta retórica.

Ele disse 1830?

Explodi num ataque de riso histérico, não pude controlar. O rapaz pareceu perturbado.

– Senhorita, vamos...

– Mil... Mil... oitocentos e trinta! – Eu não conseguia me conter. Respirei algumas vezes antes de poder falar. – Boa piada! Muito engraçada mesmo!

– Não lhe contei piada alguma.

– Então acha que eu tenho cara de idiota! – Comecei a rir outra vez.

– É claro que não. Jamais ousaria ofendê-la, mas vejo que está muito transtornada – falou todo sério. – Por isso, vou levá-la para minha casa. Então, suba logo, *por favor*! – E indicou a sela.

– Mil oitocentos e trinta! – zombei.

– Não consigo entender o motivo que a diverte tanto! – resmungou baixinho.

– Tá bom, maluco. Vamos até sua casa. Lá no século dezenove!

Aproximei-me do cavalo e parei. Nunca tinha subido em um antes. Parecia alto demais. O rapaz percebeu meu temor e, de modo gentil e um tanto hesitante, tocou minha cintura, colocando minha mão em seu ombro para me dar apoio. De novo aquela sensação estranha de que já o conhecia me perturbou. Eu não tinha ideia de onde estava, mas ele, aparentemente, sabia. Mesmo que fosse um maluco, ainda poderia me emprestar o telefone para chamar um táxi ou ligar para a Nina.

Subi com muita dificuldade no cavalo, quase caindo do outro lado por culpa de um impulso mal calculado. O rapaz foi rápido, se esticou e me pegou pelo braço, impedindo que eu me estatelasse no chão.

– Segure-se – ele avisou enquanto subia, fazendo a sela se movimentar um pouco e eu oscilar.

Uma de suas mãos circulou minha cintura assim que ele se acomodou na sela. Fiquei incomodada com a proximidade.

– Você precisa mesmo me apertar tanto? – perguntei aborrecida.

– Posso soltá-la, se estiver disposta a cair e bater a cabeça novamente.

Olhei para o chão. Era alto demais. Segurei firme com as duas mãos o braço que me rodeava, apertando-o um pouco mais.

Ele riu baixinho.

– Não tente nenhuma gracinha – alertei. – Eu sei alguns golpes de jiu-jítsu. Quebro seu nariz em dois tempos!

– Estou, de fato, muito preocupado com sua cabeça, senhorita – murmurou sério, sem vestígio de humor. – Não está dizendo palavras coerentes. A senhorita precisa ver o dr. Almeida.

– É... – concordei, pensando na carruagem e no sumiço repentino da cidade. – Acho que você tem razão. Preciso muito. Muito mesmo!

4

Isso não está acontecendo! Isso não está acontecendo! Repeti a frase para mim mesma na última meia hora, tentando desesperadamente me convencer de que tudo aquilo era apenas um pesadelo. Tinha que ser um pesadelo! Que outra explicação haveria?

Demência?

Era uma opção a ser considerada. Mas eu logo a deixei de lado, já que todas as outras áreas de meu cérebro pareciam funcionar como sempre. Bom, mais ou menos.

Eu não me sentia embriagada. Não mesmo! O nó em meu estômago era prova de que eu já *estive* embriagada e agora estava na fase dois: a ressaca. Talvez a pancada na cabeça fosse a explicação. Talvez eu tivesse batido a cabeça com muita força e algum fio importante tivesse se soltado lá dentro, e agora eu estava criando essas alucinações. Mas tudo parecia tão real!

Como a cama imensa na qual me obrigaram a deitar ou o médico magricela que entrou no quarto enorme (de paredes verdes e altas) por uma porta dupla imensa há alguns minutos. Ou a mulher baixinha – os cabelos presos num coque bem feito, usando um vestido longo e bufante – que abriu a porta e ficou horrorizada quando me viu ao lado do rapaz. Ou os móveis antigos da sala gigantesca pela qual entrei, ou a casa imensa com aparência de museu, só que tudo era novo, sem desgaste do tempo. Ou as duas garotas de cabelos arrumados e roupas de princesa que me observavam assustadas.

Claro que devia haver uma explicação razoável para tudo isso, escondida em algum lugar. *Tinha* que haver.

Virei-me de um lado para o outro no colchão gigante e espantosamente duro, tentando encontrar uma explicação lógica e sensata, mas não consegui pensar em nenhuma. Parecia que meu cérebro não era mais capaz de fazer ligações coerentes.

Humm...Talvez eu devesse reconsiderar a demência.

Uma batida sutil na porta me tirou do turbilhão de pensamentos.

– Hum... Entre? – O que mais eu poderia dizer?

O rapaz que me trouxe até ali entrou no quarto a passadas largas, o rosto sério.

Ian.

Ian Clarke. Agora eu sabia o nome da minha primeira alucinação.

– Como está se sentindo, senhorita Sofia? – Ele parecia desconfortável ali em pé ao lado da cama.

– Tô bem. O médico só encontrou um galo na minha cabeça, o corte foi superficial. Nada de mais. – Nada além de terem me dito que estávamos em uma data dois séculos antes daquela em que eu vivia. Nada de mais. Tudo normal!

– Fico feliz em ouvir isso – e pareceu sincero. Fiquei surpresa que um estranho se preocupasse comigo daquela forma. Fiquei olhando para ele como uma idiota. Ele me lembrava os mocinhos dos meus romances.

Seria isso? Eu bati forte com a cabeça e estava fantasiando? Mas, se fosse isso, por que eu também não me parecia com uma das heroínas dos livros?

Ian ficou um pouco constrangido. Também, pudera, eu o encarava como se ele fosse um fantasma ou uma assombração!

Depois de limpar a garganta e parecer não saber onde colocar os braços – acabou cruzando-os atrás das costas –, ele me perguntou com a voz instável:

– Gostaria de comer algo? Posso pedir para a senhora Madalena trazer-lhe alguma coisa.

– Não, não. – Apenas a menção da palavra "comer" fez meu estômago se revirar. – Eu tô legal.

– Legal? – ele me olhou intrigado. – A senhorita tem uma maneira muito peculiar de se expressar.

Eu não tenho, não!

– Acho que posso dizer o mesmo. Você fala tipo meu avô! – retruquei, um pouco ofendida.

– Tipo? Hum... E isso é algo bom?

Ai, meu Deus!

– É como dizer que você fala *como* meu avô – expliquei. Se eu realmente estava criando essas alucinações, poderia ao menos criá-las de forma que compreendessem o que eu dizia.

Ian ficou surpreso e depois constrangido.

Fala sério!

– Bem... – Ele pigarreou. – Fiquei muito perturbado com a forma como a encontrei. – Então éramos dois! – A senhorita foi vítima de algum saqueador?

– Saqueador?

Eu tinha que acordar daquele sonho maluco. E rápido. Ou acabaria tão doida quanto todas as pessoas daquele hospício.

Ian apenas me encarou.

– Você está falando sério? Isso tudo é um tipo de piada de mau gosto que alguém armou pra cima de mim? Porque, olha, não tem mais graça! – Será que era algum tipo de pegadinha, daquelas da TV, e eu estava pagando o maior mico?

Suas bochechas ficaram vermelhas outra vez.

Ah! Tenha dó!

– Senhorita! Eu não sei se entendi exatamente suas palavras, mas... eu não estou brincando. – E sua voz continha toda a indignação que seu rosto demonstrava. – Quando a vi caída no chão com o rosto cheio de sangue, e praticamente... – ele pigarreou – ... nua, supus que...

– Nua? – gritei, ofendida. Quem estava nua? – Você tá louco? Eu estou perfeitamente vestida!

Era por isso, então, que ele me olhava pelo canto dos olhos e depois ficava constrangido? Como se atrevia a pensar que eu estava nua? Esperei que ele pensasse que o tom escarlate em meu rosto fosse de raiva e não do meu súbito constrangimento.

Ele recuou um passo e colocou as mãos nos bolsos da calça, parecendo tão envergonhado quanto eu acabara de ficar.

– Desculpe-me. Mas suas pernas estavam descobertas e...

— E porque minhas pernas estavam à mostra você pensou que eu estivesse *nua*? Fala sério! Eu tenho saias muito mais curtas que esta, que é até bem comportadinha!

A saia batia no meio da minha coxa. Como é que eu podia estar pelada? Mas... *se* ele fosse mesmo um habitante do século dezenove, como afirmava ser – era uma suposição muito idiota, claro, mas se ele realmente fosse –, talvez ficasse escandalizado de verdade ao ver pernas de fora.

O que é que eu estou pensando? Ele não podia ser um rapaz de 1830. Simplesmente não era possível. Eu descobriria o que estava acontecendo ali.

— Percebo que ainda está um pouco desnorteada. Vou pedir à criada que lhe traga uma xícara de chá.

Eu não disse nada. Apenas fiquei observando ele se curvar e sair do quarto, fechando a porta atrás de si.

Fechei os olhos outra vez.

Vamos! Eu preciso acordar! Tá tudo bem. Eu não estou maluca. É só um sonho. Vamos!

Abri os olhos.

Tudo estava exatamente igual. Lá estava eu, naquele quarto estranho com cama de dossel e janelas imensas. Olhei em volta, procurando por minhas coisas. Eu tinha que sair dali e arrumar um jeito de acordar. Encontrei minha bolsa jogada numa poltrona – de madeira escura e forrada com um luxuoso tecido dourado – e notei uma coisa prateada refletindo dentro dela. Meu novo celular.

Pulei da cama, peguei o pequeno aparelho e o observei por um tempo. Alguma coisa lá no fundo me dizia que aquela confusão toda tinha começado por causa dele. E então, como se confirmasse minhas suspeitas, ele vibrou e a tela acendeu. Dei um pulo e quase o deixei cair, mas consegui pegá-lo antes que se espatifasse no chão. Ninguém tinha aquele número. Nem mesmo eu sabia qual era o número. Nem tive tempo para descobrir isso.

O celular continuou vibrando em minha mão. Com dedos trêmulos – não sabia bem por quê, mas tinha a intuição de que aquilo não era nada bom –, apertei a tecla verde e lentamente o levei até a orelha.

— A-Alô? – gaguejei.

— Olá, Sofia. Como está se saindo?

Pisquei várias vezes. Aquela voz suave e baixa...

– É você? É a mulher que me vendeu este celular? Olha, ele não funciona bem, não... – comecei e me detive. Lembrei que tinha problemas mais urgentes naquele momento. – Hã... Será que você poderia me ajudar? Estou meio... perdida. – Um riso nervoso escapou de meus lábios.

– Perdida? – Ela não pareceu nada surpresa.

– É. Eu estou num lugar muito estranho onde... onde... – Era difícil dizer em voz alta. Tomei fôlego. – Onde algumas pessoas pensam ser o século dezenove. – Ri nervosa outra vez. – Dá pra acreditar?

Houve um curto silêncio.

– Claro que dá! E você não está perdida. Está exatamente onde deveria estar.

Eu pisquei. Tentei falar, mas meu cérebro não obedeceu ao comando.

– Hein? – foi só o que consegui fazer sair.

– Você está onde deveria estar! – ela repetiu, convicta.

– Estou? – minha voz saiu tão baixa que mal era um sussurro.

– Sim, está sim, querida. Fico feliz que tenha começado sua jornada.

– Jornada? – repeti debilmente. Minha voz tinha algum volume agora. – Que jornada? Do que você está falando? – Será que o mundo tinha enlouquecido? Ou será que fui a única?

– Sofia, você precisa completar sua jornada, querida. Descobrir quem realmente é.

– Eu sei quem eu sou! Não preciso de coisa alguma! – Passei a respirar com dificuldade. O desespero começava a me invadir.

– Precisa sim. Só que ainda não sabe disso. – Ela riu suavemente.

– Olha só... – Tentei persuadi-la usando minha voz mais melosa. Funcionava bem com a Nina. – Me ajuda a sair daqui e depois a gente conversa sobre isso, hã?

– Mas eu já estou te ajudando, não vê isso?

– Ajudando? Como?

– Você sempre foi muito cética, não é? Nunca acreditou em magia. Nem mesmo em contos de fadas ou Papai Noel. Sempre prática! Está na hora de começar a crer que existem mais coisas no universo além daquelas que os seus olhos podem ver. E finalmente começar a viver sua vida! Você sempre a deixou para depois, esperando que ela acontecesse, mas nunca fez nenhum esforço para isso.

Senti meu corpo se transformar em pedra. Ela tinha falado com a Nina?

– Não. Não falei com a Nina – ela respondeu, parecendo adivinhar o que eu pensava. – Não preciso falar com ninguém para saber. Conheço cada segredo da sua alma. Por isso precisei intervir.

Eu não tinha reação. Senti meu cérebro virar mingau. Nem um único pensamento era coerente.

– Intervir? C-como? – Não sei como ela conseguiu me ouvir, porque me pareceu que as palavras não tinham som algum.

– Intervindo, Sofia. Você não voltará até que encontre o que procura. Terá que completar sua jornada. Mas terá que permanecer aí até que a complete. Você não está sozinha, acredite.

– Você não pode estar falando sério – comecei a tremer.

– Estou falando muito sério. Você voltará de uma forma ou de outra, mas primeiro terá que encontrar o que procura.

– Mas encontrar o quê? Eu não tenho ideia do que você está falando!

– Isso – ela disse com delicadeza – você terá que descobrir sozinha. Vamos, Sofia! Você sempre foi a mais competente! Saberá o que fazer.

– Mas...

– Eu sei, querida – a mulher disse maternalmente. – Também queria que existisse outra forma. Mas tudo ficará bem, você vai ver! E, antes que eu me esqueça, não vai adiantar tentar usar o telefone. Não vai funcionar. Ele servirá apenas para que eu possa orientá-la. Não o perca, por favor.

O celular! O clarão, as coisas desaparecidas, as pessoas estranhas, este lugar, tudo isso foi...

– Sim. Tudo causado pelo celular – ela completou.

Eu ainda não conseguia me mover. Era demais para mim!

– Quem é você? O que quer de mim? Por que está fazendo isso tudo?

– Eu sou sua amiga, querida. E já disse que só quero te ajudar. É minha obrigação te ajudar! Agora, comece logo a se misturar. Pare de reclamar e comece sua busca. Quanto mais rápido começar, mais rápido poderei trazê-la de volta. E, por favor, evite confusão e não saia por aí dizendo que veio do futuro. Ninguém vai acreditar em você. – Houve um curto silêncio. – Eu entrarei em contato em breve.

– Espera! – gritei, mas ela já tinha desligado.

5

Toc-toc!

Observei a porta com o telefone ainda pressionado na orelha.

Não podia ser real! Aquilo não podia estar acontecendo! Quem era aquela criatura? O que eu tinha feito para merecer isso? Por que eu? Que jornada era essa? E o que eu tinha que encontrar para ela? O que eu iria fazer agora? Eu estava mesmo em 1830? Mas era loucura! Como era possível que eu tivesse viajado no tempo? Não era possível!

As perguntas giravam em minha cabeça, me deixando tonta.

Toc-toc!

– Senhorita? – perguntou uma voz masculina.

Guardei o telefone na bolsa e me virei para a porta. Eu tinha a intenção de ir até ela e abri-la, mas minhas pernas não obedeceram.

– E-Entre – esforcei-me para que minha voz saísse com um pouco mais de volume.

Ian entrou. Tinha nas mãos uma bandeja com alguma coisa fumegante.

– Perdoe-me, senhorita Sofia – disse, assim que pisou no quarto. – Eu mesmo trouxe seu chá. Pensei que já estivesse assustada o bastante para que outro desconhecido o trouxesse. Sente-se um pouco melhor?

– Chá? – indaguei ainda zonza. – Não tem nada mais forte? Algo com bastante álcool, de preferência? – Ou talvez éter ou cianureto. Meu cérebro já parecia estar derretido mesmo...

Suas sobrancelhas escuras se arquearam.

– Forte? Um vinho, talvez?

Vinho?

Suspirei. Era melhor que chá!

– Vinho tá bom. – *Tanto quanto formicida.*

– Este vinho é muito bom. Vai se sentir melhor rapidamente. *Duvido muito!*

Ele deixou a bandeja numa mesinha. Pegou uma garrafa toda trabalhada de cristal e serviu o vinho numa taça, aproximou-se sem pressa de onde eu estava – ainda grudada no assoalho de madeira como uma árvore – e parou a um passo. Esticou o braço, me oferecendo o vinho.

Fiquei feliz ao notar que meu corpo começava a responder aos comandos de meu cérebro. Peguei a taça, um pouco hesitante, as mãos ainda tremendo, e virei tudo em um só gole.

Ele me observava com atenção. Alguma coisa em seus olhos – negros como uma noite sem lua – me deixava inquieta.

– Melhor? – perguntou com doçura.

– Sim – respondi, quase num sussurro. Não era inteiramente mentira. Nada faria com que eu me sentisse bem estando ali, mas o calor do vinho correndo nas veias afugentou o frio e um pouco do tremor.

– Ótimo! – Ele sorriu um pouco. – E agora...

Ah, claro. Ele queria saber o que havia acontecido comigo e, com certeza, que eu desse o fora de sua casa o mais rápido possível.

– Eu... estou... perdida. – O que mais eu podia dizer? *Escuta só, cara, eu acordei hoje de manhã no ano de 2010 e, depois que tropecei numa pedra e meu celular criou uma espécie de supernova, eu vim parar, sabe Deus como, no século dezenove. Que doideira!* – Eu vim de... outro lugar. Não sei bem como aconteceu, mas quando dei por mim já estava aqui. E não sei como voltar. – Era toda a verdade que dava para contar a ele.

Ian continuava a observar meu rosto.

– Então a senhorita está aqui sozinha?

Como olhos tão negros podiam brilhar tão intensamente?

– Estou. – Sozinha e desesperada, eu quis acrescentar.

– Se me disser como, posso levá-la de volta para sua casa – ofereceu com a voz gentil e o rosto amigável.

– Mas o problema é esse! Nem eu mesma sei como voltar! – Apenas sabia que teria que encontrar uma coisa que eu não fazia ideia do que era. – Mas eu vou descobrir – disse, mais para mim mesma do que para o rapaz gentil, que tinha me ajudado gratuitamente até agora.

– Entendo – disse ele, mas tive a impressão que não entendia nada. Não o culpei. Eu mesma tinha dificuldades para compreender. – Pensei que tivesse dito que vinha da cidade.

– E eu vim da cidade! Mas tenho certeza absoluta que não é a mesma cidade a que você se refere. Eu vim... de um lugar distante. Tipo... bem distante mesmo! – Dois séculos distante!

Que estranho! Eu me senti um tanto incomodada por não contar a ele o que eu sabia. Não gostei de lhe dizer meias verdades. Se bem que o que importava mais um fato estranho naquele dia completamente surreal?

– Então não há lugar algum aonde eu possa levá-la – constatou.

Para onde eu iria naquele fim de mundo?

– Acho que poderia me indicar uma pensão ou um hotel. Não conheço nada aqui – dei de ombros, imaginando se as pensões já existiam e se aceitariam um cheque pré-datado para 65.475 dias.

– Jovens solteiras e desacompanhadas não se hospedam em pensões – ele me censurou. – Além disso, seria um imenso prazer poder hospedá-la em minha casa enquanto descobre como voltar para a sua.

Olhei para Ian chocada. Chocada e desconfiada. Ele me conhecia há menos de uma hora e me oferecia sua casa como hospedagem! Estranhos não ajudam pessoas que acabaram de conhecer. Não no século vinte e um.

– Eu... não posso ficar aqui. Você nem me conhece! E eu... – Mas para onde eu iria?

Ian ficou muito sério.

– Eu não a conheço, realmente, mas... Fiz algo que a desagradou, senhorita Sofia? Pelo que pude entender, a senhorita não tem conexões aqui, ninguém a quem recorrer. No entanto, parece relutante em aceitar minha ajuda.

– Não. Não é isso. Agradeço muito por sua ajuda! Você foi ótimo! Sério! É só que, de onde eu venho, estranhos não ajudam pessoas que não conhecem sem ganhar nada em troca – confessei e observei sua reação.

Ele me encarou com algo parecido com indignação.

– Lugar estranho, esse de onde a senhorita vem. No entanto, eu ficarei feliz em ajudá-la. Sem receber *nada* em troca – ele enfatizou. – Apenas quero ampará-la.

– E por quê? – É claro que eu estava desconfiada. Quem não estaria? Eu cresci ouvindo "Nunca aceite nada de estranhos!", mas, naquele caso em particular, eu não tinha alternativa.

Ele abriu um sorriso.

Uau!

– Eu tenho uma irmã caçula, senhorita Sofia. Não gostaria de vê-la numa situação parecida com a sua. E ficaria imensamente grato se alguém a ajudasse em uma hora de dificuldade.

Sem saber o que fazer – e o que pensar –, apenas respondi:

– Então, aceito sua ajuda, pelo menos até eu ter uma ideia de como voltar pra casa.

– Excelente! – Um sorriso ainda maior se espalhou em seu rosto. Meu estômago se agitou. Talvez fosse culpa do vinho.

Ian me deu uma olhada rápida e logo desviou os olhos, parecendo constrangido outra vez.

– Hã... Pedirei à senhora Madalena que lhe traga algumas roupas. A senhorita parece ser um pouco mais alta que minha irmã, mas, ainda assim, será melhor do que ficar... vestida dessa forma. – Ele fitou o chão.

– Eu não estou sem roupa! As pessoas se vestem assim lá onde eu vivo. Para de dizer que estou pelada! – Era constrangedor ver que minhas roupas (ou a falta delas) o deixavam tão perturbado.

Ian arregalou os olhos quando eu disse *pelada* e depois corou. Nunca tinha visto um homem corar tantas vezes em toda minha vida. Não até hoje de manhã.

– Compreendo – ele disse cauteloso. – Mas, veja, aqui não estamos... habituados a esse tipo de traje. Então, seria mais apropriado se a senhorita pudesse... Se pudesse se vestir de forma mais... tradicional. – Ele não me olhou enquanto falava.

– Eu... hã.... – Talvez minhas roupas fossem mais estranhas para ele do que as dele eram para mim. Homens usavam terno em escritórios, casamentos e festas – não para cavalgar, claro, mas eu já tinha visto homens em trajes formais milhares de vezes. Ele, no entanto, não estava habituado a ver pernas, ao que parecia. Eu observei aquela senhora de cabelos cinza logo que entrei na casa imensa. Ela usava um daqueles vestidos volumosos e longos, como nos filmes antigos. Será que foi por isso que ela arfou quando me viu? Pela minha falta de roupas? Pensei que fosse por ter uma estranha sangrando no meio da sala. Humm...

– Então, se fizer a gentileza de vestir as roupas que ela trará, poderá sair do quarto sem impressionar ninguém. Elisa está ansiosa para conhecê-la e eu poderia mostrar-lhe minha casa. Já que se hospedará aqui, precisará conhecer as dependências, caso precise de alguma coisa.

Seu rosto era tão gentil, tão sincero!

– Está bem – concordei, impotente. Eu não poderia descobrir a tal jornada trancada naquele quarto. E seria melhor não chamar muita atenção, de toda forma. – Valeu, Ian. Por... se preocupar.

– Valeu? – Um pequeno V se formou entre suas sobrancelhas.

– É o mesmo que obrigada, de uma forma mais casual – e ri sem graça.

Ele sorriu, depois fez uma reverência – exatamente como nos filmes! – e deixou o quarto dizendo apenas:

– Com sua licença, senhorita.

Nossa! Ele se inclinou para mim! Como se eu fosse uma mocinha indefesa. Como se eu fosse uma donzela do século retrasado e ele fosse...

Foco! Comandei a mim mesma.

Eu tinha um grande problema. Precisava encontrar muitas respostas. Precisava pensar no que *ela* havia me dito, palavra por palavra, e tentar encontrar qualquer coisa útil. Mas, fosse o que fosse, eu tinha certeza de que não estaria naquele quarto. Eu tinha que encontrar uma pista para poder voltar para casa. Por mais gentil – e estranhamente familiar – que o rapaz fosse, eu não tinha a intenção de me demorar ali.

Toc-toc!

– Senhorita? – chamou uma voz feminina.

Dessa vez, talvez por causa do calor do vinho, consegui me mover até a porta. A mulher baixinha e rechonchuda, com o mais vivo tom de escarlate no rosto, me olhou de soslaio.

Soslaio?

Eu já estava entrando na brincadeira! Daqui a pouco estaria chamando as pessoas pelo sobrenome e corando, como todo mundo ali parecia fazer.

– Senhorita, o patrão pediu para que eu trouxesse estas roupas.

Fiquei olhando a pilha que ela tinha nas mãos. Quantas pessoas ela pretendia vestir com tudo aquilo? Tinha tecido o bastante ali para armar uma barraca de acampamento.

– Valeu, dona. Mas eu só vou precisar de uma roupa. Não vou ficar aqui muito tempo.

– Sim, senhorita, por isso trouxe este aqui – ela apontou com a cabeça para um tecido azul.

– Ah! Obrigada. – Peguei o vestido, sorri e comecei a fechar a porta, mas a mulher não se moveu. – Algum problema? – perguntei. Não queria ser rude e bater a porta na cara dela.

– Bem... senhorita... E quanto ao resto? – Ela parecia nervosa, seu rosto assumiu um vermelho ainda mais intenso.

– Resto? – perguntei sem compreender.

– Do seu traje! – ela esticou os braços, me oferecendo a pilha.

– Hein? Que traje? Eu já peguei o vestido!

Ela remexeu na pilha em suas mãos ruborizando violentamente e, sem me olhar nos olhos, disse:

– Os trajes íntimos. A anágua, o espartilho, as meias, a crinolina e o sapato, senhorita.

A mulher não esperou por uma resposta. Colocou tudo em meus braços entorpecidos. Eu segurei automaticamente. Depois, ela quase correu pelo longo corredor. Fiquei olhando até ela desaparecer. Minhas reações ainda estavam um pouco afetadas pelo choque de estar, de fato, no século dezenove. Fechei a porta.

Joguei a pilha pesada de roupas sobre a cama. Tentei reconhecer algumas peças.

Vestido: OK.

Meias: OK.

Um treco de metal que parecia uma gaiola: nada OK.

Espartilhos: já tinha ouvido falar deles.

Uma saia branca de tecido duro e pesado: talvez fosse a tal anágua.

Uma peça branca parecida com aqueles shortinhos que se usam por baixo do vestido de quadrilha: humm... Supus que fosse algum tipo de lingerie, já que tinha uma abertura entre as pernas e um laço de fita de cetim unindo as duas partes. Olhei para ela e ri. As calçolas da vovó pareceriam escandalosas perto disso!

Tirei a blusa e a saia e peguei o vestido. Se o problema fossem pernas de fora, ele daria conta do recado. Eu não usaria aqueles outros instrumentos de tortura. Para dizer a verdade, fiquei um pouco intrigada com aquela gaiola. Era para ser usada por baixo do vestido? De verdade?

O vestido azul-claro, de mangas curtas e decote reto, ficou um pouco largo na cintura e curto no comprimento, mas minhas pernas não apareciam mais, apenas parte dos tornozelos e os pés. Mantive os tênis. Os sapatos eram pequenos demais para meus pés, mas, principalmente, pareciam desconfortáveis.

Meu Deus, como aquele vestido era quente! O tecido pesado me fazia suar em todos os lugares. O dia estava exatamente como de manhã. Agradável e quente. Agradável se você estivesse usando roupas leves, é claro. Com amargura, lembrei que gostava daquele tipo de vestido em meus livros. Eu gostava porque nunca tinha usado um!

Coloquei minhas roupas na bolsa e amontoei a pilha que sobrara sobre a cômoda. Alguém iria levá-la dali.

Vestida – e me sentindo muito ridícula –, saí do quarto procurando refazer o caminho por onde havia entrado. Passei por um longo corredor cheio de quadros bonitos – paisagens na maioria –, tentando encontrar a sala. Notei que havia muitas portas no corredor. Comecei a ouvir vozes (não de fantasmas, era só o que me faltava!) e segui o som. Acabei encontrando a sala gigantesca. Ian estava ali, além de duas garotas. Parei assim que os vi, sem saber exatamente o que fazer. Para minha sorte, Ian veio ao meu encontro, sorriu um pouco enquanto examinava o vestido e sacudiu a cabeça de leve.

– Parece estar muito melhor agora, senhorita Sofia. – Seu riso descontraído me deixou ainda mais envergonhada. Eu estava muito ridícula mesmo!

— É. Eu tô melhor. Obrigada, Ian – respondi, com as bochechas queimando.

Ele tossiu, ao mesmo tempo em que as duas garotas se entreolharam e depois se voltaram para Ian com cara de assombro. *O que foi que eu disse?*

Ian apenas se limitou a sorrir para as duas.

— Senhorita Sofia, permita-me apresentá-la a minha irmã, Elisa. – A garota de cabelos pretos inclinou levemente a cabeça. – E a nossa amiga Teodora Moura. – A mais baixa e ruiva também inclinou a cabeça, fazendo uma reverência.

— E aí, tudo bem? – perguntei, me aproximando um pouco.

Ninguém respondeu. Fui ficando cada vez mais constrangida.

— Obrigada pelo vestido – eu disse a Ian, num sussurro.

Ele sorriu satisfeito, o que deixou seu rosto ainda mais lindo.

— Vejo que lhe caiu muito bem. – Mas seus olhos estavam grudados nos meus pés.

— Creio que ficou um pouco curto – disse Elisa –, mas posso pedir à senhora Madalena para fazer a bainha e deixá-lo mais longo. Não sou tão alta – ela deu um sorriso, como quem se desculpa, e duas covinhas apareceram em suas bochechas.

— Não precisa se incomodar. Não pretendo ficar por muito tempo. Na verdade, preciso voltar pra casa imediatamente. Mas valeu pela preocupação.

Toda vez que eu abria a boca, parecia ter o poder de arregalar os olhos de quem estivesse ouvindo, assim como Elisa fizera agora. Eu não tinha dito nenhuma asneira.

Ou tinha?

— Conseguiu se lembrar de como voltar para casa? – a ruiva perguntou. – Pensei que estivesse sofrendo de um lapso de memória. Não foi isso que nos disse há pouco, *senhor Clarke*?

Clarke?

— Sim, senhorita Teodora. Foi como eu disse, a pancada na cabeça deixou a senhorita Sofia ligeiramente confusa – ele respondeu, erguendo as sobrancelhas.

Ah! Ian Clarke. A garota estava chamando aquele rapaz, que parecia ser mais jovem que eu, de *senhor Clarke*!

Onde foi que eu vim parar?

– Eu não estou confusa. – Não com relação ao lugar de onde eu vim. – Apenas não sei *como* voltar. É meio complicado. Mas eu juro que descubro logo! Nem que eu tenha que me enfiar em cada buraco deste lugar.

– Não precisa ter tanta pressa, senhorita Sofia – Ian se apressou em dizer. Seus olhos me pareceram muito sinceros. – Será um prazer tê-la aqui pelo tempo que for necessário.

– Nossa, valeu! Nem sei como agradecer tanta hospitalidade, mas eu tenho mesmo que voltar logo. Tenho muita coisa me esperando.

– É claro – respondeu quase sorrindo. – Posso lhe mostrar a casa?

Ian era bacana. Quem imaginaria que um homem pudesse ser tão gentil com uma desconhecida? Bem, ser gentil com uma desconhecida sem ter a intenção de levá-la para a cama. Eu não conhecia mais nenhum.

– Pode ser, Ian – sorri, meio tímida.

As garotas se entreolharam mais uma vez. Eu corei sem saber o motivo, mas aparentemente eu havia ofendido alguém de alguma forma.

– Por que, toda vez que eu digo alguma coisa, sua irmã e Teodora parecem tão espantadas? – indaguei, depois que saímos da sala imensa e entramos em outro corredor largo, com mais uma dezena de portas. Tinha certeza de que jamais encontraria cômodo algum naquele labirinto. – Falei alguma besteira?

– Como já disse antes, seu modo de falar é... peculiar. – Ele lutava para não sorrir. – Algumas de suas palavras são um tanto diferentes, mas creio que elas se espantaram pelo fato de chamar-me por meu primeiro nome.

Olhei para ele. Ele não estava falando sério. Não podia estar falando sério.

– Eu não posso te chamar de Ian? É seu nome, não é?

– Sim, é meu nome – ele deu um meio sorriso. – Mas jovens solteiras devem saudar os cavalheiros pelo sobrenome. Nesta parte do país, ao menos, é assim. – Ele *estava* falando sério! – Dirigir-se a alguém pelo nome de batismo denota certa... intimidade.

– Intimidade tipo conhecer há muito tempo ou tipo sexo? – Eu tinha que aprender depressa como não chamar tanta atenção.

Ele parou repentinamente. Olhei seu rosto e, por um momento, pensei que Ian fosse sufocar. Por sua expressão, suspeitei que sexo não fosse um dos tópicos mais discutido por ali.

Opa!

— Senhorita Sofia, por favor, peço que compreenda que, nesta parte do país, as... hã... certas coisas continuam como sempre foram. Conservadoras! Esse lugar de onde a senhorita vem parece ter sido... modernizado rápido demais. Mas gostaria que não falasse sobre certos assuntos em minha casa.

— Ah! Claro, claro! Desculpa. Eu não sabia que não devia falar. Quer dizer, eu *devia* ter imaginado. Já li tantos livros sobre esta épo... err... e nunca ninguém mencionou nada sobre se... coisas assim. Já entendi. Não vou esquecer. Prometo, Ian.

Ele suspirou.

— Ai, caramba! Prometo, senhor Clarke. É que é tão estranho te chamar de senhor! Você deve ser quase da minha idade. — Talvez tivesse vinte e três ou vinte e quatro anos. Eu estava habituada a chamar homens bem mais velhos de senhor, mas um cara bonito e tão jovem, e que não era meu superior...

— Na verdade, eu não me importo com isso. Pode me chamar de Ian, se quiser. — Um sorriso apareceu em seus lábios. Ele baixou um pouco a voz, num tom conspiratório. — Mas, se mais alguém ouvir, terá uma reação parecida com a de Teodora.

— Eu não me importo também. Mas vou tentar me lembrar da próxima vez. Não quero te deixar numa saia justa. Você tem sido muito bacana comigo. — Era o mínimo que eu podia fazer para retribuir sua ajuda espontânea.

— Saia justa? — perguntou confuso.

Ô, meu Pai! O dia seria longo!

— É tipo uma situação embaraçosa. Constrangedora — expliquei.

— Oh! Não me importo com isso também. Mas a senhorita tem uma reputação a zelar.

— Olha, Ian, estou com tantos problemas que não dou a mínima pra isso. Além do mais, se tudo der certo, me mando logo daqui, então não importa. — Suas sobrancelhas se arquearam novamente. Apressei-me para explicar. — Caio fora. Dou no pé. Pico a mula. — A incompreensão ainda tingia seu rosto. — Vou embora, sacou? Digo, entendeu?

A incompreensão deu lugar a outra coisa. Parecia ser... desapontamento?

– Você está sendo superbacana comigo, Ian. – Tentei correr com as palavras. Não queria que ele me achasse uma ingrata. – Mas é que eu realmente preciso descobrir uma forma de voltar. Minha vida tá lá me esperando. – Meu emprego, minha casa e Nina, que devia estar me procurando como uma alucinada por eu não ter aparecido ainda em seu apartamento para saber como Rafa havia reagido diante de seu pedido.

– Posso imaginar, senhorita Sofia. – Ele me encarou por um longo minuto, depois recomeçou a andar. – Posso imaginar!

Eu o segui.

– Ian, será que posso te pedir outro favor?

– Certamente, senhorita.

– Dá pra me chamar só de Sofia? Sem o senhorita? Apenas Sofia? Já tá me dando nos nervos!

Ele riu, um pouco surpreso com meu pedido.

– Posso tentar – avisou. – Não sei se consigo ser tão espontâneo quanto a senhorita.

– Claro que consegue! É só dizer Sofia. Pronto.

Ele riu.

– Vou tentar. Agora venha, vou lhe mostrar minha casa. – E apontou para uma das portas.

Pensei que precisaria desenhar um mapa se quisesse realmente encontrar os cômodos daquela casa outra vez. Eram tantas as salas – de leitura, de pintura, de estudos, escritório – e tantos os quartos – de dormir, de costura, de vestir –, e apenas quatro dormitórios estavam, de fato, ocupados.

Ian me guiou pelo labirinto até chegarmos à cozinha.

– Senhora Madalena, creio que já conheceu a senhorita Sofia – ele disse, formalmente.

Meus olhos se estreitaram ao constatar que ele ainda não colocara em prática a promessa de me chamar apenas por meu nome.

A mulher baixinha secou as mãos no avental amarrado na cintura e se aproximou.

– Como está, senhorita? O vestido lhe caiu muito bem. – Ela me examinou de cima a baixo. Seus olhos se detiveram em meus pés. Sua testa se enrugou. – Os sapatos não eram de seu agrado?

Olhei para os meus pés, assim como fez Ian. Eu havia me esquecido dos tênis. E tinha certeza de que eles atrairiam olhares curiosos, mesmo se não fossem vermelhos.

– Na verdade, ficaram pequenos – murmurei, me desculpando, como se fosse culpa minha ter pés maiores que os sapatos. Não eram pés grandes demais, mas decididamente não eram pequenos. – E eu gosto destes aqui. São mais confortáveis.

Ian sorriu. Além de lhe cair bem, o sorriso vinha fácil aos seus lábios. Gostei disso. Gostava de pessoas bem-humoradas que sorriam mais do que faziam caretas.

– Este é o senhor Gomes, meu mordomo – disse ele, ainda sorrindo.

– Encantado em conhecê-la, senhorita Sofia. – O homem de meia-idade se inclinou de forma exagerada. Precisava daquilo tudo?

– Errr... O prazer é meu, seu Gomes.

Ian sacudiu a cabeça, rindo baixinho, e continuou me guiando de volta por um dos corredores – que eu não fazia ideia de onde iria dar. Depois de um tempo, porém, reconheci um dos quadros na parede do corredor. Já tinha visto aquele quadro mais cedo. Estávamos voltando para a sala onde Teodora e Elisa deveriam estar.

– Acabou? Você me mostrou tudo? – perguntei aflita.

– Sim. Mostrei toda a casa. Há algo errado, senhorita Sofia?

É claro que havia! Uma casa com uma dezena de salas, uma cozinha gigantesca, uma dúzia ou mais de quartos e só isso. Nada mais.

Oh, Deus, por favor! Permita que eles já existam, por favor!

– Senhorita? – Ian me lançou um olhar preocupado. – Está se sentindo bem?

– Cadê os banheiros? – perguntei em pânico.

– Banheiros?

Ah, não!

Não! Não! Não!

– Sim. Banheiros. Onde se toma banho... Por favor, me diga que você tem pelo menos um nesta casa! *Por favor!*

Ian ficou confuso. Muito confuso. Então eu soube a resposta.

Nada de banheiros.

Eu não queria pensar nas opções. Recusei-me a pensar nisso.

– Imagino que tenha notado a banheira em seu quarto – ele disse, inclinando a cabeça para o lado, ainda sem entender.

– Sim. Acho que vi. – Não tinha visto, na verdade, mas se ele dizia que havia uma... Não dava mais para confiar no que apenas *eu* via.

Banheira era bom. Acalmava. Relaxava. Mas não resolvia todos os meus problemas. Eu ainda olhava para ele com um horror crescente. Totalmente desesperada, na verdade.

– A banheira, beleza. Mas e quanto ao resto?

– O resto? – ele repetiu.

Ele estava tentando me irritar? Porque, nervosa como eu estava, nem precisava se dar ao trabalho.

– É, Ian, o resto! E para de repetir tudo o que eu digo. Está me deixando nervosa.

Não entre em pânico! Não entre em pânico!

– Perdoe-me – ele inclinou a cabeça de leve, se desculpando. – A que resto, exatamente, a senhorita se refere?

Respirei fundo, tentando me acalmar e pensando que, se ele não sabia o que era um banheiro, então não saberia qual era sua finalidade também

Isso não pode estar acontecendo!

Fechei meus olhos bem apertados, tentando acordar mais uma vez. Quando voltei a abri-los, Ian ainda estava ali, me observando curiosamente. Respirei fundo outra vez.

– O resto! – As palavras saíram sem controle. – As necessidades fisiológicas, o xi...

– Ah! Entendo – ele me interrompeu assim que compreendeu o que eu perguntava. – Você deve estar falando da casinha.

Não gostei da forma como ele disse "casinha".

Não gostei nada!

– Fica do lado de fora – explicou. – Vou lhe mostrar.

6

Observei a *casinha* por um longo tempo. Era surreal demais! A *casinha* era exatamente isso, um cubículo de madeira localizado a quase um quilômetro do casarão. Era tão baixa que era preciso se curvar para entrar, e até tinha uma pequena janela. Dentro, havia algo parecido com um caixote, com dois buracos lado a lado na tampa.

Pensei um pouco sobre os buracos. Para que dois? Seria um para líquidos e outro para sólidos? Ou seria para interação social? Você convida alguém para ir até a casinha e bate um papinho enquanto faz... a *oferenda*?

Por que dois buracos?

Não havia outra forma de descobrir. Tive que perguntar.

– Por que tem dois buracos?

Ian me fitou com um pouco de constrangimento no rosto.

– É uma ideia modernista. – Por um momento, pensei que ele estivesse me gozando. – Substitui muito bem os... penicos. Mas a função é a mesma. Imagine que aquele buraco é um penico e...

– Não. – Eu ri. Não pensava em penicos desde... Bem, nunca! – Eu sei pra que servem os buracos. Só não entendi o porquê de dois deles. Supõe-se que uma pessoa por vez use a casinha, certo? – Minha voz denotou todo meu horror à menção da palavra casinha.

– Sim, para uso individual, mas pode haver emergências. – Ele olhava para todo lado, menos para mim. – Imagine que a casinha esteja ocupada e, digamos... uma criança precise usá-la também. Acomoda duas pessoas, se necessário.

– Sei. Então não seria melhor ter duas casinhas separadas, com apenas um buraco em cada uma delas, em vez de apenas uma casinha com dois buracos? – indaguei, meio enrolada.

Suas sobrancelhas se arquearam. Ele entendeu meu ponto.

– Na verdade seria, sim – disse espantado.

– Imaginei. – E, aparentemente, fui a única.

Depois, contemplei outro dilema. Supondo que eu tivesse usado a casinha. Supondo que tivesse terminado o que fui fazer ali e quisesse voltar para minha vida. Eu precisaria de algumas coisas...

– Ian? – Minha voz tremeu um pouco.

– Sim, senhorita Sofia?

– Você usa a casinha, certo?

– Humm, certo – confirmou, inseguro.

– Então você sabe o que fazer depois – eu disse, arqueando uma sobrancelha.

Ele corou.

Meu Deus, ele era tão estranho! Aposto que não existia coisa alguma no mundo que fizesse o Rafa corar. Ou até mesmo a Nina! Humm... Eles eram perfeitos um para o outro, eu tinha que admitir.

– Depois de usar a casinha, vou precisar de... – parei de falar, esperando que ele compreendesse e completasse minha sentença. Torci fervorosamente para que a história dos sabugos fosse apenas lenda.

– Ah, isso! É para isso que serve aquele pé de alface ali no canto. Todos os dias algum criado coloca um fresco.

Olhei para Ian como uma idiota, tentando entender o pé de alface e sua conotação. Então, uma gargalhada histérica explodiu de minha boca, não pude evitar.

Pé de alface como papel higiênico! Sem agrotóxicos ainda por cima! Ao menos eram lavados primeiro? Os ecologistas iriam adorar essa ideia. Totalmente biodegradável!

Ian me observou, assustado. Deduzi que ele pensasse que eu era louca. E eu o apoiava incondicionalmente neste caso.

Pés de alface!

– O que é tão engraçado? – perguntou.

– Nada – respondi ofegante, por culpa do riso incontrolável. Lágrimas haviam surgido no canto dos meus olhos. – É só que... o pé de alface... – Mais riso histérico. – Desculpa, só que é tão...

– Se preferir, pode usar os sabugos – disse Ian, o rosto sério.

Parei de rir imediatamente.

– Alface tá bom. – Tentei me recompor. – Alface tá muito bom. Obrigada, Ian.

– Você precisa usar a casinha ou apenas queria saber sua localização? – ele indagou, constrangido.

Pensei nisso por um segundo. Em algum momento eu teria que entrar ali, mas iria adiar quanto pudesse! Disso eu tinha certeza.

– Só queria saber onde fica, podemos voltar. Era só pra saber se tinha um banheiro.

Não me senti melhor sabendo da existência da casinha. E eu que pensei que não poderia sobreviver sem computador! Fiquei com a incômoda sensação de que banheiro seria apenas uma das muitas coisas das quais eu sentiria falta.

Começamos a voltar para o casarão. Olhei para o horizonte e vi que já começava a anoitecer. Só então percebi que o lugar era bonito. Bonito de verdade!

O gramado se estendia até o final da pequena colina onde ficava a casa imensa, com suas dezenas de janelas. Ela combinava perfeitamente com a paisagem: um jardim bem cuidado enfeitava a entrada, o colorido das flores enchia de vida a fachada cor de creme. A luz rosada do entardecer deixava o quadro ainda mais belo.

– Será que me permite fazer uma pergunta? – Ian questionou de um jeito casual.

– Claro.

– Seus sapatos são muito interessantes – comentou, observando os meus pés.

Fiquei esperando a pergunta, mas ele não continuou.

– E...? – tentei incentivá-lo.

– Eu nunca vi nada como eles. Não parecem sapatos femininos, tampouco masculinos. Na verdade, não se parecem com nada que eu já tenha visto. - Ah, eu tinha certeza disso! - Só estava pensando que tipo de sapatos seriam.

— Você está certo. Não são femininos nem masculinos. - Ian era esperto. Fiquei surpresa com seu raciocínio rápido. Ele sacava tudo muito depressa. O que no meu caso não era bom. Aquela mulher maluca me avisou para não revelar a ninguém que eu vinha do século vinte e um. Não conseguia imaginar a confusão que causaria se a verdade viesse à tona. Eu tinha que tomar cuidado com a mente rápida daquele rapaz. - São unissex, servem para os dois gêneros. Chamam-se tênis. São usados para a prática de esportes, mas a maioria das pessoas os incluiu no guarda-roupa cotidiano por serem tão confortáveis e duráveis. Acho que não existe um jovem que não tenha um par de tênis em casa.

— Bem... - Um meio sorriso brotou em seu rosto. Meu estômago se contorceu levemente. - Existe sim. Eu não tenho nenhum.

Eu ri também.

— Você ficaria de queixo caído se visse as coisas que existem onde eu moro. - Se ele achava um simples par de tênis impressionante, o que não pensaria sobre a inovação das inovações chamada papel higiênico!

— Acho que posso acreditar nisso. Nunca, em meus vinte e um anos, conheci alguém tão diferente quanto a senhorita.

— Você também é muito estranho, sabia? - Ainda mais para quem só tinha vinte e um.

Ian parecia mais velho. Não apenas na aparência, mas pelo modo de falar também. Talvez parecesse mais velho por causa do tamanho. Ian era muito alto. Ainda mais do que o Rafa, só que menos bombado, e, estranhamente, não era desengonçado. Eu sabia, por experiência, que pessoas grandes sempre tinham problemas de coordenação motora. E apesar de ser uns bons vinte centímetros mais alto que eu, Ian não parecia ser tão atrapalhado. Ao contrário, cada movimento seu era tão elegante que me flagrei algumas vezes observando a forma como ele caminhava com extrema segurança, os ombros largos sempre eretos, a forma como seus lábios se moviam quando falava...

— Planeja me contar sobre esse lugar, senhorita Sofia? Estou realmente curioso. Deve ficar muito distante daqui, pois nunca ouvi falar de um lu-

gar onde as mulheres usam roupas... pequenas e apertadas, ou dos tênis.
– Os olhos, cravados nos meus, me compeliam a falar. E, por alguma razão que eu não entendia, eu *queria* contar a ele. Ian estava sendo tão gentil comigo! Mas, se desconsiderasse o alerta daquela doida, o que eu diria a Ian?

É que fica meio longe. Duzentos anos longe! Se você, por acaso, encontrar uma máquina do tempo perdida por aí, me avisa que eu te levo até o século vinte e um. A gente pode tomar um chope e depois cair na night!

Claro que eu podia dizer isso a ele, e com toda certeza Ian não chamaria o médico outra vez nem pediria a ele para me jogar no manicômio. *Claro* que ele entenderia!

– Um dia eu te conto. Quando eu souber o que está acontecendo e encontrar a forma de voltar, te explico tudo. Prometo! Quem sabe assim você compreende minhas esquisitices.

– Promete? – E os olhos pareciam brilhar com faíscas prateadas.

– Prometo. Palavra de escoteira. – Ele franziu o cenho. – Mas nem os escoteiros? Valeu, Deus! – resmunguei carrancuda.

Ian me encarou como seu eu fosse uma alienígena.

– Eu prometo – eu disse exasperada.

Ele sorriu mais uma vez. Pensei com amargura que era uma pena as pessoas de hoje não serem mais assim, não sorrirem com tanta facilidade, como Ian fazia. Se bem que, pelo menos naquele momento, Ian *era* "as pessoas de hoje".

7

Voltamos para a casa e tentei memorizar o caminho pelos corredores da mansão – para o caso de precisar ir à casinha com certa urgência. O casarão era bonito, antigo e imponente. De fora, ocupava todo o campo de visão. Do lado de dentro, cada parede decorada com um quadro ou cada móvel tão bem trabalhado prendia minha atenção.

Ian foi se limpar para o jantar e imaginei que isso significasse tomar banho. Então, não fui com ele. Fiquei na sala, observando a rica decoração em estilo vitoriano – quem poderia imaginar que eu iria conhecê-la em seus primórdios? –, tentando memorizar cada padrão da madeira escura da mesa no canto da sala, cada linha do tecido estampado e grosso do sofá com braços de madeira, cada detalhe das cortinas pesadas e encorpadas das janelas. Queria me lembrar de tudo quando eu voltasse para casa. O que aconteceria em breve, eu esperava.

Eu queria tomar um banho também e me livrar daquele vestido quente que começava a pinicar minha pele. O problema é que eu não queria meter Ian em confusão e eu só tinha uma saia curta e uma regata para vestir. Talvez, depois do jantar, eu pudesse me trancar no quarto e, finalmente, refletir sobre aquele dia confuso.

Foi nesse momento que Teodora entrou na sala, usando um vestido verde-claro, justo no tronco e bufante na saia. Eu tive certeza de que ela usava todas aquelas coisas que a governanta me mandou vestir quando me entregou as roupas. E, pelo espaço que sua saia ocupava, ela definitivamente vestia a gaiola maluca.

– Senhorita Sofia – disse ela, com muito entusiasmo, um pouco exagerado até. – Como está se sentindo esta noite?

Eu tinha falado com a garota fazia apenas uma hora, por que ela agia como se não me visse há uma semana?

– Eu tô legal. E você, como vai? – também entrei na brincadeira.

– Muito feliz em revê-la – ela sorriu afetada.

Oh-oh!

Sabe quando você está na cadeira do dentista com a boca toda inchada, não aguenta mais de dor por culpa de um dente inflamado, e, depois de te examinar, seu dentista diz com uma careta: "É canal. Mas não se preocupe. Não vai doer nadinha!" – e você no mesmo instante sabe que o nadinha na verdade vai ser terrível, cruel e insuportavelmente doloroso? Foi exatamente assim que me senti quando Teodora sorriu para mim.

– Você parece estar bem melhor. Creio que o passeio pela casa na companhia do senhor Clarke lhe fez muito bem.

Ah, então era sobre o senhor Clarke!

– Ele mostrou toda a propriedade? – ela continuou. – Deve tê-la impressionado. É uma das mais belas da vizinhança. A família Clarke tem muito prestígio, senhorita Sofia. Até o duque de Bragança os visita com frequência.

Tentei responder a ela que sim, eu tinha gostado da casa. E duque de quê? Mas ela não me deu chance. Apenas continuou com seu monólogo.

– Apesar de não ter título de nobreza, o senhor Clarke é um dos homens mais respeitados de nossa sociedade. Quando seu falecido pai os deixou, há três invernos, o senhor Ian Clarke assumiu todos os deveres que lhe foram delegados. Inclusive a tutela de Elisa, que ainda era muito jovem. Ah, a minha querida Elisa! Ela é mesmo uma jovem encantadora, não acha, senhorita Sofia?

– Eu...

– E ela tem tantos admiradores, mas o senhor Clarke os mantém à distância. Quer esperar até que ela atinja a maioridade para poder receber seus pretendentes. Ele é um irmão muito cuidadoso! Existem muitos espertalhões farristas que pretendem fazer fortuna através de bons casamentos – arqueou uma das sobrancelhas sugestivamente.

Eu entendi mal ou ela insinuou que eu estava atrás de um marido rico? E que esse marido seria Ian?

– Mas o senhor Clarke é muito prudente. Claro que é capaz de notar as más intenções das pessoas de má índole – continuou.

A garota estava começando a me dar nos nervos!

– Sabia que ele está procurando uma esposa? Oh, sim, ele deve se casar muito em breve. É aconselhável que um rapaz como ele, com uma irmã caçula e solteira sob sua responsabilidade, tenha uma esposa. Há muitas jovens com esperanças de ter a honra de se tornar a nova senhora Clarke. Mas, a meu ver, ele não demonstra ter o mesmo cuidado para consigo mesmo que tem para com a irmã.

Agora já deu!

– Escuta aqui, ô coisinha...

– Senhorita Sofia, eu estava à sua procura – Elisa entrou na sala, me impedindo de dizer uma ou duas verdades para aquela garota venenosa. – Como está se sentindo?

– Bem. – As pessoas do século dezenove só sabiam perguntar isso?

Respirei fundo para me acalmar. Aquela ruiva sardenta e sem graça realmente me tirou do sério. E eu já estava no limite!

– Espero que esteja com fome. O jantar já será servido. Vamos apenas esperar por Ian.

– Claro – respondi. Então ela podia chamá-lo pelo primeiro nome.

Óbvio, estúpida, eles são irmãos!

– Gostaria de tomar um licor de ameixa, senhorita Sofia? – perguntou a menina de uns quinze ou dezesseis anos, de cabelos negros, assim como os de seu irmão. Os olhos, porém, eram de um azul intenso que lembrava safiras. Eram lindos! E não sem graça como os meus olhos marrons cor de lama.

– Não, obrigada, Elisa. – Notei com certo espanto que ainda não havia comido nada desde que acordara. Tudo que ingeri foi o vinho que Ian me serviu. Percebi que estava faminta. – Talvez depois do jantar.

Apesar dos cabelos negros, havia algo de angelical no rosto de Elisa. Talvez porque ainda fosse tão menina, mas *dela* eu gostei. Assim como seu irmão, Elisa parecia sorrir sempre. Exatamente como fazia agora.

– Depois, então.

– Boa noite, senhoritas – saudou Ian ao entrar na sala. Vestido com um casaco preto e calças cinza, camisa, colete, gravata, as mesmas botas que usou durante o dia e os cabelos negros ainda úmidos, ele parecia um daqueles príncipes de contos de fadas. Seria muito fácil para ele arrumar uma esposa, pensei. Lindo, bem-humorado, atencioso, gentil, um sorriso de tirar o fôlego... Que garota não se interessaria? Quer dizer, que garota *daquele* século não se interessaria? Ele não fazia meu tipo.

– Boa noite – disseram juntas Elisa e Teodora, ao mesmo tempo em que eu disse:

– Oi.

Elisa e Ian sorriram, Teodora, não. *Mas que cobrinha intragável!* Falava pelos cotovelos, tirava conclusões precipitadas, fazia fofoca da vida dos amigos – apesar de, ao que parecia, ter a intenção de ser mais que isso – e ainda ficava de cara amarrada. Definitivamente, meu santo não bateu com o dela.

– Vamos jantar? Estou faminto. O dia de hoje foi um pouco longo – disse Ian, apressado.

Fiquei incomodada por ele ter dito aquilo. Não que eu quisesse que minha presença o deixasse saltitante – eu não queria! –, mas também não queria causar transtornos. *Mais* transtornos.

– Ele acabou de chegar de viagem, senhorita Sofia – me explicou Elisa. Talvez ela tenha notado meu desconforto. – Uma viagem de muitos quilômetros. Você saiu da Fazenda Esperança ontem à noite, Ian? – ela perguntou ao irmão.

– Durante a madrugada. Cavalguei sem parar até chegar aqui. – Ian me encarou. – Sem contar, é claro, o resgate da senhorita Sofia. Foi a única vez que desci do cavalo. Estou muito cansado. – Um sorriso torto surgiu em seu rosto.

Eu desviei os olhos, envergonhada. Quando Ian me encontrou naquela manhã, eu não estava fazendo muito sentido. E pensei que talvez ainda não estivesse, para dizer a verdade.

– Então, vamos. O cheiro que vem da cozinha está me deixando louco! – ele disse, esticando o braço para que fôssemos na frente.

Gostei da sua última sentença. Desde que cheguei ali, era a primeira frase que poderia facilmente ser ouvida em meu mundo.

– Vamos – concordei e segui as garotas, com Ian na minha cola.

Ao chegarmos à sala de jantar, dei de cara com uma mesa gigante. Contei doze cadeiras. Eles deviam receber muitos convidados.

Sentei-me na cadeira ao lado de Elisa, Ian na ponta da mesa e Teodora, claro, do outro lado. Fiquei surpresa ao ver que os pratos eram de porcelana. Não sei bem o que esperava, eu não tinha ideia do que já havia sido inventado em 1830. Eles eram delicados, pintados à mão, circulares como os que eu conhecia, mas, prestando atenção, dava para notar uma ligeira assimetria na circunferência, o que os tornava únicos e perfeitos em suas imperfeições. Um grande castiçal sobre a mesa iluminava o ambiente, com a ajuda de dois menores sobre o aparador.

Então, dois empregados que eu ainda não conhecia começaram a trazer as bandejas de comida. O cheiro delicioso me atingiu como um soco. Meu estômago se empertigou diante de tanta fartura. Reconheci a tigela com sopa e a travessa de batatas. Havia um tipo de carne assada, mas não pude identificar de qual espécie era. Decidi que era da espécie *carne* e que eu estava faminta o bastante para comer qualquer coisa que fosse.

Os empregados nos serviram, exatamente como garçons de restaurante, e me atirei à comida assim que meu prato foi colocado diante de mim. Quando o calor da sopa atingiu meu estômago, pensei que iria chorar. Estava tudo delicioso demais, fosse o que fosse.

Assim que aplaquei um pouco a fome – um pouco, pois eu ainda estava bastante faminta –, pude prestar atenção nos outros. Não havia notado que eu tinha uma pequena plateia me observando. Incluindo os dois empregados.

– O que foi? – perguntei, depois de engolir a comida. Levei o guardanapo de linho à boca para me certificar de que não tinha nada espalhado em meu rosto.

– Que apetite a senhorita tem! – Teodora observou, com um sorriso irônico nos lábios finos.

– Eu tô varada de fome. Não comi nada o dia todo. Me perdoem se me portei mal, mas é que está tudo tão gostoso! – eu disse, colocando outra batata na boca.

Os irmãos riram.

– Nunca vi tal coisa! – exclamou Teodora. – Uma jovem que tem o apetite de um homenzarrão! – Um risinho estridente escapou de seus lábios.

– Eu acho divertido – disse Elisa. – Como pode comer tanto e ser tão magra?

– Comer feito um homem não é divertido, Elisa. É deselegante. Olhe para isso! – Teodora apontou para meu prato.

Engoli a comida e tomei um gole de água.

– Acho que você nunca trabalhou na vida, Teodora – respondi secamente.

– Trabalhar, eu? – O espanto em seu rosto não me surpreendeu.

– Se tivesse trabalhado, saberia que é difícil se manter em pé apenas *provando* a comida. Eu trabalho muito, das oito às seis, quase todos os dias da semana. Muitas vezes, deixo de almoçar para dar conta de toda a papelada empilhada na minha mesa. Então, quando tenho a oportunidade de comer, e ainda mais uma comida tão boa quanto esta, eu como! – terminei, pegando um pouco mais de carne assada. Talvez fosse carneiro.

O choque em seu rosto foi hilário.

– Você trabalha? – indagou Elisa, impressionada.

– Sim. Num escritório financeiro, cursei administração de empresas. Não era bem o que eu queria fazer, mas às vezes a vida sai um pouco do nosso controle e só resta seguir o fluxo. – Mordi outra batata. – Fiz estágio nessa empresa enquanto ainda estava na faculdade. Eles acabaram gostando do meu trabalho e me contrataram. O salário não é extraordinário, mas eu tenho um plano! – Me livrar do pesadelo chamado Carlos e com isso ver meu salário aumentar consideravelmente. Era um ótimo plano!

Eu estava no terceiro período da faculdade de artes quando meus pais faleceram. Precisei repensar minha vida depois disso. Tinha que me virar sozinha, pois daquele momento em diante estaria por conta própria. Resolvi botar os pés no chão e fazer algo que tivesse uma área de atuação mais ampla. Estudei muito para me tornar uma das melhores alunas do curso de administração.

A sala ficou silenciosa. Engoli a comida.

– Você foi à faculdade? – perguntou Ian, a voz baixa e levemente rouca.

– Sim, Ian. – Os empregados se entreolharam, depois voltaram às suas posições, tipo a guarda da rainha. – Por cinco longos anos.

Só eu sabia como tinha sido difícil concluir meu curso, pagar por ele com uma renda tão baixa. Meus pais foram maravilhosos, mas não tinham muito para me deixar. Com exceção das lembranças doces, uma pequena poupança e o carro – o seguro dele, já que tinha sido destruído no acidente. O estágio acabou salvando meu último ano, ou eu precisaria ter trancado o curso e, talvez, nunca o tivesse concluído.

Ian pareceu muito impressionado.

– Mas as mulheres não vão à faculdade! Nem mesmo na Europa – Teodora disse, de forma desdenhosa.

– Não? – perguntei a Ian.

Ele sacudiu a cabeça lentamente, os olhos intensos cravados nos meus.

– Existem apenas algumas faculdades no país, e a mais próxima fica na cidade. Faz apenas três anos que foi inaugurada.

– Apenas para a educação de *rapazes*, não de damas – teimou Teodora.

– Bem, não vai demorar. Logo as damas irão também, de toda forma. Você ainda vai ouvir falar sobre isso – respondi com indiferença para Teodora.

Ian ainda me observava atentamente. De repente, eu não tinha mais fome. Continuei a encará-lo, até que Madalena entrou na sala perguntando se poderia trazer mais alguma coisa.

– Está tudo perfeito, senhora Madalena. Creio que possa nos trazer a sobremesa daqui a pouco – Elisa disse, mostrando as covinhas.

– Foi você quem fez este jantar? – perguntei.

– Sim, senhorita. Estava a seu gosto? – o rosto arredondado ficou tenso.

– Madalena, você é um gênio da culinária! Estava tudo espetacular! Poderia ganhar um dinheirão abrindo um restaurante! – Nunca tinha comido nada mais saboroso na vida. Se bem que qualquer coisa era mais saborosa que a comida congelada a que eu estava habituada.

Ela corou um pouco e, sorrindo, claramente embaraçada, me disse:

– É muita bondade sua, senhorita. – Deu aquela abaixadinha inclinando a cabeça e deixou a sala.

– A senhora Madalena adora quando algum convidado elogia sua comida. Aposto que ela veio aqui apenas para saber se o jantar lhe agradou – confessou Elisa.

Fomos até a sala de jogos depois do jantar, e uma mesa redonda e antiga – que para a época era novinha, claro –, com cartas de baralho e peças de dominó espalhadas, foi ocupada pelos três. Teodora queria jogar, mas eu estava tão cansada que recusei. Esperei que um deles se retirasse primeiro dizendo que já estava tarde. Ian já havia reclamado de cansaço. Eu não queria ser mal-educada nem nada, mas, como ninguém parecia querer dormir cedo, perguntei se eu poderia me retirar. Recebi "boa noite" de todos e fui para o quarto.

Entretanto, alguns minutos depois, voltei apressadamente para a sala, na esperança de que Ian ainda estivesse por lá. E, graças aos céus, ele ainda estava.

– Algum problema, senhorita Sofia? Pensei que estivesse indo dormir. – Ele se levantou imediatamente e veio ao meu encontro. Parecia um pouco aflito.

– Estávamos agora mesmo falando de sua pessoa, senhorita Sofia – disse Teodora.

– Eu estou indo dormir, Ian – confirmei, ignorando Teodora. Imaginei que debateriam sobre o assunto, que discutiriam sobre mim, mas pensei que não perguntar sobre o que falavam deixaria Teodora mais frustrada do que se fosse grosseira com ela. – Mas eu queria tomar um banho primeiro. Este vestido é muito quente. Eu encontrei a banheira que você mencionou, o que eu não encontrei foi a água!

Ele sorriu, assim como eu sabia que faria. Não me senti ofendida por ele achar graça dos meus problemas. Se a situação fosse inversa, eu faria exatamente o mesmo.

– É preciso levar a água até lá, senhorita – ele explicou, divertido.

– Sofia – o corrigi. – E onde eu pego?

– Pedirei aos criados que preparem seu banho. Voltarei logo. – Ele se curvou ligeiramente e saiu.

Fiquei ali, parada, admirando as duas moças, sentadas tão eretas e elegantes. Só podia ser por causa do espartilho. Não dava para se afundar no sofá usando um, eu tinha certeza disso. Ouvi o tagarelar incessante de Teodora. Ela não deu a menor chance para Elisa expressar suas opiniões sobre as fitas dos chapéus.

Pouco depois, Ian retornou dizendo que meu banho já estava sendo providenciado. Eu agradeci por sua ajuda e me apressei em voltar para o quarto. Encontrei Madalena testando a temperatura da água. Ela me disse que arrumaria a bagunça pela manhã, já que eu parecia acabada e devia estar querendo cair na cama. Claro que ela não usou exatamente *essas* palavras, mas o significado foi mais ou menos esse.

Fechei a porta e entrei na banheira. Levei minha calcinha comigo. Eu só tinha uma. Apenas uma calcinha! A que ponto eu tinha chegado...

Depois de me deleitar na água quente por alguns minutos, alcancei alguns objetos aos quais eu ainda não havia sido apresentada. Identifiquei o sabonete. Na verdade, o cheiro dele lembrava azeite de oliva, e a cor escura e lamacenta parecia a de sabão em barra para lavar roupas. Apesar de sentir um leve ressecamento na pele depois, até que funcionou bem. Não molhei os cabelos. Já os tinha lavado pela manhã e não tinha certeza se o conteúdo do vidro âmbar sobre o pequeno aparador era mesmo xampu.

Após uns dez minutos, a água começou a esfriar e fui obrigada a sair. Alcancei um pano bege e me sequei. Devia ser uma toalha, era bem grosso, áspero e duro. E, para dizer a verdade, não secava muito bem.

Espremi minha calcinha entre as mãos, dei umas sacudidas e a pendurei no encosto de uma das cadeiras, na esperança de que secasse até a manhã seguinte, mas de repente me vi diante de um dilema. Eu não tinha nada para vestir. Pela primeira vez na vida, essa máxima era real! Meditei um pouco e concluí que dormir sem roupa alguma não era boa ideia naquela época *arcaica*. Então, vesti minha regata – sem sutiã – e o shortinho de quadrilha. E não é que ele era confortável?

Uma penteadeira – ou ao menos se parecia com uma –, com uma bacia e um jarro prateado cheio de água, chamou minha atenção. Imaginei que fosse o lavatório. Procurei pela pequena nécessaire que eu levava todos os dias para o escritório. Lá estava! Minha nécessaire com a escova de dentes, creme dental, fio dental e um desodorante daqueles pequenininhos, de viagem.

Após escovar os dentes e dar uma arrumada na bagunça, me lembrei da caixinha do celular. Eu a peguei avidamente, à procura de alguma coisa no manual do usuário, só para me frustrar logo em seguida. O pequeno manual não tinha uma única letra impressa em suas centenas de páginas, todas estavam em branco.

Fui para a cama exausta, não apenas por estar me recuperando de uma ressaca física, mas também porque começava a sentir os efeitos da ressaca mental.

Eu estava *mesmo* em 1830, no século dezenove, na casa de um cara estranhamente gentil, sem nada que pudesse me ajudar a voltar para minha casa. Nada exceto a conversa ao telefone com a vendedora.

Tentei repassar toda a conversa na minha cabeça, procurando por pistas, por alguma dica, qualquer coisa que pudesse me ajudar.

Você está exatamente onde deveria estar, ela disse. Só que eu não deveria estar ali! Eu deveria estar no meu apartamento, cheio de coisas úteis como banheiro, xampu e toalhas macias. Por que eu deveria estar no século dezenove? Não me lembrava de nenhum fato ou acontecimento importante em 1830 que obrigasse uma maluca a enviar uma garota inocente para lá, apenas para procurar alguma coisa.

Está na hora de começar a crer que existem mais coisas no universo além daquelas que os seus olhos podem ver, sua voz ecoou em minha cabeça. Isso era meio verdade. Pelo menos até aquela manhã, eu não acreditava nessas baboseiras de magia ou destino ou sorte. Mas o que tinha de errado em viver no mundo real? Nem todo mundo queria viver um faz de conta. Não mesmo! Não eu!

Conheço cada segredo da sua alma. Por isso precisei intervir. De fato, ela realmente parecia saber o que eu estava pensando, como na parte em que *pensei* que ela tivesse falado com a Nina e ela respondeu "não" antes mesmo que eu concluísse o pensamento. Mas, se isso fosse verdade – ela conhecer os segredos da minha alma –, mesmo que isso fosse possível, como é que ser enviada para 1830 me ajudaria? Claro que eu era fascinada por romances dessa época, mas, como regra geral, toda garota era. A frase "O que Jane pensaria?" virou até camiseta! No entanto, gostar de um livro era muito diferente de querer viver a experiência pessoalmente. Muito diferente *mesmo*! Então, se os romances eram minha única ligação com o passado, minha resposta estaria aí? Os livros seriam minha salvação? Mas qual?

Você não voltará até que encontre o que procura. Terá que completar sua jornada. Mas terá que permanecer aí até que a complete. Você não está sozinha, acredite. Certo! Encontrar o que eu procurava, mesmo que eu não tivesse a menor ideia do que fosse. E, seja lá o que fosse essa coisa, ela seria a minha passagem de volta. E se o que eu procurava tinha alguma relação com livros, então...

Argh!

Eu não conseguia fazer a associação. Seria de muita ajuda se eu descobrisse exatamente o que buscar! Resolvi que tinha que começar por aí, descobrindo o que seria a tal coisa. Pronto. Uma parte resolvida! Entretanto, minha mente tomou outra direção.

Você não está sozinha.

Eu não estava sozinha?

Eu... não... estou... sozinha...?

Eu não estou sozinha!!!

Ai, meu Deus! Tinha mais alguém perdido ali! Mais alguém que aquela mulher maluca tinha resolvido *ajudar*. Tão perdido quanto eu!

Então, como o clarão daquele maldito celular, minha cabeça se iluminou e juntei algumas peças do quebra-cabeça. Tinha mais alguém ali. Se eu encontrasse essa pessoa, talvez juntas pudéssemos descobrir alguma coisa, alguma pista, ou engambelar aquela bruxa e sair daquela confusão mais depressa. Poderíamos voltar para casa mais rápido!

Isso!

Eu precisava descobrir quem era a tal pessoa e o que ela sabia. Não seria tão difícil, se ele ou ela estivesse tendo as mesmas dificuldades que eu. Assim que voltássemos para casa, eu denunciaria a vendedora-bruxa às autoridades por vodu. Ela não iria brincar com a vida de mais ninguém!

Essa foi a última coisa que pensei antes de adormecer naquela cama dura, com as velas ainda acesas.

8

Coragem, Sofia. Você já enfrentou coisas piores!, eu disse a mim mesma, parada em frente à casinha, me lembrando do banheiro químico que usei em um dos shows de rock a que assisti e, em vão, tentei me convencer de que a casinha não era tão ruim assim. Ela era um centro cirúrgico esterilizado comparada aos banheiros químicos. E eu não podia esperar mais, já estava no limite.

Juntei coragem e fechei a porta, amaldiçoando aquela vendedora feiticeira por não me mandar para algum lugar que pelo menos tivesse banheiros decentes. Porque ela *tinha* que ser uma bruxa, já que podia fazer uma garota ir para o século passado. Dois séculos passados, na verdade.

Quando eu conseguisse voltar para casa, precisaria de muita vodca para me esquecer daquilo. E, sem dúvida alguma, jamais comeria alface outra vez na vida!

Ainda era cedo, talvez umas sete da manhã, mas a casa toda já estava de pé. Fui para a cozinha procurar por Ian novamente – ele tinha que comer, não tinha?

Eu precisaria da ajuda dele. Mais uma vez.

Madalena estava com a barriga colada ao fogão de lenha, terminando de passar o café num coador de pano que se parecia muito com uma meia suja e encardida.

– Bom dia, senhorita. Gostaria de se juntar ao senhor Clarke e à senhorita Elisa? Estou indo levar o café. – Ela mexia com uma colher o líquido preto dentro da meia.

– Bom dia, Madalena. Eu estava mesmo procurando por ele, mas posso ajudá-la, se quiser. Quer que eu leve alguma coisa? – ofereci, querendo ser prestativa.

Ela pareceu ofendida com minha oferta.

– De forma alguma, senhorita. Isso não é trabalho para uma convidada do senhor Clarke. Meu Deus! A senhorita nem deveria estar aqui na cozinha!

Realmente ofendida.

– Tá bem. Entendi. Ninguém mexe na cozinha da Madalena – brinquei, tentando acalmá-la.

Ela corou e ficou meio abobalhada.

– Não, senhorita. Não é isso. Mas os trabalhos da cozinha são tarefas dos criados. E a senhorita não é uma criada. – Ela piscava rapidamente, seu rosto escarlate.

– Ah! Tudo bem, Madalena. Eu só estava brincando. Não se preocupe. Eu não sei nem fritar um ovo! – Eu sobrevivia graças aos congelados e ao meu micro-ondas. – Eu vou até a sala, então.

Fui até uma grande bacia de madeira – parecida com um ofurô, só que um pouco menor – e lavei as mãos. Passei a mão úmida no mesmo vestido que tinha usado no dia anterior para alisar uns amassados, depois deslizei os dedos pelos cabelos e fui para a sala. Não que eu quisesse impressionar alguém, mas sabia que Teodora estaria pronta para me analisar. E ela não perderia a oportunidade de me irritar.

– Bom dia – saudei assim que entrei na sala.

– Bom dia, senhorita Sofia – disse Ian, se levantando e fazendo uma reverência. – Como está se sentindo hoje?

– Bem, obrigada. – Olhei em volta e não encontrei as duas garotas. – Onde está sua irmã? Pensei que todos estivessem acordados.

– Ela e a senhorita Teodora acabaram de sair. O senhor e a senhora Moura vieram buscá-las para a missa. – Ele sorriu. – Hoje é domingo.

– Ah! – Até no meu tempo domingo era dia de ir à igreja. Isso não mudou com o passar dos anos.

– E você, não vai à igreja? – perguntei, imaginando se ele era pagão ou algo assim. Se bem que não conhecia muitos homens que fossem à igreja sem ser arrastados por suas mulheres, namoradas, mães, casos ou coisa do tipo.

– É claro que vou, mas, como a senhorita ainda estava dormindo, pensei que seria melhor ficar em casa hoje, para o caso de precisar de alguma coisa. – Ele me fitou e um sorriso meio irônico apareceu em seus lábios. – Creio que ajudar os necessitados será mais bem visto perante os olhos de Deus do que ficar sentado em um banco por quase toda a manhã.

– Oh! Valeu – eu disse, esticando a mão para arrastar a cadeira. No entanto, antes que eu pudesse puxá-la, Ian saiu rapidamente de seu assento para fazer isso por mim.

– Obrigada – falei meio sem jeito. Nunca ninguém tinha puxado minha cadeira antes. Não de forma tão gentil e sem esperar pela gorjeta.

Madalena entrou na sala com uma grande bandeja nas mãos, colocou-a sobre a mesa e saiu sem dizer nada. A bandeja estava abarrotada: café, ovos cozidos, um bolo e algumas frutas. Pareceu ótimo para mim.

– Mas foi bom você ter ficado – eu disse, começando a me servir. – Preciso *mesmo* da sua ajuda. Outra vez.

Ian me observou inquisitivamente.

– Eu estava imaginando se... por acaso, você não encontrou mais alguém como eu? – Peguei um pedaço do bolo. Humm... Estava muito bom!

Suas sobrancelhas se arquearam.

– Alguém como a senhorita? – repetiu confuso. – Não. Como eu disse ontem, nunca em toda minha vida encontrei alguém como você.

– Talvez saiba de alguém que encontrou, então? Deve ter uma cidade aqui perto. Talvez alguém que tenha os mesmos... modos que eu – tentei ser mais clara.

Ele sacudiu a cabeça antes que eu terminasse.

– Há uma vila a alguns quilômetros daqui, mas não vi ou ouvi nada sobre alguém... diferente como a senhorita.

– Sofia! – corrigi. – Mas você esteve lá ultimamente? Pensei ter ouvido que você esteve fora nos últimos dias.

– Como já sabe, retornei apenas ontem. Não tive oportunidade de ir até a vila – explicou, então franziu o cenho. – Mas por que pensa que alguém como a senhorita possa estar lá? Talvez eu tenha entendido mal, mas pensei que estivesse sozinha aqui. – Seus olhos intensos observavam os meus.

– E estou! – me apressei em dizer, experimentando uma sensação estranha enquanto seu olhar prendia o meu. – Veja só, Ian, eu vim pra cá sozinha. Mas encontrei uma... Olha, uma mulher me mandou aqui – tentei de novo. – Sem meu consentimento. E essa pessoa disse algumas coisas... Pensei muito sobre o que ela me disse e acho que acabei encontrado uma pista.

Ele me olhava de forma estranha. Pasmo ou incrédulo, sei lá.

– Alguém a sequestrou? Precisamos alertar as autoridades...

– Não, não. – Polícia envolvida nisso seria péssimo! – Não sequestrar de verdade. É mais tipo um... exílio. Não precisa chamar a polícia. Eu nem sei o nome da pessoa que fez isso.

Ele se recostou na cadeira, seus olhos ainda nos meus. O pobre coitado tentava entender, eu podia ver isso, mas claramente não compreendia o que havia acontecido comigo.

– Acho que não estou aqui sozinha – comecei. Não queria que ele achasse que eu era doida e, se ele continuasse a pensar muito no assunto, com certeza chegaria a essa óbvia conclusão. – Acho que mais alguém foi vítima daquela... mulher. Então, se essa pessoa estiver aqui também, talvez juntas possamos descobrir um modo de voltar pra casa, entendeu?

Pela cara dele, não tinha entendido. Não o culpei. Se eu, que sabia da história toda, não entendia completamente, como ele, dois séculos atrasado, poderia compreender apenas com uma pequena parte da história?

– Entendo – ele disse mesmo assim. Mais por hábito, imaginei. – E a senhorita acredita que essa pessoa esteja aqui perto?

– Só pode estar!

Ele encarou seu café por um tempo e não disse nada. Parecia meditar sobre o que eu havia dito. Em seguida, seus olhos escuros e profundos voltaram ao meu rosto.

– Preciso fazer uma pergunta, senhorita Sofia. – Sua voz era séria e profunda. – Espero que não se ofenda.

– Pergunte.

Ele disse de uma só vez.

– A senhorita está com problemas ilícitos, não está?

Meu rosto desmoronou. Não esperava por aquela pergunta. Não imaginei que ele pudesse chegar a essa conclusão. Fiquei olhando para ele com a boca aberta feito uma idiota.

– Eu não estou julgando a senhorita. Mas preciso saber em que tipo de situação estou me envolvendo. Como sabe, sou o tutor de Elisa. Não posso permitir que ela se aproxime de... certos problemas.

Eu pisquei. Não sabia se havia entendido direito o que ele disse.

– Você acha que eu sou uma *um sete um* ou algo assim? – inquiri. A incredulidade tingia minha voz. Como ele podia pensar uma coisa dessas?

Bom, claro que podia pensar uma coisa dessas, ele mal me conhecia. Mas ele me hospedou, me ajudou e até chamou um médico para cuidar do ferimento na minha cabeça. Como podia abrigar alguém que suspeitava ser uma pilantra?

– Não sei o que *um sete um* significa, mas...

– É a mesma coisa que safada, sem-vergonha, picareta ou espertalhona farrista, como disse Teodora! – expliquei, sentindo o sangue correr mais rápido nas veias.

– Não foi isso o que eu quis dizer. A senhorita se envolveu com... – ele se remexeu desconfortavelmente na cadeira – algum problema de natureza... bíblica?

– Natureza bíblica? Do que você está falando? Eu... – Então me lembrei. Natureza bíblica, no sentido bíblico. Como Adão e Eva. Oh! – Você está falando sobre sexo?

Ele se virou na cadeira enquanto fazia SHHHH para mim, procurando ver se alguém tinha ouvido nossa conversa.

– Senhorita So...

– Por que diabos transar com alguém faria... eu me perder aqui? – Minhas sobrancelhas estavam arqueadas. Esperei que ele se explicasse.

– Isso não são modos de falar, minha jovem! – ele ralhou como se fosse meu avô. – E não sei o que *transar* significa, mas...

– É a mesma coisa que sexo, fazer amor, dormir com alguém, trep...

– Pare com isso – rosnou, o rosto duro como o de uma estátua. – Já entendi o que quer dizer!

Eu o encarei com insistência.

– Então, me explique por que acha que fazer *isso* me colocaria em problemas. Pois eu realmente não consigo entender! – Não imaginava como o sexo poderia me colocar naquela roubada. A não ser que eu tivesse sido dopada com algum "boa noite, cinderela" e ainda estivesse piradona sob o efeito da droga, que me faria imaginar tudo aquilo. Humm...

Ele pareceu relutante em começar. Não perdi o foco, o encarei com olhos desafiadores. E, depois de um tempo, ele enfim falou:

– Você disse que uma mulher a mandou aqui sem o seu consentimento, eu a encontrei praticamente sem roupas e você me disse que não sabe como voltar. Deduzi que... talvez a tal mulher fosse esposa de alguém.

– Você achou que eu estava de caso com um cara casado? – berrei.

Eu não tinha a intenção de gritar. Não tinha mesmo. Mas fiquei tão chocada que ele tivesse pensado uma coisa como aquela que não pude me controlar. Estava chocada, ofendida e furiosa. Por mais que o casamento não fosse prioridade em minha lista – na verdade, nem estava na lista! –, eu jamais poderia me envolver com alguém casado. Jamais estragaria a vida de outra mulher. Eu conhecia a sensação de ser traída. Conhecia bem demais. Não por um marido, claro, mas podia imaginar que doeria muito.

– Que tipo de garota você pensa que eu sou? Uma vadia que se mete no relacionamento de outras pessoas? Pois fique sabendo que não. Eu sou uma garota decente. Sempre fui. Eu nunca fui pra cama com alguém que estivesse comprometido. *Nunca!* Todos os homens que passaram pela minha vida eram tão livres quanto eu! – Minha voz começou a subir um pouco. Minha raiva foi aumentando. – Como se atreve a pensar uma coisa dessas? Achei que você fosse diferente das pessoas que eu conheço, com esse seu jeito gentil e inocente. Mas vejo que me enganei!

Levantei-me tão depressa que a cadeira acabou caindo no chão, fazendo muito barulho. A careca do mordomo apareceu na porta, provavelmente para ver se eu não tinha, de repente, atacado o senhor Clarke com o bule de ferro.

Ignorei quando Ian começou a dizer alguma coisa. Dei-lhe as costas e marchei decidida até meu quarto. Ele me seguiu.

– Senhorita Sofia, perdoe-me. Não tive a intenção de insultá-la. – Ele corria com as palavras enquanto apertava o passo para me alcançar. – Eu fui um imbecil.

– Foi não, você *é* um imbecil! – retruquei, acelerando o passo.

– Sim, senhorita Sofia. Sou mesmo! Mas, por favor, aceite minhas desculpas. Não tive a intenção de deixá-la irritada.

– Ah, mas eu não estou irritada. Estou furiosa!

Entrei no quarto e peguei minha bolsa. Ele me seguiu, ficou ali parado, me encarando com cara de assustado. Juntei minhas coisas rapidamente – na verdade não havia muito para juntar.

– Quer olhar minha bolsa? De repente estou roubando alguma coisa – eu disse, seca, esticando a bolsa.

– Senhorita Sofia, por favor! – cuspiu revoltado.

– Por favor o quê, Ian?

– Por favor, acalme-se. Acalme-se e me escute. Aceite minhas desculpas, por favor! – pediu, com a voz angustiada.

Primeiro ele me insultava, depois queria que eu o escutasse. Igualzinho a qualquer outro homem!

– Agradeço tudo o que fez por mim, mas não posso mais ficar aqui. Tem certeza que não quer olhar minha bolsa? Última chance! – estiquei um pouco mais o braço, mas ele não se moveu.

Ian não disse nada. Parecia não saber o que dizer.

Estava tão furiosa que joguei a bolsa nos ombros e, como ele não fez movimento algum para sair da minha frente, abri caminho a cotoveladas. Entretanto, suas mãos alcançaram meu cotovelo antes que eu chegasse até a porta.

– Ouça-me, por favor! – pediu novamente, numa voz baixa e magoada. Balancei um pouco. Aquela sensação estranha de que eu já o conhecia inundou meu corpo mais uma vez quando ele me tocou.

– Me solte! – exigi, com menos convicção do que pretendia.

Porém Ian não me soltou. Suas mãos estavam muito quentes, senti a pele de meu braço queimar. Pinicava de uma forma diferente, sem dor.

– Perdoe-me, senhorita Sofia. Foi muito rude de minha parte pensar algo tão... Perdoe-me. Eu sinto muito por tê-la ofendido. Estava apenas tentando encontrar sentido em sua história. Não tinha a intenção de ofendê-la. Sinto muitíssimo. – Seus olhos estavam nos meus. Tão escuros quanto um buraco negro, uma estranha força me puxava para eles. Não pude desviar o olhar. Um calor repentino se espalhou por meu rosto.

Meu Deus! *Eu* estava corando! Que ridículo!

– Eu... hã... – Meus pensamentos ficaram ligeiramente incoerentes. – Tudo bem. Desculpas aceitas. Acho que exagerei um pouquinho.

Fiquei muito confusa, chocada com minha reação. Por que me incomodou tanto que *ele* pensasse coisas ruins a meu respeito?

– Não. Eu fui extremamente indelicado. Não sei por que pensei um absurdo desses! – Seus olhos, ainda intensos, prendiam os meus. – Perdoe-me, senhorita Sofia.

– Nem sei se posso culpá-lo por pensar isso a meu respeito. Você não tem como entender a história. Eu mesma estou tendo dificuldades! Me... desculpe também – eu disse constrangida, sem saber o porquê.

– Não tenho como entender, realmente. Mas não posso acusá-la de maneira tão cruel. Fui muito rude. Perdoe-me. – Suas mãos ainda seguravam meu braço, e o calor provocado por seu toque começava a se espalhar por meu corpo todo.

O que era aquilo?

– Tudo bem – murmurei.

Eu tinha que ficar ali. Para onde iria? Eu não conhecia nada nem ninguém. E até que Ian foi rápido para tentar associar o que eu havia dito com algo que fizesse sentido. Associou totalmente errado, mas ele pensou depressa. Talvez isso fosse de alguma ajuda, afinal. Quem sabe ele não conseguiria ver o que eu estava deixando passar? E, sendo honesta, eu gostava um pouco dele. Ian era um cara bacana. Mesmo sendo um cara do século dezenove que pensava que eu estava tendo um caso com um homem casado.

– Obrigado. – Ele me soltou. Fiquei um pouco sem equilíbrio. Tentei me endireitar. – Agora, por favor, deixe suas coisas aqui e vamos voltar para a sala. Creio que ainda esteja com fome...? – ele sorriu meio sem jeito, testando se tudo estava realmente bem.

– Eu não estou mais com fome. – Tinha uma sensação estranha na boca do estômago. Não entendi o que era. Deviam ser os nervos!

Ele deliberou por um segundo.

– Então, talvez deseje conhecer o restante da propriedade? Há um riacho muito bonito aqui perto, e uma pequena floresta que cerca a lateral de uma das divisas. É um passeio muito agradável. – Ele parecia entusiasmado. Até tive vontade de ver como eram as coisas por ali, mas eu tinha assuntos mais urgentes para resolver.

– Será que a gente podia fazer isso outra hora?

– Certamente! Deseja fazer outra coisa, senhorita? – ele franziu o cenho.

– Sofia, apenas Sofia, Ian. – Ele não ia aprender nunca? – E, sim, eu gostaria de fazer outra coisa.

– Se eu puder ajudar, ficarei feliz em lhe ser útil.

– Na verdade, pode sim. Gostaria que me levasse até a vila pra procurar a tal pessoa.

Se é que ela estava ali. Se é que existia realmente mais alguém.

– Como quiser – concordou. – Pedirei aos criados para prepararem a carruagem.

Eu não gostava da forma como ele se referia aos empregados. Criados! Era muito ofensivo! Se o Carlos se referisse a mim daquela maneira, eu seria capaz de fazê-lo engolir o próprio pé.

Joguei minha bolsa na poltrona e já ia esperar por ele na entrada da casa, mas parei antes de chegar ao corredor.

Eu farei contato, a voz *dela* ecoou em minha cabeça. Voltei até a poltrona e peguei o celular. Eu achava meio impossível, mas, como funcionou da primeira vez, talvez ele pegasse o sinal "mágico" em outras áreas também. A ligação não teve chiados nem estalos, excelente recepção!

Eu não podia andar com o celular na mão para todo lado. Não queria ter que explicar o que era, mesmo porque ninguém acreditaria. Na falta de um bolso – ou de um lugar melhor –, enfiei o aparelho no decote do vestido. Ainda bem que o celular não era grande, pois, com seios de tamanho médio como os meus, não seria possível escondê-lo ali se fosse meio centímetro maior. Ninguém iria notar a pequena adição ao volume. Dei uns pulinhos para me certificar de que estava firme. O celular não se moveu. Arrumei o vestido para escondê-lo bem e saí para me encontrar com Ian.

9

— Senhorita Sofia, podemos conversar um pouco? – Ian perguntou, todo educado, tirando minha atenção da janela da carruagem, quando já estávamos a caminho da vila.

Era a primeira vez que eu entrava em uma carruagem. Ela era muito diferente de um carro e do que eu imaginava por "carruagem". Quando era criança, eu fantasiava que era uma princesa indo para o baile dentro de uma daquelas, mas as minhas sempre eram enfeitadas e coloridas, cheias de cor-de-rosa e dourado por toda parte. A carruagem de Ian, no entanto, era toda marrom, com quatro grandes rodas de madeira. Duas lamparinas pendiam nas laterais externas – imaginei que funcionassem como faróis. A cabine era fechada como uma caixa de fósforos e tinha apenas duas pequenas janelas nas laterais, uma das quais coberta por um tipo de cortina de tecido. Ali dentro caberiam quatro ou cinco pessoas. Os assentos e as paredes eram forrados por um tecido grosso e estampado de fundo bege, e havia uma minúscula lamparina em um dos cantos, que provavelmente servia para iluminar a pequena cabine em viagens noturnas. O percurso ali dentro era lento e cheio de solavancos, mas supus que, em um acidente de trânsito entre duas carruagens, pelo menos não haveria vítimas fatais. Talvez apenas os cavalos se ferissem.

– Claro. Sobre o que quer falar?

– Sobre hoje. – Ele limpou a garganta. – Sobre o café da manhã.

Claramente, Ian estava constrangido. Suas mãos inquietas pareciam não saber onde descansar.

– Tudo bem – eu disse, cautelosa. Não queria voltar ao assunto, especialmente porque não queria ficar irritada com ele. – Fala aí.

– Você disse... – Ele pigarreou outra vez e, então, começou a falar rápido. Para não perder a coragem, pensei, depois do que eu ouvi. – A senhorita disse algumas coisas que me deixaram confuso. Muitas palavras que usou eu não reconheci, mas algumas delas eu conheço. Fiquei espantado que uma jovem dama as conhecesse também. – Seus olhos se abriram um pouco mais. – E as *usasse*! Mas, além disso, você disse algo que me deixou inquieto.

E ele estava inquieto, realmente. Imaginei que, se a carruagem fosse mais alta e ele um bom tanto menor, começaria a andar de um lado para o outro, como fazem nos filmes.

– E que coisa foi essa? – perguntei.

– Sobre ir para a cama com homens casados. – Ele baixou a cabeça. Ficou mexendo nos joelhos da calça como se tivesse alguma coisa presa ali.

– Eu nunca fui, já disse! Não estou mentindo.

– Eu acredito, senhorita. Mas... – Ele continuava com a cabeça baixa, sua voz ficou um pouco abafada. – A questão é que me pareceu que a senhorita conhece bem o assunto. A intimidade entre um homem e uma mulher, quero dizer – seu tom diminuiu até quase um sussurro.

Oh! Esse assunto!

– E conheço. – Eu tinha vinte e quatro anos, já conhecia há certo tempo.

– Foi o que pensei – murmurou, levantando a cabeça e olhando pela janela.

Eu não podia ver seu rosto, apenas seu pescoço e seus cabelos negros. Esperei que continuasse, mas ele não continuou.

– E você pensa que eu não deveria conhecer, acertei?

Ele se virou e me encarou com os olhos intensos, em chamas. Senti a força deles me arrastando, como um ímã. A força era tanta que recuei um pouco, assustada.

– Certamente que não deveria! Jovens solteiras não devem conhecer determinados assuntos até que estejam formalmente comprometidas. – Ele parecia muito irritado. Mais que isso, parecia furioso. – E, quando digo formalmente comprometidas, me refiro ao matrimônio.

– Ian... – Minha voz estava um pouco rouca, com medo. Do quê? Daqueles olhos? – Eu tenho vinte e quatro anos, sou solteira. O sexo faz parte da vida das pessoas com certa frequência. Onde eu vivo pelo menos é assim. E mesmo que eu não conhecesse na prática, minha mãe me explicou como tudo funcionava quando eu tinha onze anos.

– A senhorita conhece na prática? – Temi que seus olhos fossem saltar das órbitas. Seu rosto se retorceu em desaprovação e... tristeza?

– Mas é claro, Ian. – Talvez não fosse tão óbvio para um rapaz do século dezenove, mas eu não pretendia mentir para ele. Estava sendo muito gentil comigo, me ajudando desde que me encontrou. Ainda mais gentil por me ajudar sem nem mesmo saber a história toda. – As coisas são diferentes por lá.

– Não gosto de como as coisas funcionam nesse seu lugar. E sua mãe fez muito mal. – Sua testa estava vincada, suas sobrancelhas quase unidas.
– Muito mal, realmente!

– De forma alguma! Acho que ela fez certinho. Uma menina precisa saber o que acontece com seu corpo na adolescência e também para que servem essas mudanças, ou o número de adolescentes grávidas seria ainda maior do que já é.

– Há muitas delas grávidas? – Ele parecia não acreditar no que ouvia.

– Sim, muitas. E, na maioria, por culpa de uma mãe negligente que não cumpriu seu papel de educadora, como a minha fez. – Pensar em minha mãe sempre me acalmava. Como se ela pudesse, ainda, me acalentar.

Suspirei. Sentia uma saudade terrível dos meus pais.

– E a castidade? E a pureza? Não existem valores onde você vive? – perguntou indignado.

Eu ri.

– Ah, Ian! A virgindade não é tão importante desde mil nov... Faz tempo! Eu não quebrei as regras. Mas acredito que ainda existam garotas virgens.

Todas as de doze anos, pelo menos.

– Ouso dizer que esse lugar não é adequado para uma jovem viver!

– Bom, é adequado pra mim – dei de ombros. – Não conhecia outra forma de viver até ontem. Gosto muito de lá. Espero conseguir voltar logo.

Ian estreitou um pouco os olhos.

– Creio que passar um tempo aqui possa lhe fazer algum bem. Novos costumes, novos conhecidos. Talvez acabe gostando.

Duvido muito.

– Bem, é claro que primeiro eu preciso encontrar um jeito de voltar, depois eu vejo isso.

Sabia que não conseguiria convencê-lo de que sexo fazia parte da vida, assim como sentir sono ou sede. Ele devia ter sido criado pensando que garotas eram virgens até o dia do casamento, sem exceções à regra.

Ele voltou a olhar pela janela

– Chegamos – disse, depois de algum tempo em silêncio.

Foi estranho demais olhar a cena. Ruas feitas de pedras irregulares, construções antigas e sem cor – sem a ação do tempo, porém –, homens vestindo casacas, com bengalas na mão, e mulheres com vestidos bufantes, chapéus cheios de laços e sombrinhas rendadas na mão enluvada. Até as crianças que vi pareciam ter saído de um quadro antigo, usando roupas *demais* se comparadas com as do meu mundo. E cavalos. Muitos cavalos e carruagens. Tudo muito estranho.

Uma mulher esguia, trajando um amplo vestido estampado com listras largas, brancas, azuis e pretas, saiu ajeitando as luvas de um prédio um pouco mais à frente. As pérolas nas orelhas e no pescoço reluziram sob a luz do sol, deixando sua pele negra com um toque ainda mais quente. Ela parecia uma rainha com os cabelos ocultos por um vistoso turbante amarelo, que teria feito Nina enlouquecer. Há anos minha amiga tentava aprender a amarrar um daqueles à moda gele – a maneira usada havia gerações por suas ancestrais nigerianas –, mas nunca ficava satisfeita com o resultado.

Um homem que lembrava muito o cantor Ne-Yo saiu do estabelecimento, um charuto em uma das mãos, a outra aparando o chapéu levemente inclinado enquanto corria para oferecer o braço à bela mulher. O casal fez um elegante cumprimento de cabeça ao passar por nós. Ian, é claro, retribuiu com igual deferência. Dei o meu melhor, e mesmo assim tudo que consegui foi parecer muito desajeitada.

Eu ri. Era como se eu estivesse em uma das histórias dos meus livros.

Estava tão ansiosa para procurar pela tal pessoa que mal esperei a carruagem parar de vez para descer. Ian suspirou ao meu lado, claramente insatisfeito. Imaginei que fosse por causa da conversa que tivemos.

Olhei para ele, seu semblante dizia que ele estava ofendido.

– Ao menos pode esperar até que a escada seja posicionada, eu desça primeiro e abra sua porta? – reclamou irritado.

Oh!

– Eu... É que nunca... Ninguém nunca abriu a porta do carro... carruagem pra mim antes. Me desculpe, foi força do hábito – sorri sem graça.

Ele suspirou novamente.

Eu não disse nada. Sabia que precisava me esforçar mais para não parecer um ET para as outras pessoas e não colocar Ian numa situação constrangedora, mas era muito difícil. Eu queria voltar logo para casa. Precisava voltar logo! A Nina devia estar maluca de preocupação com o meu desaparecimento repentino, e se eu não aparecesse no escritório na segunda de manhã...

– Aonde deseja ir primeiro? – Ian perguntou, já ao meu lado.

– Não sei bem. Pensei que talvez pudéssemos andar por aí, perguntar, sei lá. Honestamente, você não acha que se mais alguém como eu estiver de fato por aqui será meio fácil de identificar?

– Muito fácil! – E sorriu. A irritação ainda não havia deixado seus olhos, mas ele parecia mais controlado agora. – Talvez possamos pedir informações a alguns comerciantes.

– Beleza! – Ele me olhou confuso. *Ah!* – Beleza, bacana, joia – Ainda confuso. Suspirei. – Que ótimo!

Eu precisava tentar me comunicar melhor. Gírias definitivamente não eram uma boa ideia.

Ian concordou com a cabeça e fez uma mesura com o braço. Era tão surreal! Eu tinha a impressão de que, a qualquer momento, o senhor Darcy em pessoa sairia de alguma daquelas portas de madeira acompanhando Lizzy Bennet.

– Senhorita? – chamou ele, quando eu já estava alguns passos à sua frente.

– Que foi? – eu me virei para ver o que tinha feito de errado desta vez, pelo tom reprovador que ouvi em sua voz.

Ele me alcançou e me ofereceu o braço em forma de L. Continuei olhando para ele sem entender.

Ian suspirou exasperado. Pegou gentilmente minha mão e a colocou na parte interna de seu cotovelo.

– Ah! – eu disse sem graça. – Precisa mesmo?

Eu me sentia um pouco estranha quando ele ficava perto de mim daquele jeito. Meio sem equilíbrio e inquieta, até meu estômago se comportava de forma anormal.

– Devo acompanhá-la – ele disse sorrindo. Desviei o olhar, porque, novamente, seus olhos pareciam puxar os meus em sua direção.

Dei de ombros, fingindo indiferença. Estava começando a ficar irritada com as reações de meu corpo, principalmente quando Ian me tocava.

– Como tem passado, senhor Clarke? Não o vejo desde a semana passada! – cumprimentou uma garota de vestido rosa-bebê. Ela tinha cabelos muito loiros, cheios de cachos que pareciam ter sido feitos com babyliss, e os usava soltos sob o chapéu branco, que vinha preso por um laço enorme até o queixo. Estava acompanhada de uma mulher mais velha, talvez sua empregada, a julgar pelas roupas mais modestas. Elas se inclinaram ligeiramente.

Ian se curvou também.

– Estou muito bem, senhorita Valentina. Estive fora por alguns dias em uma viagem de negócios. Voltei apenas ontem. Como tem passado? – um sorriso educado se espalhou em seu rosto.

– Estou muito bem, senhor Clarke. – Ela piscava rápida e irritantemente. – Espero que tenha feito bons negócios. Fiquei alarmada por não vê-lo aqui no vilarejo. Pensei que talvez estivesse padecendo de algum mal! – E então ela me notou. Avaliou-me de cima a baixo. Seus olhos se fixaram na minha mão pousada no braço de Ian.

Que ótimo, pensei. *Então medir as pessoas assim é um mal muito mais antigo do que eu imaginava!*

– Não me apresenta a sua amiga, senhor Clarke?

– Mas é claro. Esta é a senhorita Sofia... – Ele parou, incerto de como continuar.

– Alonzo. Como vai? – estiquei a mão para cumprimentá-la.

Ela olhou para a mão estendida, depois para Ian e de volta para mim. *Ah, deixa pra lá.*

– Alonzo? – Ian perguntou, as sobrancelhas arqueadas.

– É. Meu bisavô era espanhol. Família de sangue quente, sabe como é. Quando juntava todo mundo, sempre acabava em briga. O Natal era um pesadelo! – brinquei.

Ele franziu a testa ainda mais.

– Err... Certo. Senhorita Sofia, esta é a senhorita Valentina de Albuquerque, uma antiga amiga da família. E esta é sua criada, senhora Veiga.

– Prazer em conhecê-la, senhorita Sofia – Valentina se inclinou, me encarando de um jeito estranho. – Está hospedada em sua casa, senhor Clarke?

– Sim. Ela está em uma... viagem de descanso.

Ele mentia muito mal. Até eu, que o conhecia há apenas um dia, percebi que sua voz se alterou quando mentiu.

– Mas eu vou embora logo – assegurei a ela, que pareceu não gostar da novidade. – Só preciso resolver umas coisinhas e aí me mando.

Ela olhou para Ian sem compreender.

Suspirei, cansada.

– Sabe que é bem-vinda em minha casa pelo tempo que desejar – Ian me disse gentilmente.

Sorri para ele, encantada com sua bondade. Valentina, porém, não sorriu. Seus olhos faiscaram.

Ah! Ela gostava dele!

Meu sorriso desapareceu.

– Eu sei, I... senhor Clarke. E agradeço a hospitalidade – murmurei sem jeito.

Um momento de silêncio constrangedor se seguiu, pois ninguém disse nada. Eu comecei a ficar inquieta. Estava perdendo tempo.

– Senhorita Valentina – comecei com cautela. – Por acaso não teria visto alguém... novo por aqui?

– Alguém novo? Aqui? – ela pareceu espantada. – Não. Ninguém novo na vila, além de você, senhorita Sofia.

Talvez ela não soubesse ainda. Assim como não sabia da minha chegada até alguns minutos atrás. Suspirei desanimada. Obviamente, não seria assim tão fácil encontrar a outra alma condenada àquele hospício cheio de regras de etiqueta!

— Bem, senhorita Valentina — Ian disse, parecendo entender que eu queria continuar procurando — Se nos der licença, eu e...

— Oh! Claro, senhor Clarke, não quero interromper seus afazeres, mas posso perguntar se o baile de sábado está confirmado?

Ian olhou para mim e depois para ela, parecendo indeciso.

— Eu havia me esquecido. Mas acredito que Elisa não tenha mudado de ideia. Até onde sei, portanto, o baile acontecerá no próximo sábado.

— Excelente! — ela disse, quicando e batendo palmas. — Estou muito ansiosa para o baile. Os bailes em sua residência são os melhores da região.

— Fico feliz que lhe agrade, senhorita. — E sorriu.

Pudera ela gostar dele! Cheio de sorrisos e bailes para agradá-la!

— Eu vou... perguntar por aí, Ian. Quero resolver isso logo. — Notei que o sorriso de Valentina se desfez quando, sem pensar, chamei Ian pelo nome. — Te vejo depois. Foi um prazer conhecer vocês duas. Até logo.

Saí andando, sem saber bem para onde ir. Estava irritada com aquela garota que se parecia com uma boneca de porcelana e piscava sem parar.

Ouvi Ian se despedir apressadamente.

— Você podia ficar batendo papo com elas enquanto eu procuro. Não precisa ficar me seguindo pra todo lado — avisei assim que ele me alcançou.

— Não estou seguindo. Estou te acompanhando. Por que está irritada? — Ele tentou pegar minha mão para colocar em seu braço, mas eu a puxei com força. — Foi pelo que disse a senhorita Valentina, sobre não haver ninguém de fora da vila?

— Foi! — menti. Mas eu não sabia dizer por que não havia gostado daquela fulana ou por que ela me irritou tanto. Talvez fosse TPM adiantada. Quem sabe quais efeitos uma viagem no tempo poderia causar no ciclo menstrual de uma garota.

— Não se preocupe. Se mais alguém estiver aqui, vamos encontrá-lo — ele disse, confiante.

— Eu espero que sim, Ian. Espero que esteja certo.

Minha cabeça estava ficando cada vez mais confusa. Tudo ali era confuso. E, cada vez mais, eu não conseguia entender minhas reações exageradas.

Andamos quase a manhã toda, perguntando a todos os conhecidos de Ian. Entretanto, não foram muitos. A maioria ainda estava na igreja. "Não, não há ninguém novo na vila", foi a resposta de todos.

Paramos para conversar com algumas garotas sorridentes e enfeitadas, que lançavam olhares meigos para Ian e furiosos para mim. Teodora não mentiu quando disse que ele tinha muitas pretendentes.

Distraí-me diversas vezes com as fachadas rústicas do comércio e das casas, e com os modos das pessoas. Tudo parecia fazer parte do cenário gigante de um filme.

Não conseguimos perguntar aos comerciantes. Era domingo, tudo estava fechado, apenas uma carroça vendia frutas e galinhas vivas.

– Talvez seja melhor procurarmos amanhã – Ian sugeriu, depois de algumas horas de andança.

– É – concordei desanimada. – Acho que dará mais tempo para notarem se alguém diferente apareceu por aqui.

– Podemos ir, então? Estou com um pouco de fome. Não consegui terminar meu café – ele disse, brincalhão.

Eu corei.

– Me desculpe, Ian. Não sei o que deu em mim naquela hora. É que eu estou numa situação meio... difícil. Desculpe, de verdade.

– Não se preocupe, senhorita. Já me esqueci do incidente. Vamos?

– Vamos – concordei, aceitando seu braço sem relutância

Andamos em direção à carruagem e, dessa vez, ele se adiantou para abrir a porta antes que eu pudesse fazê-lo. Só então notei a escadinha de três degraus posicionada sob a porta, para facilitar a entrada no veículo.

– Valeu – agradeci, aceitando sua mão como apoio para subir.

– Direto para casa, Isaac – ele ordenou ao rapaz que conduzia a carruagem.

Ficamos em silêncio por um tempo.

– O que achou da vila, senhorita Sofia?

– Pensei ter ouvido você prometer que me chamaria apenas de Sofia – lembrei a ele.

– Eu sei, mas não me parece muito educado.

– É irritante esse negócio de senhorita, *senhor Clarke* – brinquei com ele.

Seus lábios se abriram num sorriso enorme. Então, me lembrei de outra coisa.

– Você tem muitas fãs por aqui. – Tentei fazer minha voz soar indiferente. Acho que não deu certo.

– Perdoe-me, senhorita, tenho o quê?

– Muitas fãs. Muitas garotas atrás de você. Muitas pretendentes. – Foi impossível não notar seu constrangimento.

Ele corou e pareceu não gostar que eu tivesse reparado.

– São apenas amigas da família – disse, claramente desconfortável.

– Valentina parece gostar muito de você – insisti.

– A senhorita Valentina e eu nos conhecemos desde a infância. Nossos pais sempre foram amigos. Mas não há nenhum interesse romântico envolvido – sua voz estava baixa, assim como sua cabeça.

– Talvez não de sua parte. Você viu como ela me olhou? Pensei que fosse me atacar ali mesmo!

Ian apoiou um braço no joelho e se virou para me encarar, sorrindo.

– Isso é culpa sua, não minha! Creio que todos a olhavam. Não me lembro de alguma vez ter visto uma jovem sair de casa sem cobrir os cabelos com um chapéu.

Hã?

– Uma dama jamais mostra os cabelos soltos, assim como estão os seus agora, em público – ele explicou, quando viu a confusão estampada no meu rosto.

– E você não pensou em me avisar sobre isso antes? – lancei um olhar severo em sua direção.

– Depois de seu comportamento tempestuoso durante o café? – deu de ombros. – Nem que eu fosse louco! – E riu.

Fiquei observando seu rosto, completamente fascinada. Ian era lindo demais. Os cabelos negros e encorpados caíam na testa, fazendo um contraste perfeito com a pele clara. Os olhos, pretos como carvão, de alguma forma refletiam raios prateados. O nariz reto lhe dava personalidade. As bochechas esticadas sobre os ossos do rosto e o queixo reto o deixavam com um aspecto ainda mais másculo. Tudo isso sustentado por um corpo que faria qualquer garota perder o juízo.

Percebi que Ian também me observava e, depois de nos encararmos por alguns segundos, me virei para a janela. De algum modo, seu olhar me perturbava, e eu não conseguia encontrar uma explicação para isso.

Ficamos em silêncio o restante da viagem. Às vezes, sentia seus olhos em mim, mas não me virei para ter certeza. Não queria arrumar mais confusão, e sabia que olhar muito para Ian me colocaria numa tremenda confusão.

Ele me ajudou a sair da carruagem assim que chegamos à casa. Ainda segurava a mão que ele me estendeu quando ouvi um zunido.

Bzz. Bzz. Bzz.

Ian também ouviu.

– Escutou isso? – ele perguntou, procurando em volta.

Eu sabia o que era. Sabia muito bem!

– Não, não ouvi nada – menti num fôlego só. – Eu... Eu... preciso usar a casinha! Te encontro depois, está bem?

Tentei sair correndo, mas a barra do vestido idiota enroscou numa planta. Praguejei alto, me abaixando para juntar toda a saia nas mãos, deixando os joelhos e as panturrilhas à mostra, e disparei para a casinha. Não olhei para ver qual foi a reação de Ian.

Entrei rapidamente no cubículo, tentando fechar o trinco da porta com as mãos trêmulas. Peguei o celular. A tela estava acesa e dizia: "Você tem 1 nova mensagem".

Toquei-a com o dedo. "Ler agora?" Apertei "SIM".

Muito bem, Sofia. Você iniciou sua jornada com sucesso.

Depois o aparelho piscou e voltou a desligar.

10

Precisei de alguns minutos para sair da casinha. Não que fosse agradável estar lá dentro – não era! –, mas eu precisava pensar no significado daquela mensagem.

De alguma forma, eu havia acertado o alvo, sem nem ao menos vê-lo. Então, talvez eu estivesse certa: havia mais alguém ali. Ou a coisa que eu tinha que encontrar estava na vila. De toda forma, eu estava no caminho certo.

Tinha que ser isso, porque a única coisa que eu havia feito naquele dia fora ir até a vila e brigar com Ian, mas isso – a briga – com certeza não tinha relevância alguma, já que não me levaria de volta para casa.

Respirei fundo – não foi uma boa ideia, tendo em vista onde eu me encontrava – e saí da casinha. Encontrei Ian me esperando nas escadas em frente à casa, com o rosto preocupado.

– Está tudo bem, senhorita Sofia? Precisa de alguma coisa? Quer que eu chame o médico? – perguntou, correndo com as palavras.

– Por que eu iria precisar de um médico? – Só porque tinha saído correndo e me trancado na... Oh! – Não, não. Eu tô bem. Tudo em ordem. Não preciso de nada, não.

Ele concordou com a cabeça, me observando com atenção. Não pareceu muito convencido de que eu estivesse realmente bem. E eu não podia culpá-lo, meu rosto devia estar branco feito papel. Ainda estava assustada com o novo contato.

– Então, vamos entrar. Elisa já deve estar de volta. – Ian indicou a porta para que eu entrasse.

Encontramos Elisa e Teodora na sala de artes. Elisa pintava um tecido e Teodora não fazia nada além de caminhar entediada pela sala. Aproximei-me um pouco para ver melhor o desenho de Elisa. Flores de todos os tamanhos e cores. Era muito bonito!

– É lindo, Elisa! Você é muito talentosa! – exclamei, incapaz de conter minha admiração.

– Obrigada, senhorita Sofia. Mas eu desenho razoavelmente bem, apenas. O artista da família é meu irmão – ela me mostrou as adoráveis covinhas.

– É mesmo? – perguntei, surpresa. Não estava duvidando de que Ian fosse capaz disso, com seus modos gentis e educados, só que suas mãos, e todo o resto, eram muito grandes. Pelo menos onde se podia ver...

– Não é de todo verdade. Elisa me enaltece demais – ele falou sem jeito.

– Você pinta? De verdade? Tipo quadros? – inquiri, me aproximando dele.

– Sim, eu pinto... *Tipo* quadros. É apenas um passatempo, aliás. Nem todos os dias são tão tumultuados por aqui – apenas uma sobrancelha se ergueu. Um convite a contradizê-lo.

Não o fiz. Estava curiosa demais.

– Posso ver algum? – Seriam os que estavam pendurados por toda a casa? Porque eram muito bonitos.

– Basta olhar em volta, senhorita Sofia – disse Teodora, com a voz afetada. – Todos estes quadros foram feitos pelo senhor Clarke. Ele é um grande pintor. Mas nunca permite que estranhos vejam suas obras. É muito modesto.

Ian disse alguma coisa a ela, mas não prestei atenção. Estava maravilhada demais com suas telas. Mal pude conter a excitação, não sabia para qual deles olhar primeiro. Havia muitos quadros, uns dez ou doze, de tamanhos variados: uma casinha na montanha, paisagens naturais ao pôr do sol, um cachorro marrom, que parecia muito dócil no quadro, apesar do tamanho... Diversos quadros, todos muito bonitos e extremamente reais.

Aproximei-me de um deles, um dos maiores, de um realismo impressionante. Um cavalo negro empinando contra a paisagem rural ao entardecer. Mas o que chamou minha atenção foram os detalhes da tela. Dava para ver na expressão do animal toda sua fúria, toda sua teimosia, sua altivez. Aquele cavalo não se deixaria ser domado. Selvagem, foi a palavra que pensei para descrevê-lo. Estiquei o braço timidamente, como que querendo acariciar seu dorso para verificar se o pelo brilhante e liso era tão macio quanto parecia. Entretanto, não toquei a tela; acompanhei o contorno das costas até chegar aos quadris do animal.

– Você desenhou isto? – sussurrei.

Ian me ouviu. Deixou a irmã na companhia de Teodora e veio se colocar ao meu lado.

– Pintei este quadro há algum tempo. Comprei este cavalo quando meu antigo adoeceu. A intenção era que fosse minha montaria, mas nunca consegui domá-lo. – Exatamente como o quadro demonstrava. – Contratei diversos treinadores, mas esse bicho é muito arredio! Acabei desistindo e comprei outro mais dócil.

– O que fez com ele? – Eu não conseguia desviar os olhos do cavalo.

– Nada. Está no estábulo, junto com os demais. Não pude vendê-lo. Tem alguma coisa nele... Ele é diferente. Resolvi pintá-lo da forma como eu o via. Talvez tenha exagerado.

– Você fez um trabalho e tanto, Ian – discordei. – Parece tão real! Quase sinto o calor transbordando dele. Você é um artista! É o primeiro que eu conheço pessoalmente.

– Obrigado, senhorita. Mas não mereço elogios. Apenas tive bons professores.

Tirei os olhos do quadro e o encarei com uma expressão séria.

– Ah, não mesmo! *Eu* tive bons professores. E nem ao menos sei desenhar um pônei! – A não ser que alguns riscos, duas bolas e dois triângulos pudessem ser considerados um cavalo cubista. – Você é talentoso. Muito talentoso! Não discuta isso comigo!

– Está bem – e sorriu. – Então apenas agradeço tão adorável elogio.

Desviei os olhos para os outros quadros. Todos tão diferentes uns dos outros, mas com algo em comum.

– Você não retrata pessoas – constatei.

– Eu não ach...

– O senhor Clarke não gosta de retratar pessoas – interrompeu Teodora. – Diz que não tem habilidade para traços tão delicados, não é mesmo, senhor Clarke?

– Sim, senhorita Teodora. Não acho que eu seja capaz de capturar a essência da pessoa retratada, uma falha que seria imperdoável de minha parte. – Ele parecia convencido de sua incapacidade.

Olhei de volta para o cavalo na tela.

– Não acredito nisso. Se você conseguiu captar a essência daquele cavalo, pode pintar qualquer pessoa que quiser. – Pensei um pouco e depois completei: – Será que você se recusa a pintar pessoas porque talvez tenha medo de que elas não gostem de se enxergar na visão de um artista tão sensível?

Ele não respondeu, apenas me encarou por um tempo. Pela expressão em seu rosto, pensei ter chegado bem perto.

Então, Teodora, cansada de não ser o centro da conversa e de não estar incluída nela, resolveu exigir a atenção do seu querido senhor Clarke.

– Senhor Clarke, Elisa e eu conversávamos há pouco sobre o baile de sábado. – Ela se levantou para se aproximar mais dele. – Oh, meu caro, será o baile mais importante deste ano. Toda a sociedade estará presente. Estou tão ansiosa que mal posso esperar!

– Bem lembrado, senhorita Teodora. Os seus planos ainda são os mesmos para sábado, Elisa? Encontrei-me com a senhorita Valentina hoje de manhã e ela me perguntou sobre o baile.

– Claro que não mudei de ideia. Ainda mais agora que a senhorita Sofia está aqui conosco! – ela sorriu para mim. Eu gostava cada vez mais de Elisa. – Será um prazer poder apresentá-la a nossos amigos, meu irmão. Ela causará boa impressão em todos, tenho certeza. Ainda que precise usar um dos meus vestidos. Acredito que a senhora Madalena poderá acertar o comprimento, mas nossos conhecidos certamente o reconhecerão.

– Olha só, Elisa, valeu *mesmo* pela preocupação. – Suas sobrancelhas se arquearam da mesma forma que as de Teodora. Dessa vez, as de Ian não. – Mas talvez eu nem esteja aqui no sábado. Talvez já tenha voltado pra casa.

E eu realmente esperava já estar em casa até lá. Carlos soltaria fogo pelas ventas se eu não aparecesse no escritório a semana toda, sem dar explicação alguma.

— Pensei que ainda não tivesse nenhuma informação sobre como fazer isso — Ian disse, incisivo. — Pensei que as buscas de hoje não tivessem dado bons resultados. Pensei que tínhamos feito um acordo hoje de manhã e que passaria um pouco mais de tempo aqui conosco.

Fiquei ligeiramente confusa com seu tom ríspido. Ian não costumava — pelo menos desde que o conhecia, havia pouco mais de vinte e quatro horas — ser tão rude com as pessoas.

— Mas eu não prometi nada, lembra? Disse que veria isso *depois*. E eu não tenho nenhuma informação. — Não era mesmo uma informação, apenas uma confirmação de que eu estava no caminho certo. — Só que eu realmente preciso voltar. Toda minha vida está de pernas pro ar. Eu nem sei o que me espera quando chegar lá. Talvez tenha que entrar na fila do desemprego.

— Por favor, senhorita Sofia — implorou Elisa, o rostinho triste, os olhos suplicantes. — Não pode ficar ao menos até o baile? Eu ficaria tão feliz se pudesse apresentá-la aos nossos amigos! Tenho certeza de que terá uma noite muito agradável. Quem sabe não arranja um pretendente!

Ah! Era só o que me faltava! Arrumar um pretendente. Aí sim minha vida estaria perfeita!

— Elisa, eu não posso prometer. Eu até gostaria de ir ao baile e ver como as coisas são... por aqui. Mas eu nem sei direito como cheguei aqui e não tenho ideia de como ou quando vou voltar, então... — parei quando vi seu rosto ficar ainda mais triste. Mas o que eu podia fazer? Não dava para garantir, e eu não queria acabar mentindo para ela.

Elisa me encarava com olhos enormes e brilhantes, como um cachorrinho com fome. *Argh!*

— Tudo bem, Elisa. Você ficará satisfeita se eu disser que me esforçarei muito para estar aqui no sábado? — perguntei, derrotada.

— Muito satisfeita! — seu rosto triste rapidamente se transformou, ficou radiante. — Então, Ian, ela vai precisar de um vestido de baile. — Ela correu para o irmão, agarrando-o pelo braço. — Não dá para a pobrezinha passar toda a sua estadia aqui usando aquele meu vestido velho e curto. Veja que nem chega a cobrir seus tornozelos! O que nossos conhecidos vão pensar quando souberem que a pobre senhorita Sofia teve todos os seus pertences roubados e nós nem ao menos lhe arrumamos roupas decentes para vestir?

Seu rosto voltou a ficar suplicante. Ela era tão convincente. Até eu fiquei com pena. *Pobre senhorita Sofia! Coitadinha!*

– Eu não fui assaltada – objetei, mas ninguém me deu ouvidos.

– Vou amanhã até o ateliê de costura para encomendar meu vestido de baile. Talvez pudesse encomendar um para ela também – ela continuou, implorando com os enormes olhos azuis.

– É uma excelente ideia, Elisa. Não havia pensado no assunto. Acho que fui muito relapso quanto a isso – Ian respondeu e depois voltou os olhos para meu vestido. – Veja se madame Georgette tem alguns vestidos já prontos para a senhorita Sofia. Você tem razão, ela não pode continuar com este vestido curto.

Curto! Não tinha um pedaço de pele que não estivesse queimando por causa de todo aquele tecido! Quase ri pensando na cara deles se me vissem com o vestido que usei na festa de aniversário da Nina. Era preto, muito justo e escandalosamente curto. Talvez tivessem um ataque.

– Você é o melhor irmão de todo o mundo, Ian! – ela lhe deu um abraço apertado.

Gostei disso. Gostei de ver que havia algum tipo de contato físico naquele lugar. Todo mundo parecia tão cauteloso em não tocar ninguém, como se fosse pecado ou coisa assim. Sem abraços, beijos ou apertos de mão. Fiquei aliviada ao ver que Ian retribuiu o abraço com o rosto sorridente, e não constrangido como imaginei que ficaria.

– Não exagere, Elisa – disse ele.

– Então iremos bem cedo! Podemos sair logo depois do café. Precisamos nos apressar. Não se faz um vestido da noite para o dia!

– Por mim, tudo bem. – Eu estaria na vila bem cedo, poderia procurar informações. – Mas acho que não há necessidade de me comprar vestidos. Elisa, eu já disse que...

– O que acha, Teodora? Não é uma ótima ideia? – ela se virou para a amiga, me ignorando.

– Excelente ideia, minha cara. E poderemos escolher as fitas! Preciso encontrar uma para combinar com meu novo chapéu. Nenhuma das que vi semana passada me chamou a atenção. E, além do mais, preciso de um vestido à altura do baile que teremos! Tenho certeza de que isso tomará todo o tempo de madame Georgette.

– Então está tudo arranjado! – Elisa disse exultante.

– Mas... – eu tentei dizer, porém Ian rapidamente me interrompeu.

– Ótimo. Poderei ir até a casa de um arrendatário aqui perto resolver alguns problemas. Não precisarão de minha ajuda para escolher o vestido, imagino.

Fiquei desapontada. Pensei que ele me acompanharia até a vila de novo. Então, em vez de dizer isso em alto e bom som, voltei a atenção para o quadro do cavalo.

– Você gostou dele, não é? – Ian me perguntou baixinho, quase num sussurro, depois que as duas garotas iniciaram uma discussão sobre a importância da fita de cetim.

Talvez ele não quisesse interromper o tagarelar de Teodora sobre a diferença que a escolha errada de uma fita acarretava na vida de uma garota. Ao que parecia, a fita devia ter algum outro significado além de enfeitar, pois ela discursava com fervor.

– É realmente lindo, Ian – sussurrei também. – Nunca vi nada tão perfeito. Veja os olhos! É como se estivessem zombando de alguém.

– Aposto que estão mesmo – ele riu. – De seu dono estúpido, que levou um ano inteiro para compreender que não o domaria.

Eu ri também.

– Gostaria de conhecê-lo? – ele ofereceu.

– Claro! – eu disse, mais alto do que pretendia, excitada demais. Mas aparentemente não alto o bastante para perturbar a atenção de Teodora.

– Acho que não notarão nossa ausência. Parece que nenhum de nós dois está particularmente entusiasmado com as fitas – ele sussurrou, se aproximando de meu ouvido. Um arrepio subiu por minha coluna, me fazendo estremecer da cabeça aos pés.

O que estava acontecendo comigo, afinal? Aquele lugar definitivamente estava mexendo com minha cabeça. E eu não estava gostando nem um pouco disso.

Teodora não notou nossa saída silenciosa. Elisa percebeu, mas apenas sorriu e voltou a atenção para a amiga.

11

Eu ainda não conhecia os estábulos, que ficavam muito afastados da casa. Rústicos até a essência, eram feitos de pedaços irregulares de madeira que se uniam desajeitadamente, e com isso me trouxeram a lembrança do Oca. Claro que o bar não era tão rústico assim, mas, de certa forma, aquelas madeiras tortas me trouxeram um pouco de conforto.

Enquanto nos aproximávamos, olhei ao redor, admirando mais uma vez a beleza do lugar. Era tão diferente do que eu estava habituada, sem aquela poluição de outdoors, letreiros, homens-sanduíche, cartazes, ambulantes vendendo cacarecos... Ali era tão calmo e – eu tinha que admitir – lindo.

– Ouso dizer que você é a primeira jovem que conheço que não fica entusiasmada com a menção da palavra *baile* – Ian disse, parecendo aliviado.

– Eu não sou muito de festas. Sou mais caseira. Na verdade, devia dizer *escritoreira*, já que é de lá que eu não saio. – Como uma prisão onde eu mesma me tranquei. – Eu não gosto muito de balada, gente falando ao mesmo tempo, bebendo, fumando e contando piadinhas machistas. Ou, pior ainda, boates cheias daqueles carinhas que tomam duas cervejas e depois se acham tão irresistíveis que acreditam ter o direito de dizer pra uma garota que eles nunca viram na vida as piores baboseiras imagináveis. Mas de shows eu gosto. Mesmo porque não dá pra ficar batendo papo num show, o barulho é ensurdecedor. Nunca me sinto deslocada num show. Tudo que é relacionado à música eu curto muito... A Nina me perturba por causa disso. Ela acha que eu não tenho vida, apenas trabalho e trabalho, e que nunca vou arrumar um namorado se ficar trancada em casa ou no escritório. Mas sabe, Ian, eu não me sinto à vontade saindo com a galera. Parece que sou um alienígena que não se entrosa em lugar algum... – Ele assentiu. Eu segui em frente. – Sabe quando você sente que todo mundo te olha de um jeito diferente, tipo *O que ela tá fazendo aqui?*, e depois fingem que estão interessados em ouvir o que você tem a dizer? Eu detesto isso! Prefiro ficar em casa. Mas gosto de sair com a Nina. Só que agora ela cismou que eu... – Vi um pequeno sorriso se espalhar em seu rosto. Eu ri. – Desculpe, Ian. Eu estou falando pelos cotovelos. É que é fácil falar com você. Não é estranho? Eu mal te conheço e já te contei coisas que muitas das minhas colegas de escritório não sabem.

– Acho ótimo que pense assim. Aprecio muito sua companhia. Acho fascinante sua maneira de se expressar – ele disse, olhando para frente, mas sorrindo. – E também me é estranho preferir falar com uma jovem que acabei de conhecer a falar com várias jovens que conheço há muito mais tempo.

– De onde eu venho, se diz que o nosso santo bateu. – Ele me encarou. – Quando duas pessoas se dão bem logo de cara, quer dizer, logo que se conhecem. E o meu santo decididamente bateu com o seu – sorri.

– Então, acho que o meu também.

Ele ficava tão lindo sorrindo daquele jeito!

– Qual delas é a do cavalo do seu quadro? – perguntei, apontando com a cabeça para as baias. Havia uma dezena delas, talvez mais.

– A terceira – informou. – Dei a ele o nome de Storm. Significa...

– Tempestade. – Fiquei surpresa. Inglês já fazia parte do currículo escolar no século dezenove? – Você fala inglês?

– Na verdade, leio melhor do que falo. Tive um professor de línguas que me forçou a aprender algumas delas. O inglês foi imposto por meu pai. Meu bisavô veio da Inglaterra. – Bem que eu tinha estranhado o sobrenome! – E meu pai acreditava que era importante manter as raízes da família. O alemão foi mais difícil de aprender. Mas, uma vez que aprendo uma coisa, senhorita Sofia, não me esqueço mais.

– Você só não consegue aprender meu nome. Estou começando a pensar que faz isso de propósito, só para me irritar! – eu disse, ainda muito espantada que ele conhecesse (ao que parecia) diversas línguas estrangeiras.

– Não tenho mais desculpas para isso, senh... Sofia. – Ele realmente tinha dificuldades para dizer apenas o meu nome. A única pessoa que ele chamava pelo nome era Elisa. E ele a conhecia desde que nascera.

– Nossa, ele é lindo! – parei assim que cheguei à baia de Storm.

Ele era tão bonito quanto no quadro. E ainda maior do que eu havia imaginado. Sobretudo se comparado com os cavalos das baias ao lado.

– Também acho. O problema é seu temperamento. Nunca conheci um animal mais cheio de vontades do que este! – ele ralhou, mas o sorriso em seu rosto era afetuoso.

Eu também conhecia alguns animais cheios de vontades. Carlos, por exemplo.

– Vou tirá-lo dali para que a senhorita possa vê-lo melhor.

Ian parou ao lado da porta baixa, retirou o casaco e a gravata e os pendurou em um prego; em seguida, arregaçou as mangas da camisa branca. Fez tudo isso com tanta naturalidade, como se o fizesse todos os dias, que não pude desgrudar os olhos dele. Então ele pegou uma corda e entrou na baia. Storm relinchou e recuou um pouco, mas o espaço não era grande o bastante para que pudesse escapar do laço preciso de Ian. Assim, ambos, com extrema elegância, saíram marchando. Eu recuei um pouco. O quadro não mentia em nenhum aspecto. Quase dava para ler "encrenca" escrito nos olhos do animal.

Ian o levou mais para o centro do estábulo. O bicho fez barulho, andou para trás diversas vezes, parecendo não gostar de receber ordens. Ele era imenso! Entretanto, Ian não se deixou vencer e, depois de um tempo, Storm ficou parado perto – mas não exatamente – de onde Ian queria.

– Aproxime-se – disse ele. – Ele não vai machucá-la. Não vou permitir que isso aconteça.

Não me movi.

– Não tenha medo. Os animais sentem o cheiro do medo, sabia?

– É mais fácil *dizer* que não estou com medo do que não sentir de verdade – confessei, encarando o cavalo selvagem.

– Confie em mim – Ian me fitou intensamente. – Acredita que eu permitiria que se aproximasse dele, a qualquer distância que fosse, se houvesse a menor chance de que ele pudesse feri-la?

Dei um passo, hesitante. O cavalo não se moveu.

Experimentei outro passo. Ele continuou parado, apenas respirando rapidamente. Devagar, vacilante, me aproximei de Ian, mantendo certa distância do animal.

Storm era ainda mais incrível de perto! Muito alto, muito negro, o pelo brilhante emanando toda a altivez que ele visivelmente sentia. Era lindo demais! Seus olhos pareciam me avaliar, assim como os meus o avaliavam.

— Ele é incrível! — Dei um passo à frente, tentando sentir o calor que a tela tinha me passado, e sem pensar ergui a mão em sua direção, como fiz com o quadro.

— Senhorita Sofia, não se aproxime mais. Storm não gosta... — mas eu já estava com os dedos no pescoço do cavalo. Era muito quente, o pelo tão sedoso quanto a própria seda — ... que o toquem — Ian concluiu devagar, parecendo confuso, fazendo sua frase soar como uma pergunta retórica.

— Você é lindo, cavalinho! — exclamei, não resistindo ao impulso de tocá-lo com ambas as mãos. Ele era muito macio e, ainda assim, eu podia sentir a rígida musculatura sob seu pelo. Toquei sua crina embaraçada, deslizei minha mão e acariciei seu dorso. — Muito prazer, Storm. Me chamo Sofia. Vi seu quadro agora há pouco, você é um modelo incrível! Muito especial.

E, para meu espanto, quando minhas mãos voltaram para seu pescoço, ele inclinou a cabeça ligeiramente, como um cachorrinho, como se gostasse do meu toque. Ian arfou, surpreso. Me virei para vê-lo.

Sua boca estava aberta, os olhos imensos.

— Tá tudo bem? — indaguei, preocupada.

— Sim, está. Na verdade estou... pasmo. Storm nunca deixou ninguém tocá-lo dessa maneira sem recuar, relinchar ou... empinar. O que você fez? — e inclinou a cabeça para o lado.

— Eu? Não fiz nada. Ou fiz?

— Fez, sim — ele sorriu abismado. — Você o conquistou!

Virei-me para Storm e vi seus grandes olhos me observando. Não havia mais fúria ali — a altivez e a zombaria continuavam, mas não a fúria. Continuei a acariciá-lo um pouco mais. Ele parecia estar gostando de verdade. O longo rabo balançava para lá e para cá.

– Não é estranho – comecei – que Storm seja mais gentil comigo do que Teodora? Claro que ele é muito mais esperto que ela, nota-se de longe! Mas ainda não entendi bem a razão de tanto cinismo.

– Teodora não gosta de muitas pessoas. É mais fácil enumerar as que ela admira do que as que repudia.

Repúdio. Aí estava a palavra certa para o que eu via no rosto dela toda vez que olhava em minha direção.

– Já notei isso. Mas ela parece gostar de Elisa. – Eu me virei para encará-lo. – E parece gostar de você também. Muito, na verdade.

Ele sacudiu a cabeça, um pouco constrangido.

– A senhorita Teodora e Elisa cresceram juntas. A família dela sempre foi vizinha da nossa propriedade. Por isso passa tanto tempo conosco. Elisa e ela estudaram juntas, vão às compras juntas, fazem quase tudo juntas. Às vezes me pergunto como Elisa a tolera por tanto tempo! Não que eu não a estime, mas às vezes ela é um pouco... demais! – ele riu.

Ian levantou a mão, se aproximou de Storm um pouco mais e, com um único movimento, retirou a corda de seu pescoço, libertando-o. O cavalo imediatamente saiu trotando.

– Vamos deixá-lo correr um pouco. É uma das coisas que ele parece gostar de fazer. Só é difícil fazê-lo parar depois.

Eu segui Ian para fora do estábulo e apoiei os cotovelos na cerca, assim como ele.

– Teodora me disse uma coisa... – eu comecei e depois parei.

Não queria ser indelicada nem parecer abelhuda. Afinal, eu o conhecia há apenas um dia, não tinha o direito de exigir explicações. Mas a verdade é que eu queria saber mais sobre ele.

Ian tirou os olhos da corrida em círculos que Storm fazia e se voltou para mim.

– E o que a senhorita Teodora disse que a deixou... que a deixou curiosa? – Ele não pareceu satisfeito com a palavra que escolheu.

– Eu não quero ser indelicada nem nada disso, mas... – Era melhor perguntar de uma vez. Como arrancar um band-aid. – Teodora disse que você está procurando uma esposa. – Lancei um olhar furtivo em sua direção e, depois de notar o espanto em seu rosto, voltei a encarar Storm, que agora fazia meios círculos, mudando de direção a toda hora, como em um zigue-

-zague. – Fiquei pensando no porquê disso. Porque não dá pra se obrigar a gostar de alguém, não é?

Não ousei olhar para ele. Tentei ao máximo ouvir cada ruído que ele fazia. Ouvi um suave pigarrear e barulho de tecido se movendo.

– Eu preciso me casar logo, minha irmã precisa de uma influência... – ele disse a palavra *influência* com amargura – ... feminina. Eu preciso encontrar alguém que seja adequada – disse, por fim.

– Engraçado – falei, ainda observando Storm. – Pensei que as pessoas procurassem amor num casamento.

– O amor pode vir depois. O respeito e a admiração contam tanto quanto o amor, neste caso. – E se calou.

Não consegui mais me segurar. Tive que me virar para ele.

– Você se preocupa com a castidade e não dá a mínima para o amor? Sabia que casamento é uma coisa muito séria e que deve ser tratado com... com... – senti a raiva crescer dentro de mim e fiquei ainda mais furiosa por estar sentindo aquilo – ... com cuidado e não como se fosse um negócio! Um casamento já é difícil se os dois estiverem apaixonados, sem amor então, já começará fadado ao fracasso. Você devia ser mais responsável!

Espera aí! Fui eu quem disse aquele monte de baboseiras? Era eu ali, defendendo a instituição do casamento? Definitivamente viajar no tempo afetou meu cérebro de algum jeito. Um jeito muito ruim!

– Estou sendo responsável, senhorita Sofia. Estou tendo o cuidado de escolher uma jovem decente e de boa família. Alguém que possa ocupar uma parte do lugar deixado por nossa mãe tantos anos atrás. Estou pensando no bem-estar de Elisa.

– Escolher? Você fala como se estivesse *comprando* uma esposa! – retruquei secamente. – Está tratando essa mulher como um bem a ser adquirido. Uma mercadoria. Isso é *repulsivo*!

– E acha que eu não sei disso? – sua voz diminuiu, era praticamente um sussurro. Havia um traço de amargura em seus olhos. – Mas prometi ao meu pai que cuidaria de Elisa. E vou cumprir essa promessa. Mesmo que, para isso, precise condenar minha própria felicidade.

A voz baixa, um pouco rouca, e o tom melancólico de suas palavras me desarmaram.

– Me desculpe, Ian. Eu não queria chateá-lo com assuntos desagradáveis. Mas pense bem no que está fazendo – continuei, louca para que a tristeza abandonasse seu rosto, e sem entender o motivo de me sentir tão mal por vê-lo triste. – Você ainda é muito jovem. Não precisa se casar agora. Espere um pouco mais. Talvez acabe encontrando amor e... adequação numa só pessoa. Dê um tempo. Pense melhor. – Meu pé batia repetidamente em uma tábua da cerca.

– Eu gostaria que pudesse ser assim. Que pudesse seguir meu ritmo. Mas Elisa vai completar dezesseis anos em breve e precisará de uma mulher para ensiná-la certas coisas.

– Mas, se o problema é esse, então está resolvido. Eu posso ensiná-la! Posso explicar tudo que sei sobre como se fazem os bebês e como não se deve cair na conversa de espertinhos e...

– Senhorita Sofia! – ele me interrompeu, seu tom reprovador me fez recuar. – Por favor, pare! Não é a isso que me refiro. Refiro-me a como ser uma boa esposa, cuidar da casa e dos criados, essas coisas. Nenhum assunto sobre bebês ou algo do gênero.

Minha testa se enrugou.

– Você acha que ela precisa saber como comandar os empregados, mas não precisa saber o que o marido espera que ela faça no quarto? – Que lugar era esse, afinal? – Sabe, Ian, você é muito estranho!

– Sem querer ofendê-la, senhorita, o mesmo se aplica a você. – Mas seus olhos me fitavam com certa doçura.

Touché!

– Bem, se mudar de ideia...

– Não mudarei. Mas obrigado por sua preocupação com minha... situação. – Ele voltou a observar Storm.

Ficamos ali, os dois olhando para o animal. Eu podia jurar que seus pensamentos estavam tão longe daquele cavalo quanto os meus.

– Com fome? – perguntou depois de um tempo.

– Aprende uma coisa, Ian. Eu *sempre* estou com fome! – sorri, tentando aliviar o clima.

Deu certo. Ele sorriu de verdade.

– Vamos ver o que a senhora Madalena preparou para nós, então.

12

Uma das coisas que descobri sobre a comida de 1830 é que não era necessário tirar a casca da maioria das frutas. Não havia agrotóxicos. Descobri também que não existia nada gelado – talvez em um dia muito frio de inverno, mas não era esse o caso agora –, já que não havia geladeira. O cardápio do almoço e do jantar era à base de carnes e gordura animal, meio pesado. Senti muita falta da pizza de domingo.

Passei o resto daquela tarde na companhia de Elisa e Teodora. Participei pouco da conversa. Eu tinha a impressão de que Ian não queria que eu dissesse *tudo* o que pensava a Elisa.

Fiquei espantada com a postura das garotas. Elas se sentavam tão eretas que minhas costas doíam só de olhar. Minha mãe teria gostado disso. *Endireite os ombros, Sofia*, ela disse durante toda a minha adolescência, mesmo percebendo que não surtia efeito algum.

Os movimentos delas eram tão graciosos, tão meticulosamente delicados, que acabei me sentindo um ogro desajeitado. Eu nunca, em toda minha vida, ouvi as palavras *delicada* e *Sofia* usadas numa mesma frase. Quase sempre era *desajeitada, atrapalhada, desatenta* acompanhando *Sofia*. Essas, sim, ouvi milhares de vezes. Contudo, nunca dei muita importância, porque nunca tinha me visto cercada de pessoas que faziam do ato de se sentar praticamente um balé. E lá estava eu, afundada na poltrona, como sempre, enquanto as duas pareciam se equilibrar na beirada do sofá. Tentei copiar a postura de Elisa, mas desisti depois de uns quinze minutos. Meu corpo já tinha memorizado a postura: *Apoie as costas no sofá, solte os ombros e se afunde, cruze as pernas. Cruze os braços em caso de irritação ou frio.* Por mais que tentasse copiá-la, aos poucos meu corpo voltava à posição despojada.

Eu não pertenço a este lugar. Se elas se comportassem do mesmo modo em 2010, seriam tachadas de esnobes. Tentei me convencer disso, mas não funcionou muito. Os movimentos delicados que Elisa fazia para bordar um pequeno pedaço de tecido eram mais graciosos do que qualquer gesto que eu pudesse fazer. Acho que a mulher moderna acabou ficando sem tempo para detalhes como esse.

Depois do jantar, fui até a cozinha falar com Madalena.

– Eu queria te pedir um favor, Madalena.

– O que quiser, senhorita Sofia.

– Por acaso, não teria um pedaço de tecido sobrando por aí? – Notei a curiosidade em seu rosto. – Algum tecido velho que eu possa usar para fazer uma... coisa.

– Na verdade, tem sim. Sempre precisamos de tecidos para fazer alguns remendos num lençol ou em uma roupa. Precisa de quanto?

– Ah, só um pedaço pequeno basta.

– Vou pegar meio metro, então. – Mas me fitou com suspeita.

– É mais que o bastante! Também vou precisar de tesoura – acrescentei.

– Claro. – Ela se inclinou ligeiramente. – Voltarei num instante.

Madalena me entregou o tecido bege e uma tesoura de ferro muito pesada. Corri para o meu quarto. Estiquei o tecido sobre cama. Procurei a caneta em minha bolsa, peguei minha calcinha – minha única calcinha – e a coloquei sobre o tecido. Risquei em volta da parte da frente, depois da parte de trás, sem interromper o desenho. Tracei fitas de dois dedos de largura nos dois desenhos. Peguei a tesoura e comecei a recortar.

Meu Deus! Como é pesada!

Também, pudera, parecia feita de metal fundido.

Puxei algumas linhas soltas quando terminei e provei. Parecia mais um biquíni de amarrar muito malfeito do que uma calcinha – o tecido não era de lycra, claro, então facilitava muito ter as tiras para o ajuste. Só esperava que não desfiasse muito!

Claro que eu já tinha usado roupas sem nada por baixo. Mas sempre porque eram justas, a calcinha marcava e deixava o visual meio cafona. Era diferente estar *tão* "à vontade" com aquele vestido rodado, que podia se inflar como um balão a qualquer sinal de vento. Melhor garantir.

Dobrei o resto do tecido – sobrou mais da metade – e o guardei dentro da cômoda de madeira escura, que combinava com a cama. Nenhuma das gavetas estava ocupada. Deixei a tesoura no aparador ao lado da banheira.

Dessa vez, assisti ao preparo do meu banho. Achei engraçado ver vários empregados com baldes cheios de água indo e vindo; Madalena trazia uma bacia enorme cheia de água escaldante, tomando cuidado para que o pano que protegia sua mão não escorregasse da alça. Tudo muito complicado para uma ação que para mim costumava ser tão simples.

– Quer que eu volte depois para pegar seu vestido e o leve para ser lavado, senhorita? – Madalena perguntou, prestativa como sempre.

– Será que ele secará até amanhã? – Bem que estava precisando ser lavado. Eu o estava usando havia quase dois dias! – Vou precisar dele para ir até a vila logo cedo.

– A noite está bastante quente. Acho que secará a tempo.

Fechei a porta e tirei o vestido. Quando o entreguei a ela, notei seu rosto vermelho.

– Madalena, você não precisa ficar envergonhada. É uma mulher também. – Ela assentiu. E, mais depressa do que eu imaginei que fosse possível, saiu do quarto.

Descobri que o conteúdo do vidro âmbar era algo parecido com xampu. Na verdade, mais parecido com detergente de cozinha que xampu, mas fez bastante espuma e pareceu limpar bem minha cabeça. No entanto, deixou meu cabelo um pouco espigalhado. Não encontrei condicionador.

Depois de me vestir – que alívio, com minhas próprias roupas –, já ia saindo para procurar por Ian. Entretanto, não foi necessário ir longe. Ele estava ali, com a mão ainda erguida para bater na porta, quando eu a abri.

– Ian, precisava mesmo te encontrar! – exclamei satisfeita.

– E eu também – ele riu, parecendo contente com minha euforia por vê-lo ali. Depois seus olhos percorreram meu corpo e um vermelho intenso se espalhou por seu rosto. – Por que está vestida assim novamente?

– A Madalena tá lavando meu vestido. Ou uso estas roupas ou roupa nenhuma – avisei. *Por que eu não usei calças em vez de saia ao sair de casa* ontem de manhã, antes de me meter nessa confusão toda? Calças não me deixariam "pelada".

Ele ficou desconcertado.

– Mas, senhorita...

– Você já me viu com elas, não precisa ficar todo estranho por causa disso de novo. É só uma regata e uma saia. Totalmente inofensivas. Agora entre logo que eu quero falar com você.

Ian pareceu relutante.

– Algum problema? – perguntei.

Sua cabeça se inclinou um pouquinho para frente enquanto ele me dizia:

– Não é adequado que eu entre em seu quarto, senhorita. Ainda mais durante a noite e com você... vestida com estes trajes.

Ah, pelo amor de Deus!

– Deixa de ser tão antiquado, Ian. – Alcancei seu braço e o puxei para dentro. – Vou deixar a porta aberta, está bem? Não vou te atacar – brinquei.

Ele não riu. Mas acabou se deixando arrastar, só um pouco.

Dois passos depois ele disse:

– A senhora Madalena me procurou há pouco. Disse que a senhorita precisa de algumas roupas e eu gostaria de ajudá-la, mas creio que terá que esperar até amanhã de manhã. Com certeza, madame Georgette terá algum vestido que sirva em você.

– Por isso mesmo queria falar com você. – Fui até minha bolsa e peguei minha carteira. – Você já viu alguma destas?

Estendi a mão para que ele pegasse as notas.

– Não. Nunca. O que são? – ele examinava o dinheiro atentamente.

Não dava para acreditar!

– São notas de dinheiro – expliquei desanimada. – Você usa para comprar coisas...

– Sei o que é dinheiro, senhorita Sofia. Apenas nunca vi um que fosse feito de papel. Não deve ter valor algum.

– Tem muito valor! E algumas notas valem mais que as outras. Veja, o número impresso nelas determina o valor, então o número maior é para a que vale mais e...

– Você não usa moedas? – ele perguntou, surpreso.

– Às vezes, para pequenas coisas. Elas não valem muito. – Então entendi. – Vocês usam *apenas* moedas, não é?

Ele assentiu e aproximou a nota do rosto para examiná-la melhor.

– Então, eu tô lisa! – Com certeza a Visa não teria colocado uma máquina de cartão de crédito no ateliê da madame sei-lá-o-quê. – Como é que eu vou pagar pelo vestido amanhã? – eu disse, mais para mim mesma.

– Isso deve bastar. – Ian tirou do colete três moedas douradas e estendeu a mão para que eu as pegasse. Peguei as moedas automaticamente. Olhei para elas por um minuto – tinha uma coroa desenhada em alto-relevo – e depois estiquei a mão de volta para ele.

– Não. Não posso aceitar. Você já tem feito muito me hospedando em sua casa e me alimentando. Não posso aceitar seu dinheiro também.

Ele apenas me encarou. Os olhos obstinados.

– Guarde isso, Ian. Eu não quero – estiquei teimosamente o braço.

Ele não fez movimento algum.

Então eu fiz. Aproximei-me dele e, como ele não se deu ao trabalho de me estender a mão, a agarrei e coloquei as moedas dentro dela.

– Senhorita Sofia, por favor! Irá precisar de um vestido para o baile. E, apesar de o vestido que Elisa lhe emprestou destacar sua beleza, está muito claro que não pode ter apenas um. – Ignorei o elogio. Ele apenas tentava me convencer a aceitar o dinheiro. – Você não sabe quanto tempo ficará aqui. Não pode passar todo o tempo apenas com um vestido!

– Eu me viro – dei de ombros. – E tenho minhas próprias roupas.

– E acho que deveria guardá-las. Se algum cavalheiro mais... inescrupuloso a visse vestida desta forma... – ele sacudiu a cabeça e não continuou.

– Obrigada pela preocupação. Tá vendo? Você está se preocupando comigo sem ter nenhuma obrigação. Eu já estou te incomodando demais! – Então, de repente, tive uma ideia. – Mas talvez eu possa vender alguma coisa!

– Não lhe restou nada! Vender o quê? – Ele não gostou do meu plano, tive certeza disso.

– Ainda não pensei nessa parte... – E corri para minha bolsa. Tinha que ter alguma coisa ali que eu pudesse vender.

Joguei o conteúdo dela sobre a cama e me ajoelhei no chão, procurando por algum objeto que pudesse interessar a alguém naquele lugar atrasado. Tirei o livro, o celular e a caixinha dele do caminho e os guardei de volta na bolsa – não poderia vendê-los por diferentes razões, mesmo que morresse de fome. Revirei o restante das coisas.

Ian se aproximou da cama, olhando minha bagunça com curiosidade.

– O que é isto tudo?

– É tudo que tenho na vida agora – eu disse, desanimada. – Está vendo algo que possa ter valor? Que possa interessar a alguém, para eu tentar vender amanhã lá na vila?

– Humm... – resmungou. – Não sei bem. Nunca vi nenhuma destas coisas antes.

Eu podia acreditar nisso.

– Vejamos... – comecei a espalhar melhor meus pertences.

Maquiagem.

Não, Teodora estava sempre maquiada. Talvez não fosse tão sofisticada quanto a minha, mas, sem dúvida, era maquiagem.

As minhas chaves.

Para que alguém iria querer as chaves de um apartamento que existiria dois séculos adiante?

Ketchup?

Ainda não conseguia me lembrar de como aquilo tinha ido parar ali.

Camisinha.

Talvez. Sempre útil. E eu podia apostar que ainda não haviam inventado o preservativo no século dezenove.

Virei-me para perguntar ao Ian o que ele achava – apesar de não ter a menor ideia de como explicar o uso dela, já que ele não reagia bem quando o assunto era sexo. Tive esperanças de que, apenas lendo a embalagem, ele conseguisse entender. Só então me dei conta de que ele estava bem ali, agachado como eu, com minha caneta Bic nas mãos.

– O que é isso? – perguntou, examinando-a de todos os ângulos.

– É uma caneta. Você usa para escrever. Assim. – Tomei o objeto de suas mãos e fiz alguns rabiscos num pedaço de papel (minha conta de telefone, constatei). – Não me diga que ainda não tem caneta aqui?

– Não, não tem! – Ele olhava fascinado para minha caneta simples, comprada no supermercado. – Usamos pena e tinta para escrever.

– Ah. – Eu já tinha lido sobre isso. – É quase igual. Só que, em vez de mergulhar a ponta da pena na tinta, a caneta já vem com a tinta dentro. Olha – apontei o cartucho quase negro dentro do cilindro transparente e a devolvi para ele. – Deve ser mais prática que a pena, eu imagino.

– É fantástica! – Ian exclamou. – Uma invenção maravilhosa! Como não pensei nisto antes? – Seu rosto ficou ainda mais lindo com o sincero entusiasmo. – Que material é este? Se parece com vidro, mas não é frio.

– É plástico. É tipo um vidro, só que mais resistente. Não vai quebrar se cair no chão, por exemplo. – Não dava para explicar que o plástico era um derivado da nafta, um polímero que blá-blá-blá... Só complicaria mais a cabeça dele. – Acha que alguém pode se interessar por ela?

Ian estava completamente fascinado com a caneta. Ele a olhava como se fosse uma joia rara.

– Sim. Quanto quer por ela? – indagou, se virando para me encarar.

– O quê? – Apertei os lábios.

– Desejo tê-la. Quanto quer por ela? Estou disposto a pagar qualquer quantia! – Seus olhos brilhavam como duas estrelas.

Percebi o que ele estava fazendo.

– Não posso vender pra *você*! – disse com certa indignação.

– E por que não? Meu dinheiro é tão bom como o de qualquer outro – disse ele, ofendido.

– Eu sei disso, Ian. Mas você só está tentando me ajudar. Outra vez! Eu não quero que faça isso. – Fiquei desconfortável com a situação.

Senti-me como uma daquelas garotas aproveitadoras que ficavam com caras ricos até conseguirem arrancar tudo o que podiam deles, e depois caíam fora. Porque seria exatamente isso que aconteceria, Ian me ajudaria e eu cairia fora.

– Não é isso, senhorita Sofia. Eu realmente *quero* a caneta. É maravilhosa! – Ele pegou a mesma conta de telefone e experimentou fazer um risco. – Veja! – Mais alguns traços. – É extraordinária! Sem manchas ou borrões. Seria muito útil, principalmente com os livros de contabilidade.

Observei seu rosto por um instante. Os olhos brilhavam, e o sorriso entusiasmado o deixava ainda mais atraente. Era como se ele tivesse acabado de encontrar o maior tesouro do planeta.

Sacudi a cabeça e então comecei a rir. Quem dera as pessoas fossem assim tão fáceis de agradar como Ian.

– Tá bom, então é sua – eu ainda ria.

Ele sorriu radiante e botou a mão no bolso.

– Ah, não! Pode guardar estas moedas. Eu não vendi, eu te *dei* a caneta.

– Mas não posso aceitar, senhorita. Vejo que não tem muitos recursos no momento, e este invento com certeza vale algumas moedas. Seria injusto tirar-lhe este objeto de grande valor.

Grande valor! Não custou nem dois reais!

– Mas eu *quero* te dar a caneta... – Ele sacudiu a cabeça antes que eu pudesse terminar. Tentei outro caminho. – Como um presente! Um presente de agradecimento. Por toda a ajuda que tem me dado. Você não vai me ofender recusando a única coisa que posso te oferecer neste momento, vai?

Ele pareceu relutante.

– Não quero ofendê-la, senhorita, mas...

– Então, não me ofenda. Aceite, por favor. Gostaria de ter algo realmente bacana pra te dar, Ian, mas no momento tô meio sem opções – eu sorri, meio envergonhada.

Ele também sorriu, ainda que os olhos não. Ainda estava contrariado.

– Muito obrigado pelo presente. É estupendo! Não creio que pudesse me dar algo que eu apreciasse mais. – Então, de repente, uma chama faiscou em seus olhos. – E, se me permite, também quero lhe dar um presente.

Meu sorriso desapareceu. Eu sabia exatamente quais seriam suas próximas palavras.

– Você aceitaria alguns vestidos como prova de minha amizade, não aceitaria? Não me ofenderia recusando um presente meu, ofenderia? – Pude ouvir o leve triunfo em seu tom. Ele jogava sujo!

Estreitei os olhos.

– Não – concordei, derrotada. – Pode pagar a droga do vestido!

– Excelente – ele sorriu vitorioso, pegando as moedas outra vez.

– Ian, se não quiser engolir estas moedas, é melhor guardá-las de novo – resmunguei carrancuda.

– Precisará delas amanhã. Você já aceitou os vestidos! – exclamou, confuso.

– Vestidos, não dinheiro – expliquei secamente. – Não sei como funcionam as coisas por aqui, mas, de onde eu venho, não é muito lisonjeiro quando um homem dá dinheiro a uma mulher que não é a sua. Estou sendo clara?

Ele corou.

– Muito! Perdoe-me, não tive a intenção...

– Eu sei que não teve – eu o interrompi, ainda aporrinhada com a ideia de que ele me comprasse coisas.

– Entregarei a Elisa, então – disse inseguro.

– É melhor – resmunguei ainda insatisfeita. Por que me incomodava tanto o fato de ele querer me dar dinheiro?

– Vou deixá-la descansar. Vemo-nos pela manhã. – Ian se levantou, esticando a mão para me ajudar.

Aceitei o apoio e me levantei também, e, assim que olhei em seu rosto com a intenção de agradecer, perdi o fôlego. Ele estava mais perto do que eu havia imaginado. Perto o bastante para que eu pudesse ver pequenos pontos prateados brincando em suas íris negras. Fiquei ali parada olhando para ele como uma idiota. Ian me encarava também, e só depois de alguns segundos percebi que ainda segurava sua mão. Tentei soltá-la, mas ele me prendeu com um pouco mais de força, não permitindo que eu o fizesse, então se inclinou – ainda me encarando – e, muito delicadamente, beijou as costas de minha mão. Um tremor desconhecido reverberou por minha coluna. Senti minhas bochechas arderem e todo meu corpo se arrepiar.

– Boa noite senhorita Sofia – sua voz era baixa e rouca, os olhos não deixaram os meus por um só instante

Outro arrepio.

– Boa noite. – Baixei os olhos, tentando esconder meu embaraço e as sensações novas e estranhas que ele havia provocado em mim.

O que estava acontecendo comigo? Eu sempre soube como agir quando o assunto era o sexo oposto: como me livrar de um sujeito irritante, como atrair a atenção de um que valesse a pena, e nunca, jamais corava quando um deles me desejava boa noite.

Ian sorriu e depois saiu, fechando a porta atrás de si.

Continuei ali parada, feito uma estátua, olhando para a porta, minha mão pinicando pelo seu toque gentil, e me perguntei se, talvez, eu não teria enlouquecido de vez.

Eu sabia que voltaria para casa – não sabia como, mas acabaria descobrindo – e que aquelas pessoas, todas elas, incluindo Ian, não. Elas ficariam onde deveriam ficar, no lugar ao qual pertenciam. Eu não podia me envolver emocionalmente com nenhuma delas. Quando eu voltasse para o meu tempo, todas já estariam...

Senti os joelhos tremerem. Não gostei de pensar nisso. Não gostei mesmo! Mas era a verdade. E eu não me apaixonava desde... Não que eu estivesse apaixonada por Ian. Eu não estava! Mal o conhecia! Mas alguma coisa nele mexia comigo. Uma coisa que eu não sabia explicar, nem para mim mesma.

Então, sabendo disso tudo, o que eu estava fazendo?

O melhor seria dar o fora dali. Mas para onde eu iria? Dormir na rua e morrer de fome? Teria que ficar com Ian por enquanto. E teria que manter meus pensamentos bem longe dele.

Fui para a cama – usando apenas a calcinha improvisada – e decidi que me manteria afastada de Ian o máximo que conseguisse.

13

Ian já havia partido para seu compromisso quando encontrei as garotas na sala de jantar, prontas para o nosso compromisso com a costureira.

Fiz um rabo de cavalo dessa vez, prendendo todo o cabelo para trás. Recusei a oferta de usar um dos vários chapéus de Elisa. Precisei de muita persuasão para convencê-la de que eu não queria e não usaria aquilo.

Decidi deixar o celular no quarto. Se a costureira fosse tomar minhas medidas e encontrasse um objeto duro e prateado, que nunca tinha visto na vida, no decote do vestido que eu usava, poderia começar a fazer perguntas. E eu não queria perguntas.

Queria respostas!

Ao chegarmos à vila, notei que o movimento era bem maior do que no dia anterior. Os sobrados, de paredes e portas igualmente altas, estavam abertos. Fiquei surpresa com o tipo de comércio que vi. Na verdade, não achei que se tratasse de um mercado, era mais uma feira livre ou algo assim. Diversas carroças se amontoavam na rua de pedras, carregando os mais variados produtos: galinhas e porcos vivos, verduras e legumes, artigos de decoração; um tiozinho esquisito vendia o *elixir da vida* por apenas uma moeda...

Elisa me mostrou o que pensei ser a padaria – nem de perto se parecia com uma, pois era apenas uma banca na calçada estreita, repleta de pães variados. Vi o tal boticário, um senhor idoso, mas de uma vitalidade impressionante. Teodora me contou que ele fazia algumas poções que podiam curar doenças – tipo um remédio homeopático, imaginei. Um dos armazéns que passamos em frente tinha aparentemente de tudo – de tudo que dava para ter ali –, de sabonete a sacos de farinha. Talvez fosse o precursor do supermercado. Fiquei atenta a qualquer pessoa suspeita ou, de repente, a um objeto que pudesse ser o que eu estava procurando.

Imaginei que, em um lugar tão enfadonho, qualquer notícia nova devia correr como pólvora. Tive essa suspeita confirmada quando madame Georgette – eu não tinha a menor ideia de por que todo mundo se referia a ela como madame – me cumprimentou.

– Então esta é mademoiselle Sofia Alonzo – ela disse, com seu sotaque francês. – Fiquei curriosa quando ouvi a seu respeito. É encantadorra, chérie!

– Err... Merci? – arrisquei.

– Oh, chérie! – Ela juntou as mãos sobre o colo farto. – Quanta delicadeza! Não me admirra o que mademoiselle Valentina disse sobre o senhor Clarrke parrecer tão encantado com você, minha carra!

Ah, que ótimo! Agora a família dele era a fofoca do dia!

– Mas este seu vestido! – ela fez uma careta, desaprovando. – Não está lhe favorrecendo, chérie. Veja! Está frrouxo e currto demais! Uma beleza como a sua prrecisa ser valorrizada. – Papo de vendedora, tão antigo quanto a vaidade feminina.

Ela me mostrou diversos vestidos quase prontos. Não me empolguei muito, não eram do meu estilo, mas Elisa ficou esfuziante.

– Me ajude a escolher um, Elisa – pedi. Por mim, não levaria nada.

Ela separou diversos deles para que eu provasse. Gostou muito de um branco, mas consegui convencê-la de que, para quem tinha poucos vestidos – ou nenhum –, cores escuras seriam mais práticas, por não mancharem com tanta facilidade.

Acabei ficando com um vestido verde-escuro e outro vinho – Elisa não permitiu que eu ficasse com apenas um, disse que os compraria de uma forma ou de outra, não me deu escolha.

A costureira era muito hábil, apenas uma assistente a ajudava. A grande sala de seu ateliê de costura estava escura, entulhada de tecidos e papéis por toda parte. Parecia que acabara de acontecer um terremoto. E eu pensei que meu apartamento se parecesse com uma zona de guerra...

Enquanto fazia alguns ajustes nos dois vestidos, madame Georgette me lançava olhares reprovadores toda vez que tocava minha cintura. Puxou a saia do vestido para que aumentasse o volume e sua testa se enrugou.

– Humm... – resmungou – ... seus sapatos são muito interressantes, chérie.

Elisa escolheu seu vestido rapidamente – marfim, de mangas curtas, com alguns bordados delicados e ampla saia. Pelo desenho, achei a cara dela. Teodora, porém, deu mais trabalho. Disse diversas vezes que o vestido tinha que ser especial, *digno de uma rainha*!

Madame Georgette devia conhecer muito bem suas clientes, pois pegou um rolo de tecido dourado e encorpado e o abriu sobre a mesa.

– Que tal este, mademoiselle Teodorra? Não há tecido mais nobrre nem mesmo na Eurropa!

Depois de meia hora e de muitos "Este não está à altura de uma rainha", Teodora escolheu um modelo cheio de detalhes, com muitos bordados e mangas bufantes.

– Não vai escolher o seu, chérie? – madame Georgette me perguntou, piscando várias vezes seus cílios longos.

– Ah, não. Não sei se estarei aqui no sábado e, se por acaso ainda estiver, posso usar um destes dois que comprei.

As três se entreolharam e depois olharam de volta para mim.

– Você deve escolher um vestido de baile, Sofia – disse Elisa. Adorei a forma casual que usou para dizer meu nome. Sem frescuras, como fazia seu irmão. – Estes são para os dias normais. Já lhe disse que muitos amigos da família estarão lá. Quero que a admirem, e não que sintam pena. Além disso, Ian foi muito explícito esta manhã quando me pediu que a ajudasse a escolher o vestido, já que você não está familiarizada com a moda local. – Ela se aproximou. – Eu a ajudo!

Elisa colocou as mãos em meu braço e me guiou gentilmente até a mesa onde estavam os desenhos de madame Georgette.

– Este ficaria muito bem em você. O que acha?

Dei uma olhadela no desenho. Tinha detalhes demais.

– Ainda acho que não é necessário, Elisa. Eu agradeço sua preocupação, mas realmente...

– Sofia, eu vou escolher sozinha se continuar sendo intransigente – e sorriu calmamente.

Suspirei.

– Preferia algo menos elaborado, então. – Fiz uma careta involuntária para o desenho. – Não quero chamar muita atenção – sussurrei.

Elisa sorriu e continuou a virar as folhas grandes de papel amarelado.

– Já souberram da novidade? Ontem à tarrde um chevalier se hospedou na penson de dame Herbert. A pobrre viúva ficou assustada quando o homem bateu à sua porrta, todo sujo, sem bagagem e sem crriados! Mon Dieu!

Opa!

Virei-me para poder ver melhor o rosto da costureira, mas acabei esbarrando sem querer em uma bacia cheia de botõezinhos que estava sobre a mesa. Milhares de bolinhas se esparramaram pelo chão.

– Caramba! Desculpa, madame. – Abaixei-me para recolher os pequenos botões enquanto sua assistente vinha a meu socorro.

– Não se prreocupe, chérie. Anelize cuidarrá disso – disse a costureira, enquanto eu me levantava do chão.

– Foi sem querer, eu juro! – Meu rosto ardia.

– Já disse parra não se prreocupar com isso! O que eu estava dizendo? Oh, sim, sobrre o forrasteirro. Parrece que foi assaltado, pobrre homem! Mas, felizmente, não foi ferrido! – ela balançou a cabeça, fazendo seus cachos louros sacudirem.

– Onde disse que ele está, madame Georgette? – perguntei aflita.

– Na penson Herbert.

– Que coincidência! Parece-me que a história desse cavalheiro e a sua são parecidas... – Teodora começou e foi interrompida por Elisa rapidamente.

– Teodora, veja aquela fita! Acho que é perfeita para seu novo chapéu.

Elisa não queria que a costureira soubesse que eu tinha uma história semelhante. Pelo menos era o que ela e Ian pensavam, mesmo eu tendo dito diversas vezes que não havia sido assaltada.

– Onde, senhorita Elisa? Oh! É perfeita! Ficará linda em meu novo chapéu. – Completamente distraída pela fita, Teodora se levantou da cadeira e foi até o bolo de fitas coloridas penduradas em um varal, o assunto esquecido.

– Qual é o nome dele? A senhora o conheceu? – Não pude me segurar. Eu precisava saber mais sobre esse homem.

– Não o conheci ainda, mas o vi hoje de manhã alugando um cavalo. Crreio que está forra da vila no momento. Você o conhece? – suas sobrancelhas finas se arquearam, e vi a curiosidade crescer em seu rosto pálido.

– Ah, não! – dei de ombros, torcendo para que minha expressão não demonstrasse a frustração que eu sentia por não obter mais detalhes. – Apenas... fiquei curiosa. Aqui parece ser um lugar tão tranquilo!

– Oh! Há muito tempo que já não é assim, chérie. Os tempos moderrnos estão trrazendo muitas coisas desagrradáveis.

Tempos muito modernos, realmente.

Não fiz mais perguntas. Não queria colocar Elisa em uma situação constrangedora. Já era ruim saber que toda a vila estava falando da família dela por culpa minha, não queria complicar as coisas ainda mais. Esperaria até poder falar com Ian e pediria sua ajuda. Outra vez!

Elisa escolheu o modelo do meu vestido de baile e eu mal prestei atenção quando ela me mostrou o tecido – branco, ela insistiu. Minha cabeça girava com violência. Eu estava certa. Tinha mais alguém ali. Alguém que no momento não estava exatamente ali – no vilarejo, onde eu poderia facilmente abordá-lo – e que, era provável, buscava em algum outro lugar um modo de sair daquele pesadelo.

– Notei que não usa sua crrinolina, chérie – madame Georgette sussurrou quando estávamos de saída.

Crinolina?

– Você está falando daquela coisa que se parece com uma gaiola? – De todos os objetos que Madalena me entregou com o vestido, a gaiola era a única que eu não sabia o nome.

Ela assentiu, gargalhando.

– E nem vou usar! Não conseguiria nem me sentar usando aquele troço. Não consigo acreditar que vocês usam aquilo de verdade.

Madame Georgette deu uma estrondosa gargalhada. Seu rosto estava vermelho de tanto rir. Aos poucos, conseguiu se controlar o suficiente para me dizer:

– Manterrei isso em mente quando estiver trrabalhando em seu vestido.

– Ah, valeu, madame Georgette! Seria muito bacana! – Quem sabe, se minha saia fosse tão *imensa* quanto a das outras mulheres, as pessoas parariam de me olhar de forma estranha. Da mesma maneira que me olhava a madame agora.

– Sofia tem uma forma de falar um pouco diferente da nossa, madame Georgette. Ela vem de longe – esclareceu Elisa, sorrindo para mim.

– Muito diferrente! – *Olha quem está falando...* – Au revoir, mademoiselles! Vemo-nos em brreve.

– Até – disse Teodora.

– Até logo – se despediu Elisa.

Eu não disse mais nada. Apenas acenei um tchauzinho bem rápido e saí. Obriguei Elisa e Teodora a andarem pela vila até chegarmos perto da tal pensão. Era um prédio antigo, que precisava de uma mão de tinta com urgência. Ficava em uma esquina, e uma placa de madeira com o nome da pensão entalhado, pendia sobre a porta estreita e alta. Observei atentamente as pessoas, em especial os homens – já que agora sabia pelo menos que era um homem –, mas é claro que ele não estava ali. Ninguém muito diferente das pessoas que eu conhecera até então. Ninguém que se comportasse como eu.

Fui obrigada a suportar o percurso de quinze minutos dentro da carruagem. Teodora não calou a boca um único momento.

– Que coisa estranha, não é? Duas pessoas assaltadas e quase no mesmo dia! O que a guarda está esperando? Por que não capturam esses bandoleiros de uma vez? Não posso acreditar que estejam muito longe. Não acha que tenho razão, senhorita Sofia? – Ela agora olhava para mim. – Se conseguisse se lembrar ao menos de como era o rosto dos agressores e relatasse aos guardas, talvez os encontrassem mais depressa. – Ela não me deu chance de explicar que eu não poderia ajudar. Que não vi rostos porque *não havia* rostos. Apenas um rosto, e eu tinha certeza de que aquela mulher estava em algum lugar em 2010, curtindo com a minha cara e fazendo vodu para algum outro otário desavisado. – Vou pedir ao meu pai que contrate mais criados. Deus sabe se não estão atrás de...

Seu tagarelar continuou e tentei me desligar. De fato, eu já não ouvia o que ela estava dizendo, mas aquele zumbido irritante ao fundo me impediu de pensar claramente.

Assim que chegamos, corri até o quarto e, com desânimo, vi meu celular desligado como sempre. Pensei que haveria algo ali, uma mensagem ou qualquer outra coisa. Afinal, eu estive na vila. Na mesma vila em que estive na manhã anterior. Então, por que agora não havia nada?

– Elisa, se importa se eu for visitar Storm? Eu queria vê-lo outra vez. – Na verdade, queria ficar sozinha e pensar.

– É claro que não, senhorita Sofia. Estaremos na sala de leitura. Poderá nos encontrar lá mais tarde.

– Beleza – concordei, tentando sorrir.

Desci até os estábulos, distraída. Eu ainda não entendia o que estava acontecendo. E precisaria da ajuda de Ian, mais uma vez. Precisaria que me levasse até a vila no dia seguinte para confirmar se o tal cara já tinha voltado, e, se tivesse, tentaria descobrir o que ele sabia.

Storm estava solto no pasto, parecendo feliz com a liberdade. Aproximei-me da cerca e fiquei observando o cavalo correr tão rápido quanto os meus pensamentos.

Por que eu estava ali afinal? Qual o motivo real daquela brincadeira de mau gosto? Esse homem também tinha comprado um celular da mesma vendedora? Também tinha que encontrar algo? Procurava pela mesma coisa que eu? Seria uma caça ao tesouro e quem o encontrasse primeiro voltaria para casa? Ele fazia alguma ideia do que seria essa "coisa" pelo menos?

Storm interrompeu minha concentração quando se aproximou. Chegou tão perto que eu podia tocá-lo.

– E aí, cavalinho, curtindo a liberdade?

Claro que ele não respondeu. Só estava faltando isso: cavalos começarem a falar. Estiquei o braço e toquei seu pelo brilhante. Ele bufou, mas achei que foi de contentamento.

– Por acaso, você não viu por aí uma máquina do tempo, viu? – sussurrei. – Imaginei que não. Mas, se de repente você encontrar uma, não esquece de me avisar.

Continuei a acariciá-lo e sorri. Eu estava contando meus problemas a um cavalo!

– A vida aqui é bem diferente, não é? Se bem que talvez vida de cavalo seja igual em todo lugar. Você é um cavalo de sorte. Não tem que puxar carroças nem leva chicotadas. Aposto que até deve ter muitas éguas de olho em você...

– Parece que já são bastante íntimos – uma voz ao fundo observou. Virei-me bem a tempo de ver Ian se aproximando, antes que eu pudesse fantasiar que tinha sido o cavalo que me respondera. – Se já estão falando sobre relacionamentos amorosos... – ele sorria.

– Storm é um amigo muito bom – brinquei. – Não fala quase nada e me escuta sem reclamar. Um amigo muito compreensivo.

Ele parou ao meu lado e também acariciou o cavalo.

– Storm, creio que você tenha uma *fã* – falou, me observando, com certeza para ver minha expressão ao ouvi-lo usar a palavra que eu havia lhe ensinado. E realmente fiquei surpresa. Meu rosto não escondeu isso.

Ian riu.

– Como foi na vila? Conseguiu encontrar algum vestido? – perguntou, ainda alisando o pelo de Storm.

– Encontrei. Valeu, Ian. Não precisava fazer isso – eu disse, um pouco desconfortável.

– Não precisava. Eu *quis* fazer. – Ele parecia muito satisfeito por eu ter aceitado seu presente.

– Como foram seus negócios? – inquiri, tentando puxar conversa.

– Excelentes. Entendemo-nos rapidamente.

Parei de alisar o pescoço do cavalo por um instante. Storm sacudiu um pouco a crina, como se dissesse: *Continue, não pare!*

– Encontrei mais coisas lá na vila. – Voltei a acariciar Storm, mas olhava para Ian de esguelha.

– Não me diga que encontrou a tal pessoa que está procurando! – Ele não gostou da notícia.

– Mais ou menos – sussurrei. – Tem um cara que diz ter sido assaltado e está numa pensão. Ele não estava lá hoje, saiu cedo para fazer alguma coisa importante – arqueei uma sobrancelha sugestivamente.

– Que coisa é essa? – ele também sussurrou.

– Não sei. Mas acho que talvez esteja tentando encontrar uma forma de voltar pra casa.

– Acredita que ele saiba como fazer isso, senhorita? – seus olhos intensos me observaram com atenção.

– Talvez sim, talvez não. Mas ele deve estar tentando. É o que eu também estou fazendo, não é? Tentando encontrar um jeito de voltar.

– Certamente. – Depois de alguns segundos, acrescentou: – Posso perguntar por que estamos sussurrando?

Endireitei-me na cerca.

– Não sei! – eu ri, Ian também. – Pretendo ir até lá amanhã para ver se ele já voltou de viagem.

– Irei até a vila amanhã, se quiser me acompanhar será...

– Eu quero! – interrompi, tirando as mãos do cavalo e agarrando seus braços numa euforia desenfreada.

Nossa! Quem poderia imaginar que Ian teria os braços tão definidos e fortes e...

Tirei as mãos dele rapidamente e recuei. Fiquei constrangida por tê-lo tocado daquela maneira, e ainda mais constrangida por ficar fantasiando com seus bíceps expostos numa camisa de mangas curtas.

– Desculpa, Ian. Eu me empolguei. – Sem conseguir olhar para ele, fitei o chão.

– Não se desculpe, senhorita – sua voz estava mais alta que o normal. – Já percebi que seus costumes são diferentes. Não há razão para se desculpar.

Não pude ver sua reação, mas sua voz parecia perturbada. Tive medo que ele pensasse que eu estava me insinuando para ele. Ainda mais depois da conversa que tivemos sobre casamento.

Tentei me recompor, afinal eu era uma garota do século vinte e um, pelo amor de Deus!

– Você... hã... tem muitos arrendatários? – perguntei a primeira coisa que me veio à cabeça.

– Não muitos – sua voz estava mais composta agora. – Apenas alguns em pequenas propriedades.

– É disso que você vive? Sua renda, quero dizer.

– Disso também. Meu pai nos deixou um patrimônio bastante generoso. Mas me dedico mais aos cavalos. É o que eu gosto de fazer.

– Você vende os cavalos?

– A maioria deles. Criamos cavalos muito bons aqui. A família real já comprou diversos deles, aliás – disse orgulhoso, cruzando os braços sobre o peito e atraindo meus olhos novamente para seus bíceps. Mesmo sob o casaco, eram bastante generosos. Como não notei isso antes?

– Então é por isso que tem tantos deles. Eu fiquei pensando por que tantos músculos... err... cavalos, se você só tem uma carruagem... – Meu rosto ardeu.

– Nós os criamos e treinamos até que eles estejam prontos, depois os vendemos. É um ramo muito lucrativo e extremamente prazeroso.

– Eu imagino que sim. – Espiei pelo canto do olho e vi que ele tentava não olhar em minha direção, sem muito sucesso. Fiquei ainda mais nervosa. Minhas mãos começaram a suar.

O que estava acontecendo com meu corpo?

– Eu gosto disso, senhorita Sofia. Gosto de criar animais. É muito mais gratificante que uma plantação de café. – Ian se aproximou mais de onde eu estava. – Não imagina como fico feliz em poder dizer que meu estábulo está cheio de potrinhos, que logo se transformarão em garanhões puro-sangue e servirão a muitas famílias.

– Ga-garanhões? – gaguejei estupidamente, recuando um passo. A palavra não tinha a mesma conotação para ele que tinha para minha mente suja.

– É claro que também criamos éguas, não dá para escolher – ele sorriu. Um sorriso tão lindo que me deixou sem equilíbrio. – Mas os garanhões são os mais procurados.

– Ah, são mesmo! – concordei.

Tentei me acalmar e continuar conversando com ele normalmente. O problema era que eu não conseguia me concentrar em nada. A rigidez de seus braços não me permitia pensar em mais nada que não fosse arrancar sua camisa, deslizar meus dedos nas curvas de seus músculos...

– Acho que vou entrar, Ian, se não se importar. Elisa está me esperando na sala de leitura – eu disse apressada.

– Eu a acompanho até lá – ofereceu educadamente.

– Não! – gritei. – Não precisa. Eu sei chegar lá. Fica aí com o Storm, ele deve estar precisando de... de... alguma coisa de cavalo.

Ótimo. Meu cérebro virou geleia.

– Tudo bem – ele respondeu lentamente. – Me permite lhe fazer uma pergunta?

– Manda. – Eu estava perturbada. Minha cabeça girava com a confusão de sentimentos que eu sentia. Ian ficou confuso também. – Faz a tal pergunta – expliquei. Já estava ficando cansativo ter que esclarecer todas as palavras que saíam de minha boca.

– Fiz alguma coisa que lhe desagradou? – ele perguntou ansioso.

– Não – assegurei, nervosa.

– Então, por que está fugindo?

Ai, droga!

– Eu? Fugindo? Que ideia! – Ele tinha notado. Claro que tinha notado. Será que notou meu constrangimento depois que o toquei?

Pior! Será que notou a... *curiosidade* que surgiu em meu rosto quando o toquei?

Ainda pior! Será que as fantasias em minha cabeça estavam nítidas também em meus olhos?

ARGH!

– Eu mal cheguei aqui e você se apressa em voltar para a casa. Pareceu-me que estava se divertindo com Storm e, de repente, ficou tão nervosa. Por que não fica um pouco mais? Podemos caminhar pela propriedade. Acredito que irá gostar muito, e o passeio nem é tão longo...

– Não dá. Eu tenho mesmo que voltar. Prometi a Elisa. Quem sabe outra hora... – E saí apressada, sem me importar com o que ele iria pensar.

Que pensasse que eu era covarde! Melhor assim. Bem melhor do que pensar que eu estava interessada nele ou naqueles braços rígidos e fortes, que pareciam feitos de granito. E eu realmente não estava interessada!

Definitivamente não!

14

Fiquei fascinada com os exemplares que encontrei na sala de leitura. Livros sobre todos os assuntos, como filosofia e história da humanidade, volumes de pesquisas e muitos clássicos, incontáveis clássicos.

É claro que eu sabia que em 1830 diversos livros já haviam sido publicados, mas fiquei realmente impressionada ao encontrar alguns autores ali. Edgar Allan Poe, Lord Byron, Denis Diderot, Goethe, Shakespeare, Antoine Galland, muitos de Walter Scott e alguns outros que eu não reconheci. Mas um deles atraiu meu interesse assim que passei os olhos nele. Na verdade, era uma obra em três volumes, com os dizeres "By a Lady, London, 1811" na primeira página e capa de couro marrom, tilintando de nova. Peguei o volume I com extremo cuidado. Não que precisasse, só era estranho demais fazer meu cérebro entender que aquele livro tão antigo – mas que, segundo a primeira página, havia sido publicado há apenas alguns anos – não iria se desfazer quando eu o tocasse. Folheei algumas páginas para ter certeza, e lá estavam Elinor Dashwood, Norland Park, Edward Ferrars. Virei com muito cuidado aquela primeira edição de *Razão e sensibilidade* em minhas mãos, como se ela fosse feita de um fino cristal que pudesse facilmente se estilhaçar.

– Não é possível! – exclamei surpresa.

– Algum problema, senhorita Sofia? – perguntou Elisa alarmada.

– Problema? Não, Elisa – respondi sem tirar os olhos do livro. – Você sabe o que é isto?

Ela ficou confusa.

– É um livro – disse lentamente. – Um romance. Meu irmão o comprou há alguns anos. Veio da Europa.

– Sim. É um romance. O primeiro romance que Jane Austen publicou! – Eu estava maravilhada por poder segurá-lo em minhas mãos. – É o original! Primeira edição! Veja! Aqui diz que foi publicado pela própria autora!

– Jane Austen?

– Isso. Você tem um verdadeiro tesouro aqui! – Pelo menos para alguém apaixonado por livros (e por Jane) como eu era. Não conseguia passar uma única semana sem encontrar algum livro novo para ler. Claro que eu teria uma autora favorita: segurava naquele instante uma obra dela em minhas mãos e tinha outra guardada na bolsa ali no quarto.

– Acho que ainda não ouvi falar dela. – Elisa estava sentada ao lado da mesa em que diversos livros estavam empilhados. – Você a conhece?

– Todo mundo conhece a Jane! – Então, pela confusão em seu rosto, percebi que nem todo mundo a conhecia. Ainda. – Você ouvirá falar dela, tenho certeza. Eu *adoro* os romances dela. Este aqui é um dos melhores!

– Gostei muito desta história também. Entretanto, demorei um pouco para terminar de lê-lo – ela sorriu timidamente. – Meu inglês não é tão bom quanto o de Ian.

Teodora parecia entediada. Como sempre ficava quando eu estava presente. Imaginei que este não fosse seu estado natural, pois Elisa parecia gostar dela verdadeiramente.

Passei o resto daquela tarde me deleitando com a perfeita escrita de Austen. Estava tão absorta na leitura que, quando Ian irrompeu na sala, tive um pequeno sobressalto. Eu sempre me "perdia" em meus livros. Entrava fundo nas histórias, como se eu mesma fizesse parte delas, fosse um romance, um policial ou um terror sobre vampiros.

Então lá estava eu, em 1800 e pouco, esperando que Elinor e Edward finalmente se entendessem, quando Ian entrou na sala me trazendo de volta para... *1800 e pouco!* Fiquei confusa por um instante. Era como se eu *ainda* estivesse dentro do livro! Eu ri da idiotice da situação.

– Senhoritas, teremos um convidado para o jantar desta noite. Pensei que as damas gostariam de ser alertadas com antecedência – Ian falou apressado.

– Um convidado? – indagou Teodora, se levantando. – Algum conhecido, senhor Clarke?

– Sim. Pode-se dizer que agora é um conhecido. Então, se me derem licença, tenho algumas tarefas para terminar antes do jantar. – Ele se inclinou e saiu apressado, sem ao menos dar chance a Teodora de fazer mais perguntas, o que ela claramente pretendia fazer. Saiu sem nem mesmo me dirigir um olhar.

Não que eu me importasse com isso.

– Oh, senhorita Elisa, devemos nos apressar! O sol já está se pondo e, em breve, o convidado de seu irmão estará aqui! Não podemos recebê-lo vestidas desta forma! – Teodora andava de um lado para outro enquanto falava. Acabei ficando meio tonta.

Ela estava totalmente vestida; vestida *e* maquiada *e* com o cabelo ruivo arrumado em um penteado complicado cheio de cachos. Ela pretendia se enfeitar ainda mais?

– Sim. Precisamos nos apressar – concordou Elisa, também agitada. – Você também, Sofia! Seria indelicado se o convidado de Ian chegasse e não estivéssemos prontas para recebê-lo.

Eu tinha que me arrumar porque alguém vinha jantar? Pela expressão ansiosa de Elisa, ela não estava aberta a discussões, então deixei essa passar e, suspirando, fui para a cozinha.

Havia três empregados ali, todos parecendo muito ocupados, correndo de um lado para o outro para ajudar Madalena nos preparativos do jantar. Observei o cenário por um tempo, pensando se o tal convidado não seria o rei ou coisa parecida. Ninguém notou minha presença.

Andei na direção da porta da cozinha e, lá fora, havia mais empregados correndo aparvalhados.

– Ei, moço? Onde eu pego água por aqui? – perguntei a um deles, que passava com os braços cheios de pequenos tocos de madeira.

– Perdão, senhorita. Como disse? – Seu rosto estava suado e brilhante. Ele mal me olhou.

– Onde eu pego água?

Sua testa enrugou, mas ele não me respondeu.

– Você entendeu o que eu disse? Quero saber onde eu posso encher o balde? – Será que ele não falava a mesma língua que eu?

– Ah... É ali, senhorita – ele finalmente respondeu, indicando o local com a cabeça, depois se inclinou e correu apressado para a cozinha.

Virei-me para onde ele havia apontado. Um cano de ferro com quase um metro de altura se erguia do chão. Embaixo dele havia uma espécie de cocho de pedra e uma grande alavanca de madeira na ponta, como se fosse um L de ponta-cabeça. Voltei para a cozinha e encontrei um balde perto do fogão a lenha. Ninguém se incomodou em me perguntar nada.

Fiquei olhando para a engenhoca por algum tempo. Toquei a alavanca suavemente. Nada aconteceu. Empurrei com um pouco mais de força e um fio de água surgiu no pequeno orifício. Tentei com mais vontade, bombeando para cima e para baixo, e a água começou a jorrar. Arrumei o balde na posição correta e voltei a bombear. Meus braços começaram a doer depois de um tempo, mas continuei sem parar até o balde transbordar um pouquinho.

Passei as costas da mão na testa e tomei um pouco de fôlego. As empregadas não precisariam se preocupar em dar tchauzinho por ali, pensei, ofegante. Meus tríceps pulsavam pelo esforço, mais doloridos que depois de puxar ferro na academia.

Peguei a alça larga feita de couro e tentei levantar.

Caramba! Que peso!

O balde de ferro já era um pouco pesado por seu tamanho – cheio de água, como estava, parecia pesar uma tonelada.

Que saudade do meu banheiro!

Levantei o balde desajeitadamente e entrei cambaleante na cozinha, deixando um pequeno rastro de água pelo caminho. Quando alcancei o corredor, meus braços já tremiam. Soltei o balde com cuidado para não derramar a água e sacudi os braços, tentando aliviar a dor. Respirei fundo e voltei a pegar a alça, mas acabei tropeçando e quase derrubei toda a água.

Não estava dando certo!

Desisti de levantá-lo, mas eu realmente precisava de um banho, ainda mais depois de todo aquele esforço. Sentia o tecido grosso grudando em minha pele. Eu *iria* tomar meu banho!

Encarei o balde com raiva, agarrei-o pela borda e o empurrei pelo piso liso de madeira. Era mais fácil – porém muito mais estrondoso – que levantá-lo. Empurrei até chegar à banheira, dentro do quarto.

Um!, pensei, enquanto arqueava as costas.

E seria apenas um. Não buscaria outro balde de jeito nenhum!

Suspirei desanimada, em seguida prendi a respiração. Num último esforço, ergui o recipiente e o coloquei dentro da banheira – não apenas a água, mas o balde inteiro, com a água dentro.

Peguei o jarro da mesinha, retirei minha roupa e tomei meu banho – de água fria e canequinha. Não lavei o cabelo, não havia condições para isso. Sequei-me com aquele pano que não enxugava direito, depois me enrolei nele e escovei os cabelos. Se eu tivesse ido para 1980, meu cabelo estaria perfeito, pensei um pouco irritada. Volumoso e indomado. Como sempre.

Molhei as mãos no pouco de água limpa que restara no balde e umedeci os fios. Fiz uma trança para tentar amansá-los um pouco. Ficaria melhor se eu tivesse um pouco de creme para pentear... Precisava pensar em uma solução para o cabelo volumoso com urgência.

Elisa e Teodora achavam importante estarem bem vestidas, então eu não deveria envergonhar meus novos e únicos amigos. Fiz uma maquiagem leve – apenas blush, máscara para cílios e gloss rosa-claro. Escolhi o vestido cor de vinho e me vesti. Soltei a trança. Ficou um pouco melhor, ainda longe de estar glorioso, mas pelo menos eu me parecia com uma mulher outra vez, e não com uma vassoura.

Dei uma olhada no espelho e gostei um pouco do resultado. A cor do vestido combinou com meu tom de pele e destacou o dourado dos meus cabelos. Ainda me sentia muito ridícula naquelas roupas – não conseguia acreditar que eu estava realmente usando aquilo –, mas pelo menos o vestido cobriu meu tênis, o que evitaria mais perguntas.

Respirei fundo e saí do quarto. Andei apenas alguns passos antes de dar de cara com Ian. Ele me olhou de cima a baixo, me analisando. Duas vezes! Pelo visto, ninguém havia ensinado a ele que medir as pessoas daquela forma não era educado. Ele me examinou meticulosamente, me deixando constrangida. Depois de algum tempo, Ian resolveu falar.

– Vejo que meu presente lhe caiu muito bem, senhorita – um sorriso de admiração surgiu em seu rosto.

– Obrigada – eu disse, encabulada. De onde vinha todo aquele embaraço quando Ian estava por perto, eu não fazia ideia. – Já estou pronta. Estava indo agora mesmo procurar por você e Elisa.

– E eu vim justamente saber se estava pronta! – ele sorriu. – Está encantadora esta noite, senhorita Sofia.

– Obrigada, Ian – corei e baixei os olhos. De repente, *eu* não sabia onde colocar as mãos. Eu estava agindo como uma tímida adolescente.

– Posso acompanhá-la até a sala? – perguntou educado, me estendendo o braço.

– Não precisa, Ian. O caminho para a sala eu já conheço. Este é um dos únicos em que eu não me perco – e ri nervosa.

– Eu insisto. – E, muito deliberadamente, suas mãos alcançaram a minha, colocando-a em seguida na parte interna de seu cotovelo. – Uma dama tão encantadora deve ser conduzida por um cavalheiro. Sei que lhe desagrada que seja eu o cavalheiro em questão, mas sou o único presente no momento.

– Você não me desagrada! De onde tirou isso? Desde que me encontrou só tem me ajudado! – Ian era a pessoa mais fantástica que eu conhecera ali. Talvez a mais fantástica que já tinha conhecido em qualquer época. Tão gentil e altruísta!

– Notei que fica um pouco... agitada... – ele não pareceu encontrar palavra melhor – ... quando está comigo.

– Agitada? – repeti como uma imbecil. – Não, não. Quer dizer, eu fico agitada, mas o tempo todo. É meu estado normal. Sabe como é, sempre tendo que fazer duzentas coisas diferentes ao mesmo tempo... O corpo se habitua e não volta ao estado normal em épocas mais calmas.

– Já percebi isso – um pequeno sorriso brincou em seus lábios. – Mas não pode negar que hoje à tarde você fugiu de mim.

– Não fugi, não! – Sentir seu braço sob minha mão e o calor do seu corpo ao lado do meu estava me deixando inquieta. – Eu realmente prometi me encontrar com Elisa hoje à tarde. Não teve nada a ver com você. Nada a ver mesmo! – tentei parecer firme enquanto falava.

– Não precisa se explicar. Eu compreendo. – E voltou os olhos negros para os meus. – Você não quer ficar sozinha comigo.

Senti meu rosto ficar todo quente. Ian era muito perceptivo. Notava coisas demais!

– Imagino que não queira que nos vejam juntos e tirem conclusões erradas. Entendo perfeitamente, não se preocupe.

– Não é nada disso! – eu disse, incapaz de conter a língua. – Sabe que não me importo com esse tipo de coisa.

– E então por quê? – sua testa se enrugou.

Estávamos perto da sala. Com minha mão ainda em seu braço e me encarando profundamente, Ian se colocou na minha frente, me obrigando a parar.

– Porque... eu fico meio... inquieta quando você me olha do jeito que está olhando agora – praticamente sussurrei, atordoada pela intensidade e as chamas prateadas em seus olhos. – E isso não é bom. Pra ninguém aqui!

Seus olhos arrastavam os meus para sua órbita inescapável. Não consegui desviar, não pude deixar de olhar para ele, e isso não ajudou muito a clarear minha cabeça.

– E por que não é bom? – perguntou com a voz grave, fazendo os pelos de meu braço se arrepiarem.

– Porque eu vou embora logo, Ian. Não tem sentido me afeiçoar a ninguém aqui.

– Mas você está aqui agora – ele sussurrou e, gentilmente, levantou a mão livre para colocá-la em meu ombro. – Por ora, *este* é seu lugar.

Seu toque quente deixou minha pele formigando. Minha respiração se acelerou, senti meus joelhos falharem. Olhando dentro de seus olhos profundos, não pude dizer que ele estava enganado. Não consegui dizer nada, na verdade. Porque, quando ele disse que meu lugar era ali, ao menos naquele momento, com a voz cheia de emoção, fiquei completamente perturbada. Parte de mim acreditou nele.

Surpresa, vi minha mão se erguer sem um comando consciente e se apoiar em seu peito. Seus olhos tão escuros, tão negros na luz fraca dos candelabros, me observavam intensamente. Senti o calor que emanava de seu corpo sob a palma de minha mão. Dei um pequeno passo em sua direção, incapaz de resistir ao impulso de me aproximar. Notei que sua respiração também estava alterada. Levantei o rosto para poder vê-lo melhor, ficando a apenas alguns centímetros do seu. Prendendo a respiração, hipnotizada pelo brilho prateado em seu olhar, me aproximei um pouco mais. Meus lábios se entreabriram, sua mão em meu braço deslizou, quente e suave, até minha cintura, e então...

Uma gargalhada histérica vinda da sala ecoou pelo corredor, me libertando do transe. Vi o que estava prestes a fazer e, com um movimento brusco, tirei minhas mãos dele e recuei. Ian pareceu confuso – assim como eu –, olhando em direção à sala e depois de volta para mim, parecendo não saber o que dizer.

Foi a coisa mais estranha que eu senti em toda minha vida! Pela primeira vez, não tive controle sobre meu corpo. Não sabia explicar por que minhas mãos agiram da forma como agiram, por que meus pés me levaram até ele, por que minha pele pinicava e eu desejava tanto tocá-lo outra vez.

Era como se meu cérebro tivesse se desconectado do corpo e agisse por conta própria. Eu não queria ter feito aquilo. Foi como se meu lado consciente fosse apenas a plateia – impotente – assistindo à exibição de um espetáculo encenado por meu corpo. E claramente meu corpo desejava se aproximar de Ian.

Eu já havia desejado um homem, sabia como era a sensação. Já até tinha satisfeito esses mesmos desejos, mas sempre no controle, sempre consciente do que fazia. O que eu sentia agora era totalmente diferente. Muito diferente. Era como se cada célula do meu ser quisesse se grudar a Ian, como se ele fosse um ímã superpotente, usando sua força em carga máxima, e eu fosse revestida de metal. Impossível escapar ou resistir.

E pela primeira vez eu não soube o que fazer na presença de um homem.

Meu rosto queimou de vergonha, de raiva, de medo e, sem dizer uma única palavra, marchei em direção à sala, deixando Ian ainda paralisado ali no corredor, me encarando com olhos assustados. Tão alarmado quanto eu estava.

15

— Senhorita Sofia – Elisa se levantou do sofá. – Está muito elegante!
Eu ainda estava chocada demais para poder falar, apenas olhei para Elisa e tentei sorrir.
– Mas ainda reluta em usar todos os itens do vestuário, pelo que vejo. Seu vestido ficaria mais exuberante se usasse, ao menos, a crinolina – Teodora acrescentou secamente. – Usar o vestido dessa forma a deixa com o aspecto de uma simples criada.
– Não concordo, Teodora. Acho que Sofia está muito bonita, de uma forma muito original. – Então Ian entrou na sala, ainda atordoado. – Não concorda, Ian? Não acha que a Sofia está muito bonita com o vestido que escolhi para ela?
Assim como eu, ele ainda não havia se recuperado totalmente.
Pudera! Duvido que alguma garota naquele fim de mundo alguma vez tivesse tido a audácia de quase beijá-lo! O que eu estava pensando? E por que dissera a verdade a ele? O que havia de errado comigo? Eu não podia estar... interessada nele, por razões óbvias que não precisavam de mais explicações. Dois séculos nos separavam. Dois séculos!
Então, qual era o meu problema?
Não consegui encontrar a resposta. Concentrei-me em parecer normal – o meu normal, pelo menos.
– Está sim, Elisa. Ouso dizer que ela está muito bonita, realmente – disse ele, desviando os olhos quando encontrou os meus.

– E agora, meu caro – Teodora se aproximou de Ian e colocou as mãos em seu braço, exatamente onde estava a minha minutos antes. – Será que pode nos dizer quem é o convidado misterioso?

– Não é misterioso, senhorita Teodora. Eu apenas estava muito atarefado para poder dar-lhes mais detalhes – retrucou, ainda perturbado. – É um novo habitante da vila. Conheci-o esta tarde. Seu nome é Raul Santiago, está hospedado na pensão da viúva Herbert e não tem conhecidos aqui. Pensei que seria educado oferecer-lhe um jantar.

– Oh! Já ouvimos falar dele hoje pela manhã no ateliê de madame Georgette – Teodora se apressou. Fiquei alerta. – Parece que o pobre foi assaltado. *Assaltado*, senhor Clarke! Veja a que ponto chegamos! – ela exclamou, horrorizada.

Eu, entretanto, não me choquei. Apesar de desconfiar que ele não fosse um pobre homem do século dezenove, e sim um cara do século vinte e um, *mesmo* que tivesse sido assaltado de verdade, ainda assim não me surpreenderia. Assaltos eram tão comuns em meu tempo quanto respirar.

Suspirei, desanimada. Como eu *queria* me chocar também! Queria que assaltos e violência não fizessem parte do meu cotidiano.

– É mesmo? – perguntou Ian, fingindo inocência. Ele sabia bem a história toda. Eu já tinha contado a ele naquela tarde no estábulo. – Que coincidência! De toda forma, encontrei o cavalheiro esta tarde quando fui à vila... resolver alguns problemas. Pelo que entendi, ele havia acabado de chegar de algum lugar. Então o convidei para conhecer minha família.

Notei que ele me fitou rapidamente quando disse isso.

Então, ele foi procurar o estranho sem mim. Mas por quê? De toda forma, estava agradecida por Ian ter ido. Eu precisava falar com esse Santiago, não me importava onde ou como.

– Com sua licença, senhor Clarke, o senhor Santiago acaba de chegar.

– Mande-o entrar, Gomes. Não o deixe esperando.

O mordomo saiu apressado e, em seguida, um homem de estatura mediana entrou na sala.

– Como tem passado, senhor Clarke? – O homem, que era mais velho do que eu havia imaginado, se inclinou para cumprimentar Ian. Ele aparentava ter trinta e cinco ou quarenta anos, barba curta e rala, cabelos castanhos lisos e compridos. Se não fosse pelas roupas antigas, poderia se passar por um roqueiro quarentão. Era até bonito, na verdade.

— Estou muito bem, senhor Santiago. Deixe-me apresentá-lo à minha irmã Elisa. — Ela se inclinou ligeiramente. — E estas são a senhorita Teodora Moura e a senhorita Sofia Alonzo.

Santiago se inclinou dizendo:

— É um prazer conhecer tão belas damas.

Analisei a cena com desconfiança. Ele não se comportava como eu esperava. Na verdade, se comportava como se fosse dali, daquele século.

Talvez tenha entrado no clima mais facilmente que eu, pensei, já que não tinha que usar aqueles vestidos quentes e agir como se fosse uma boneca. *Aposto que nem se importou com a casinha!* Ou talvez já estivesse perdido ali há vários dias.

— Está apreciando a região, senhor Santiago? — Teodora perguntou, como se fosse a anfitriã.

— Para ser honesto, senhorita, ainda não pude admirar a beleza do local. — Seu rosto ficou sério por um instante. — Não tive tempo para me familiarizar com a região.

— Soubemos de seu infortúnio, senhor. Foi lastimável! — Elisa disse, com a delicadeza de sempre.

— Sim, senhorita Elisa. Foi terrível. Ainda estou muito surpreso. Tudo aconteceu tão depressa!

Minhas sobrancelhas se arquearam. Aquilo estava ficando bom!

— Pretende ficar aqui por muito tempo? — perguntei, ansiosa.

Seus olhos encontraram os meus. Pensei ter visto alguma coisa neles, mas não pude dizer o que foi.

— Na verdade, pretendo voltar para casa assim que puder. — Ele me analisava atentamente. Pensei que procurasse por alguma coisa em especial. Então fui me sentar no sofá, cruzando as pernas e deixando um dos tornozelos à mostra. Vi quando seus olhos se fixaram em meus tênis, pois se arregalaram um pouco e a cor de seu rosto mudou.

Tinha que ser ele!

— Espero que consiga voltar para casa o mais breve possível — eu disse, enfática.

– Sim. – Ele ainda contemplava meus tênis. – Também espero. Este lugar é um pouco díspar do que eu estou habituado.

– Nem me fale! – respondi, revirando os olhos.

As garotas me observaram com espanto.

Fomos alertados pelo mordomo de que o jantar seria servido. Seguimos até a sala de jantar e eu ainda estava desconfiada das maneiras de Santiago. Ele tinha se adaptado muito bem aos costumes daquele século.

Ian se sentou no lugar de sempre, com sua irmã de um lado e Santiago do outro, com Teodora a reboque – querendo mostrar a Ian que sabia entreter um convidado, supus. Sentei-me ao lado de Elisa e observei os modos de Santiago à mesa. Ele era muito educado, se comportava como Ian, só que com menos elegância.

– De onde disse que veio, senhor Santiago? – perguntou Ian, me ajudando com o interrogatório.

A testa de Santiago se franziu um pouco.

– De um lugar muito distante. Não acredito que já tenham ouvido falar dele. – *A-rá!* – Amanhã à tarde precisarei partir em uma pequena viagem para resolver tudo. Tenho coisas importantes me esperando em casa. Preciso voltar logo.

Era ele. Tinha que ser ele. Mas aonde ele estava indo? Resolver o quê?

– E volta quando? – perguntei inquieta.

Elisa e Teodora me observavam espantadas Ian não se surpreendeu. Tive a sensação de que, depois do que aconteceu entre nós dois no corredor, nada mais que eu fizesse o surpreenderia.

– Na sexta-feira, creio – ele me encarava fixamente.

– Extraordinário! Assim poderá vir ao baile. É claro que já foi convidado, não foi? – Teodora não esperou que ele respondesse. – Será um baile maravilhoso, senhor Santiago. Todas as pessoas importantes da região estarão aqui.

Só na sexta? Mas eu tinha tanta coisa para perguntar a ele!

– Então eu estarei aqui, senhorita – ele respondeu e depois voltou a me encarar.

Como de costume, Teodora se apoderou da conversa. Prestei atenção para ver se Santiago me daria alguma dica. No entanto, ele não disse mais nada que fosse relevante, repetiu a história do assalto e ficou me fitando durante o resto do jantar. Talvez porque eu o encarasse também.

Voltamos à sala de visitas, onde Teodora nos ofereceu licor - fala sério, licor? - e a conversa ainda estava animada, mas não para mim. Eles conversavam sobre a beleza da região e quanto Santiago iria apreciar as famílias que residiam ali, impedindo que ele me dissesse algo mais específico. Tentei desesperadamente falar a sós com ele, mas não tive chance.

Teodora!

Suspirei derrotada.

Já estavam sendo feitas as despedidas e eu não tinha encontrado outra oportunidade de falar com ele, então interrompi alguém - Ian, percebi tarde demais - e perguntei sem rodeios:

- *Ainda* estará aqui no sábado? - e lhe lancei um olhar conspiratório.

Seu rosto surpreso pareceu satisfeito.

- Sim, estarei, senhorita - e sorriu de forma estranha.

- Tem certeza? - Estava desesperada para perguntar tudo, mas, com tanta gente ali, eu não podia.

- Sim. Prometo que estarei aqui. Até sábado devo ter conseguido *tudo* o que preciso e, talvez, possa voltar para casa - e me olhou significativamente.

Bom, eu achei que foi significativo.

- Ótimo. Então vou esperar por você. Talvez me conte mais sobre o *lugar* de onde vem - levantei apenas uma sobrancelha.

- Será um imenso prazer - ele se inclinou, sorrindo.

Logo depois da saída de Santiago, comecei a entender algumas coisas. Fosse o que fosse, ele sabia o que deveria fazer para poder voltar. E no sábado talvez já tivesse resolvido tudo. Eu o pegaria no baile, nem que fosse à unha, e o obrigaria a me contar tudo o que sabia.

Elisa e Teodora conversavam animadamente sobre ele. *Que educado! Que elegante! Uma lástima ter sofrido tamanha selvageria! Um cavalheiro tão distinto...*

- Acredita que ele possa ser a pessoa que procurava? - sussurrou Ian, bem ao meu lado.

- Arrã! Você não ouviu? Ele também não sabe como voltar. Parece que se adaptou ao modo de vida daqui mais rápido que eu, mas acho que é ele, sim – sussurrei também. – Você viu como ele me olhou? Ele sabe que não sou daqui!

– Sim, eu vi como ele a olhou durante todo o jantar. – Seu tom de voz trazia uma pitada de alguma coisa. Tipo... irritação.

– Você me leva até a vila amanhã bem cedo? Talvez sem a Teodora por perto eu consiga falar com ele e descobrir se ele pode me ajudar com alguma informação.

– Eu já havia lhe prometido isso.

– Valeu, Ian!

– Fico feliz em lhe ser útil. – Mas seu rosto não parecia feliz.

– Ian?

– Sim? – e me olhou de um jeito que fez minha respiração acelerar.

– Obrigada, de verdade! Obrigada por tê-lo trazido aqui.

– Não me agradeça, senhorita – e sorriu um pouco.

– Não tem ideia de como isso é importante para mim. – Estava tão feliz por sua ajuda! Ian parecia ser um presente dos céus no meio daquele pesadelo.

– Eu sei que é importante. Por isso fui até a vila essa tarde. Depois que você me disse que talvez este cavalheiro pudesse ser o mesmo que procurava, fui tentar descobrir alguma coisa e acabei o encontrando por acaso – ele falava muito baixo, e me aproximei um pouco para não perder nada. – Achei que seria mais prudente se encontrarem aqui em casa do que em um quarto de pensão. Não quero que você, senhorita, se exponha dessa maneira.

Olhei dentro de seus olhos, completamente maravilhada!

– Você não queria que eu me encontrasse com ele sozinha? – lutei para não sorrir.

– Acho extremamente inadequado que fique a sós com um total desconhecido – seu rosto estava sério, os olhos opacos.

– Você é incrível, Ian! – A seu modo, ele tentava me proteger de um estranho sobre o qual não tinha nenhuma informação. Fiquei um pouco emocionada. – Você foi a melhor coisa que encontrei aqui, sabia?

Então seus lábios se abriram em um sorriso de tirar o fôlego, os olhos brilharam e achei que meu coração fosse parar de bater.

Oh-oh!

– E você foi a melhor coisa que encontrei em toda minha vida. – Seu olhar queimava, sua voz baixa e rouca me provocou arrepios, minha cabeça girava e meu coração acelerou de tal forma que temi que pudesse saltar do peito.

Ah, não! Ah, não!
Isso não pode estar acontecendo!
Não podia!

– Eu... Hã... Eu... – tentei dizer alguma coisa, *qualquer coisa*, mas não saiu nada.

Estava perplexa demais com a intensidade do que eu estava sentindo. Do que *estava* e que *não devia* estar sentindo. Fiquei olhando dentro de seus olhos escuros, incapaz de desviar os meus. Senti uma força irresistível me puxar para ele.

– Eu... preciso resolver algumas coisas – ele disse, parecendo desnorteado também. – Resolver alguns assuntos.

– Tá. – Ainda chocada pelos sentimentos que me assaltaram, não consegui pensar em mais nada para responder.

Minha cabeça girava, meu estômago estava cheio de pedras de gelo – pelo menos era o que parecia –, minhas mãos suavam e eu queria muito, muito mesmo tocá-lo.

Ai, não!

– Boa noite, senhorita Sofia. – E, como na noite anterior, pegou minha mão e a beijou delicadamente, fazendo meu coração bater ainda mais forte. Achei que minhas costelas pudessem se partir ao meio.

– Boa noite – tentei dizer, mas acabou saindo apenas um murmúrio.

Só algum tempo depois de Ian ter deixado a sala, consegui me recompor o suficiente para dizer que estava cansada e queria dormir. Estava presa numa espécie de transe, minha mente não conseguia se concentrar em nada.

Nada além do sorriso de Ian.

Como permiti que isso acontecesse? Por que não fui embora naquela manhã em que discutimos? *Por quê?*

Eu não podia me apaixonar por ele, por razões que eu conhecia tão bem. Como eu poderia me apaixonar se logo iria embora e nunca mais o veria? E eu *iria* embora, de uma forma ou de outra.

Como permiti que a enrascada na qual me meti aumentasse ainda mais?

Ian era diferente dos caras que eu conhecia, sempre tão educado e atencioso. Mas assim eram todos os homens daquele século. Alguma coisa naqueles olhos escuros me fez confiar nele, aceitar sua ajuda, querer falar com ele e... querer tocá-lo de forma nada comportada! Um tremendo erro! Um erro que depois me machucaria muito. Precisaria ser cuidadosa e evitar ficar sozinha com Ian. E precisaria, acima de tudo, manter as mãos bem longe dele!

Nesse momento, meu celular vibrou, e só então me dei conta de que já estava em meu quarto. Por um breve segundo, me perguntei como aquele aparelho funcionava. Como ainda tinha bateria, como captava o sinal, como funcionava apenas para receber – mensagens ou ligações – e nunca para o *meu* uso?

Apertei a tela e lá estava outra mensagem. Dessa vez, não me assustei tanto.

Fase um: completa

Fiquei confusa. Imaginei que a mensagem seria enviada quando eu tivesse acertado o alvo, me guiando para o caminho certo. Tipo *Tá frio, agora tá quente, quente, quente, pelando...* Mas eu estive na vila pela manhã e a mensagem só chegou no final da noite.

Eu não sabia o que pensar. Só sabia que tinha dado um passo na direção de casa. Havia feito alguma coisa certa e logo voltaria.

Uma sensação muito desagradável me atingiu na boca do estômago. Não pensei mais nisso. Fui para a cama, ainda atordoada, e tentei com todas as forças não pensar em Ian.

16

Acordei cedo outra vez e percebi por que isso estava se repetindo todas as manhãs desde que chegara ali. Havia muito barulho. Os malditos pássaros não calavam a boca!

Eu estava habituada aos barulhos de pneu freando, a buzinas, ao zum-zum-zum das pessoas e a todo tipo de som que entrava pela janela do meu apartamento, mas, ali, o delicado cantarolar dos pássaros acabava me acordando simplesmente porque eu não estava acostumada com ele.

Como havia prometido, Ian já estava pronto para me levar até a vila quando o encontrei na mesa do café. Fui informada de que Elisa e Teodora já haviam se levantado e saído. Teodora tinha ido até sua casa avisar a família sobre o assalto. Fiquei com pena dela por um momento. Ela estava realmente assustada e eu sabia bem que não havia motivo algum para isso.

– Senhorita Sofia, minha irmã e Teodora usaram a carruagem, então, se não quiser ir até a vila a cavalo, teremos de esperar que elas retornem.

– Não! Santiago disse que vai viajar esta tarde, eu tenho que encontrá-lo antes disso! Se você não me deixar cair do cavalo, não vejo problema.

Ele exibiu a fileira de dentes brancos e perfeitos.

– Eu jamais a deixaria cair. Estará segura em meus braços. – Ian se curvou e saiu, provavelmente para preparar o cavalo.

Só então percebi que a viagem seria mais íntima que na carruagem. Lembrei-me com clareza de quando nos conhecemos e ele me levou até a casa em seu cavalo. A proximidade de seu corpo me perturbou muito, e agora eu reviveria a mesma experiência, em uma viagem mais longa, e conhecendo um pouco melhor as sensações perturbadoras que Ian causava em mim.

Pensei que não seria capaz de voltar a respirar outra vez.

Encontrei-o na porta da casa com o cavalo marrom-claro selado e pronto para partir. Ele me ajudou a subir, mas, ainda assim, fiquei com medo de cair. Ian habilmente montou no cavalo atrás de mim e passou um dos braços em minha cintura. Concentrei-me apenas em respirar e olhar para frente.

Já estávamos na estrada quando ele resolveu falar.

– Creio que não esteja habituada a passeios como este.

– Acertou em cheio.

– Sabe, senhorita, estou cada vez mais intrigado com sua pessoa.

Eu não disse nada, apenas olhava para frente temendo cair de cara no chão.

– Estou fascinado com sua determinação – ele continuou.

– Determinação – zombei. – Acho que a palavra certa pra isso é teimosia!

Ele riu, muito próximo do meu pescoço. Estremeci.

– É uma boa palavra, lhe asseguro – disse ele.

Tentei me distrair dos tremores e arrepios observando a paisagem. De alguma forma, as pequenas montanhas me eram familiares. Eu tinha a impressão de que não havia sido transportada para um lugar diferente, apenas para um *tempo* diferente. Mas não dava para ter certeza, não sem as favelas e os bairros, as ruas ou os prédios sobre aquelas terras.

Ian pareceu muito satisfeito quando me ajudou a descer do cavalo ao chegarmos à vila. Quase presunçoso até. Um sorriso teimava em não deixar seus lábios. Não perguntei o motivo, não tinha certeza se queria saber o que o deixara tão feliz.

– Aonde pretende ir agora? – ele quis saber.

– Sei lá. Que tal irmos até a pensão? Deve ser o lugar mais provável para encontrá-lo.

Ian assentiu e me ofereceu o braço. Eu o peguei sem reclamar, sabia que ele insistiria até que eu aceitasse. Partimos em direção à pensão, mas não foi necessário chegar até ela. Santiago, com seu inconfundível rabo de cavalo, estava parado na calçada estreita em frente ao boticário, distraído, observando algo em suas mãos. Quando nos aproximamos mais, na luz fraca da manhã, o objeto brilhou como um espelho.

– Senhor Santiago! – chamou Ian.

Santiago rapidamente guardou o objeto no bolso, me impedindo de vê-lo com clareza, mas, pelo formato retangular e a cor prateada, supus que eu já sabia do que se tratava. Sorri.

– Senhor Clarke, senhorita. Bom dia – exclamou surpreso. – Não imaginei que eu teria o prazer de revê-los tão cedo.

– Viemos para um passeio matinal. A senhorita Sofia queria conhecer a vila enquanto ainda está aqui. Creio que o senhor já saiba que ela também não é daqui – Ian disse.

– Eu notei. – Santiago me olhou de um jeito estranho. – Parece que temos algo em comum, senhorita.

– Acho que temos *muito* em comum – e o observei com atenção.

O rosto de Santiago se tornou brincalhão.

– Certamente.

– Então... você vai até a cidade hoje? Pra poder voltar pra casa? – perguntei apressada.

– Sim. Preciso chegar lá antes do entardecer.

Antes do entardecer?

– Por quê? – indaguei.

– É um pouco complexo. Uma longa história. Talvez no sábado eu possa lhe dar mais detalhes – e arqueou uma sobrancelha.

Percebi que Santiago sabia muito mais do que eu sobre o que estava acontecendo.

– Não pode me dizer agora?

– Sinto muito, mas não posso. É importante que eu não faça alarde – ele piscou.

Ian pigarreou ao meu lado.

Ah! *Ela* devia ter dito a ele para não contar a ninguém, assim como pediu para mim.

– Entendi. Sábado então! – eu disse, empolgada.

Santiago assentiu.

– Então, se puderem me perdoar, preciso começar os preparativos para minha partida.

– Certamente – Ian disse com indiferença.

Estranhei a maneira fria como Ian respondeu. Eu nunca o vira ser rude com ninguém. O que havia de errado com ele?

– Então, te vejo no sábado – falei, sorrindo de um jeito amigável, tentando distraí-lo da cara de poucos amigos de Ian.

– Até! – Santiago se curvou e saiu apressado em direção à pensão.

– O que foi, Ian? – perguntei assim que Santiago estava longe o bastante para não ouvir.

– Nada – resmungou de cara amarrada.

– Não parece nada. Por que está irritado comigo?

– Não estou irritado com *você* – ele começou a me conduzir de volta para o cavalo.

Andamos em silêncio por um tempo.

– Está irritado com Santiago, então? – tentei.

Ian hesitou e pareceu relutante ao dizer:

– Não gosto da maneira como ele olha para você!

Tentei engolir. Era esse tipo de coisa que eu queria evitar: eu me envolver com Ian era uma coisa, ele se envolver comigo era outra completamente diferente.

– Ah! – foi minha resposta brilhante.

Ian ficou calado até quase a metade do caminho. Pensei que ainda estivesse furioso, mas, quando voltou a falar, sua voz estava mais tranquila.

– O que pretende fazer agora?

– Acho que nada. Vou esperar que Santiago volte e me diga se descobriu alguma coisa. – Eu tinha quase certeza de que ele saberia como voltar no sábado. Quase. Apenas seus modos tão educados ainda me deixavam encucada.

Andei pensando muito no que estava acontecendo. E cheguei à brilhante conclusão de que a *coisa* não estava na vila. *Ela* disse que me guiaria, então imaginei que as mensagens tivessem esse propósito. Tinha recebido uma quando voltei da vila e outra na noite anterior, depois do jantar. Ficaria atenta quando recebesse a próxima e descobriria o que elas tinham em comum para finalmente identificar meu Santo Graal.

– Então, parece que teremos mais alguns dias – seu braço se estreitou em minha cintura. Eu estremeci com o calor que emanava dele.

– Ainda posso quebrar o seu nariz em dois tempos, lembra? – ameacei, tão fraquinha que a ameaça quase se tornou um apelo.

Ele riu.

– Posso apostar que sim! – e acelerou o cavalo. Fui obrigada a deixar que seu corpo colasse ao meu ainda mais, enquanto cavalgávamos de volta para casa.

Elisa e Teodora ainda não haviam retornado. E, depois do almoço, imaginei que ainda demorariam bastante, pois Madalena me contou que, sempre que Elisa ia até a casa da amiga, não voltava antes do anoitecer. Então, percebi que eu e Ian ficaríamos sozinhos o resto do dia naquela casa.

– Será que estaria disposta a caminhar um pouco, senhorita Sofia? – perguntou ele.

– Para onde vamos?

– Na verdade, a lugar nenhum. Quero que conheça minha propriedade. Não se assuste, não é tão grande assim, não vai se cansar. E estou certo de que gostará do passeio.

– Tudo bem. Eu já tô de tênis mesmo – ri. Ian riu também, mas tive a impressão de que não foi da minha piada horrível.

A propriedade, como ele chamava – para mim, parecia uma fazenda –, era muito bonita. Ian me levou por caminhos que eu não conhecia ainda – se bem que os únicos que eu conhecia até então eram o caminho para o estábulo e para a casinha –, e fiquei encantada que pudesse existir um mundo como aquele. Tudo parecia intocado, a natureza era exatamente como deveria ser: colorida e cheia de vida, repleta de pequenos animais, que no começo me assustaram. Até o vento parecia diferente, soprando uma suave canção em meus ouvidos, e o ar puro chegava a ser inebriante para meus pulmões acostumados com tanta poluição. Talvez meu corpo estivesse reagindo de forma estranha nos últimos dias por causa disso: tanto ar puro devia fazer mal!

Caminhamos por uma trilha de terra cercada por árvores de copas altas, vi muitos pássaros e até um esquilo. Depois passeamos por um campo aberto, com uma árvore apenas. Esse eu reconheci. Foi ali que *apareci* pela primeira vez. Aproximei-me mais do local, examinando minuciosamente para ver se eu tinha deixado escapar alguma coisa. Não encontrei nada além da pedra em que tropecei. A mesma pedra em formato de meia bola que me desequilibrou em 2010 e me fez cair em 1830. Parecia ser muito antiga, metade coberta de grama, metade exposta. Perguntei-me por que ninguém nunca se incomodou em tirá-la do caminho.

Tive certeza, naquele instante, de que realmente estava no mesmo lugar de antes. Que aquele pasto em muitos anos se transformaria em uma pracinha, no mesmo lugar onde se ergueria a imensa metrópole. A minha metrópole. Era uma coisa boba, mas me senti melhor por ao menos saber disso.

Ian me explicava e apontava até onde iam os limites de suas terras e com quais famílias faziam fronteira. Uma delas era a família de Teodora. Descemos um pouco no terreno levemente inclinado e paramos perto da margem de um rio. Um rio de águas claras e límpidas – sem pneu, garrafa, papel ou qualquer outro tipo de porcaria boiando. O mesmo rio que transbordava a cada chuva, inundando as ruas da cidade, poluído e fétido, a oito quadras do meu prédio. Fiquei surpresa que aquele mesmo riacho já tivesse sido assim tão limpo.

– Nossa! É lindo aqui!

– Eu sabia que gostaria do riacho. De alguma forma, ele me faz lembrar de você. – Ele pegou uma pedrinha e a atirou na água, que fez um *glup*.

– De mim? – Não consegui entender a comparação.

– Sim. Assim como este rio, você segue seu curso. Se uma pedra aparecer na sua frente, você simplesmente a contorna e tenta encontrar um novo caminho. E, assim como as águas deste rio correm em direção ao mar, eu sei que você corre em direção à sua casa.

Ele estava de costas, mas, no final, sua voz parecia aborrecida.

– Mas imagine se, de repente, este rio resolvesse mudar seu curso e passar bem no meio da sua sala. Não seria o lugar certo, ele teria que voltar para cá. – Para ser honesta, eu também fiquei um pouco aborrecida.

Sentei-me na grama à beira do rio. A margem era um pouco inclinada, mas, de uma forma leve e regular, formava um banco perfeito.

Ian se sentou ao meu lado depois de alguns instantes.

– Eu sei disso. – Ele ainda fitava as águas. – Mas mesmo assim posso desejar que fique em minha casa por mais um tempo.

– Ah, Ian – sacudi a cabeça, exaurida. – Acho que, se não fosse por você, eu já teria enlouquecido. Você tem sido um amigo e tanto. Se eu pudesse te contar tudo...

Mas eu não podia. Não sem ser mandada para um hospício logo em seguida.

– Mas não pode ainda – ele disse, como se lesse meus pensamentos. – Eu entendo. Não estou exigindo nenhuma explicação. Mas realmente gostaria que pudesse ficar um pouco mais. Acredita que o senhor Santiago partirá em breve?

– Eu espero que sim. – Mas, estranhamente, minha voz não tinha a convicção que deveria ter.

– É tão ruim aqui? – perguntou, triste.

– Não é ruim. Apenas diferente. Eu nem posso usar minhas próprias roupas sem ofender ninguém! – Sua sobrancelha se arqueou minimamente, quase me fazendo rir. Eu poderia passar mil anos tentando convencê-lo de que a minha saia era, sim, uma peça do vestuário feminino atual que não escandalizaria ninguém, mas não obteria sucesso. Se ao menos ele entendesse... – Tem tanta coisa que eu queria que você conhecesse, coisas de que eu gosto e sinto falta, coisas que só existem lá onde eu vivo.

– Como o quê? – ele perguntou, com a curiosidade estampada naqueles olhos negros e brilhantes.

– Como a Nina, minha melhor amiga, por exemplo. Nós nos conhecemos na faculdade e desde então nunca mais nos separamos. Ou o Rafa, o namorado dela, quase marido agora. No começo ele é meio difícil de engolir, mas depois que você se acostuma acaba gostando dele. – E, por incrível que parecesse, eu sentia saudade dele também. – Ou o banheiro. É tão incrível, Ian, tem tudo nele, você apenas gira uma alavanca e a água sai quentinha. E tem a privada, é claro, muito útil e indispensável. E sinto falta do cinema, da música. Sinto muita falta da música... – Depois da Nina e do banheiro, era a coisa de que eu mais sentia falta.

– Como pode sair água quente de uma alavanca? – indagou espantado.

– A água não sai *da* alavanca! – eu ri. – Ela apenas controla o fluxo de água que sai do... hã... Descobriram um jeito de aquecer a água do banho, ela sai fria do cano e entra num aparelho chamado chuveiro. Se parece com... com... Imagine um balde, só que, no fundo desse balde, tem centenas de furinhos. Não é bem isso, mas é quase isso! A alavanca serve para controlar o fluxo de água ou interrompê-lo, e também para regular a temperatura. Então, quando se gira a alavanca, a água passa por dentro do chuveiro, que a aquece, e sai na temperatura certa por esses furinhos. – Difícil explicar o uso do chuveiro elétrico para alguém que nem ao menos sabia o que era energia elétrica.

– Imagino que existam muitos cientistas nesse lugar. Fazem isso aqui parecer um século atrasado – ele riu.

– Dois! – corrigi, rindo com ele.

– O que disse?

– Hã... Nada.

Precisava tomar cuidado com o que falava. Mas, caramba, era tão fácil conversar com Ian!

– Aposto que brincou bastante neste rio quando era criança – eu disse, abraçando os joelhos.

Ele sorriu timidamente, mas acabou me respondendo.

– Um pouco. Brincava escondido de minha mãe. Ela achava que esse tipo de brincadeira era coisa para os filhos dos criados – e me mostrou um sorriso torto.

Meu coração reagiu.

– Mas você gostava – deduzi.

– Muito. Não há muitas coisas que um moleque possa fazer por aqui, além de nadar no riacho e atormentar os criados.

Eu dei risada.

– Mas não posso me queixar, minha infância foi boa – ele continuou. – Muito diferente da que Elisa teve. Nossa mãe morreu quando ela tinha apenas nove anos. Foi uma época muito difícil para ela. – Ele arrancou o caule de uma plantinha ao seu lado e começou a retorcer nos dedos sem perceber.

– Sinto muito. – Eu havia sentido na pele como era difícil perder os pais. Podia imaginar quanto Elisa sofrera sendo ainda tão pequena e precisando tanto de uma mãe por perto.

– Passei o resto da minha adolescência tentando ajudar Elisa. Era mais fácil quando ela ainda era criança. Agora, já não consigo ser útil em muitos aspectos.

– Mas ela te adora. Qualquer um pode ver isso – assegurei a ele.

– Sei disso. Elisa já sofreu muito, senhorita Sofia. Primeiro nossa mãe, mais tarde nosso pai. Sou tudo que sobrou da família dela. E ela da minha. Por isso farei o que for preciso para vê-la feliz! – Ian remexia o talinho com raiva, como se seus problemas pudessem ser enrolados e depois descartados como aquela planta.

– Ainda bem que vocês têm um ao outro. Quando meus pais se foram, fiquei sem ninguém. Se não fosse a Nina, eu nem sei o que teria acontecido comigo. Fiquei tão sem rumo! Tão sozinha...

– Sinto muito – falou, e sua voz estava grave, intensa. – Deve ter sido muito ruim não ter ninguém.

– Foi muito... péssimo! Teria sido bacana ter um irmão. – Tentei sorrir, mas não o enganei.

Ele ficou em silêncio por um tempo, seus olhos apenas analisavam meu rosto.

– Quando aconteceu? – indagou em voz baixa.

– Foi em dois mil e... Hã... Foi há cinco anos. Eu tinha dezenove na época, já era uma mulher. Imagino que foi menos... ruim do que para Elisa, que ainda era uma criança.

– Não acredito nisso. Não é uma situação fácil para ninguém, senhorita. É uma pena que eu ainda não a conhecesse nessa época, gostaria de ter feito algo para ampará-la.

– Ian, você é a pessoa mais incrível que já conheci. E olha que já conheci cada figura! – brinquei para aliviar o clima. – Mas obrigada por estar aqui agora. Depois da morte de meus pais, esta é, com certeza, a situação mais difícil que já enfrentei. E desta vez você *está* aqui.

Ele sorriu um pouco. Mas seus olhos ainda estavam tristes.

– Não fique assim, Ian. Você se saiu muito bem com Elisa, e logo terá uma nova família e tudo ficará bem... – Um nó no estômago me fez parar. Imaginar Ian com uma esposa me causava náuseas.

– Não, senhorita Sofia, não ficará bem. – Ele baixou a cabeça e apoiou os braços no joelho.

– Claro que ficará. Se você quiser, posso te ajudar a encontrar uma garota bacana – me ouvi dizendo. Meu estômago se revirou como se eu estivesse em uma montanha-russa. Tentei ignorar a sensação. – Você me diz do que gosta e eu te ajudo. De repente, você encontra alguém que ame de verdade e acaba sendo muito mais feliz do que imaginava ser possível.

Ele ficou ainda mais triste.

– Mas eu já encontrei, senhorita.

– Já?

– Sim. Mas não pode dar certo – resmungou desolado.

– E por que não? – murmurei, ainda assim minha voz tremeu.

– Porque ela não pode ficar – me lançou um sorriso triste.

E, como dois ímãs poderosos, seus olhos capturaram os meus, a intensidade deles fez meu coração se descompassar. Minha cabeça girava como um liquidificador na potência máxima, e respirar se tornou impossível.

Antes que eu pudesse responder qualquer coisa, minha atenção foi desviada para o barulho de patas pesadas. Procurei ver o que era ao mesmo tempo em que Ian se colocava de pé. Levantei-me também e corri para seu lado.

– O que foi? – perguntei, quando vi a expressão preocupada em seu rosto.

Seus braços se estenderam em minha frente protetoramente, me empurrando um pouco para trás. Então eu vi Storm cavalgando feito louco em nossa direção.

17

— O que está acontecendo? – perguntei, enquanto Ian abaixava os braços lentamente.

– Parece que deixaram o estábulo aberto mais uma vez – ele bufou. – Não é a primeira vez que Storm foge. Mas é a primeira vez que não tenta encontrar a estrada.

– Ele se perdeu?

– Não. Já perdi a conta de quantas vezes o capturei perto da vila. Ele conhece o caminho. – Ian encarava o cavalo com curiosidade. Storm parecia prestar atenção em todos os movimentos do dono. Como se entendesse o que ele dizia.

Ian deu um passo à frente com as mãos erguidas, e o cavalo recuou um pouco. Então Ian tentou alcançá-lo pela lateral, mas Storm não era bobo e se afastou um pouco mais, bufando.

– Calma, cavalinho. O Ian só vai te levar pra casa – tentei distraí-lo para que Ian pudesse pegar a ponta da corda que estava amarrada no pescoço do animal.

Deu certo. Storm ficou quieto por alguns segundos e Ian conseguiu pegá-la.

– Você tem muito jeito com cavalos, senhorita. Especialmente com este aqui. – Ele passou a corda de uma forma que prendesse o focinho de Storm. – E eu nunca vi este cavalo dar ouvidos a ninguém.

– Mas eu não sou ninguém – brinquei. – Somos amigos. Ele sabe disso. – Quando eu disse isso, o cavalo ergueu a cabeça e olhou direto para mim.

Senti um arrepio se espalhar por meu corpo. Era como se ele me entendesse e quisesse me mostrar isso.

Muito estranho!

– Acho melhor voltarmos... – Ian começou a conduzir Storm para o caminho que levava até a casa – ... antes que ele resolva fugir outra vez. Sozinho, não serei capaz de detê-lo.

– Tudo bem – concordei.

Andamos em silêncio por um tempo, mas sua voz dizendo que já tinha encontrado a garota certa ainda ecoava em minha cabeça. Eu não queria que fosse outra garota, mas também não queria que fosse eu. Ian estava certo, eu não poderia ficar, mesmo que quisesse – e eu não queria! –, e ele se magoaria quando eu voltasse para casa.

– Você disse que sente falta de música, não foi? – perguntou ele, me arrancando do conflito interno.

– Disse. Uma das coisas de que mais sinto falta. Eu meio que sou movida a música.

Ele ficou confuso.

– Música é como o combustível da minha alma... – Peraí, se não tinha carro, não tinha combustível, certo? – A música é como o alimento da minha alma, dá pra entender?

– Sim, dá. Que música prefere? – ele me observava com curiosidade.

– Ah! Eu gosto de quase tudo, mas minhas favoritas são as de rock, pop rock, rock alternativo... Enfim, qualquer tipo de rock. É que o grito da guitarra me arrepia e... Deixa pra lá, Ian. Não vou conseguir te explicar isso. – Se eu ainda tivesse meu antigo celular, poderia mostrar a ele uma das centenas de músicas armazenadas no aparelho. Contudo, se eu ainda tivesse meu antigo celular, jamais teria comprado aquela porcaria e nunca teria conhecido Ian. Eu estava muito confusa. Minhas emoções e minha cabeça estavam em conflito constante.

– Temos um piano em casa, pode usá-lo quando quiser – e sorriu. – Adoraria ouvi-la tocar.

– Não, eu não toco nada não! – A não ser que campainha contasse como instrumento. – Gosto de *ouvir* música, mas não sei tocar nada.

– Talvez... – ele hesitou. – Talvez gostasse de ir à ópera! Sei de uma que estreou na cidade há algumas semanas. Fica a uns cinquenta quilômetros daqui. Se sairmos no início da tarde, poderemos assisti-la.

– Eu nunca fui a uma ópera, sabia? – E havia muitas em cartaz na minha cidade.

– Não posso acreditar que nunca tenha assistido a um concerto! – Ian não sabia se ria ou se ficava espantado. – Tenho que retificar isso. Como pode dizer que aprecia música sem nunca ter apreciado uma ária?

– Ian, eu gosto de outro tipo de... Epa! – tropecei em alguma coisa. Não deu para ver no que foi, com todo o volume daquele vestido idiota. Quase caí de cara no chão.

No entanto, Ian foi mais rápido e agarrou meus pulsos antes que eu me estatelasse na estrada de terra. O problema foi que Storm se assustou com os movimentos bruscos e acabou recuando vários passos, e, como Ian ainda segurava a corda, se desequilibrou também e caiu de costas no chão, me levando junto.

A princípio, pensei que o chão de terra não fosse tão duro quanto eu havia imaginado, mas, depois de tirar as mechas de cabelo que atacavam furiosamente meu rosto, entendi o porquê. Eu não tinha caído no chão, mas bem em cima de Ian.

– Ian? Ai, meu Deus! Você está bem? Eu te machuquei? – corri as mãos em seu peito procurando por sangue ou algo quebrado, mas não encontrei nada. – Ian?

– Estou bem, senhorita Sofia – ele disse, um pouco sem ar. – Não me machuquei, não fique preocupada. Não é a primeira vez que Storm me derruba e posso lhe assegurar que não será a última.

Levantei a cabeça para ver se ainda podia ver o cavalo fujão, mas, para minha surpresa, ele estava bem ali! Storm estava parado, comendo grama tranquilamente, como se não tivesse aprontado nada.

– Ele não fugiu! – olhei abismada para Ian, ainda embaixo de mim, ainda me segurando.

Com um movimento muito lento, ele tocou uma mecha do meu cabelo e depois a colocou atrás da orelha. Meu coração, já acelerado com o susto, batia rápido demais. Ian me encarava com olhos impossivelmente mais escuros, exercendo a mesma atração de uma barra de chocolate tamanho família sobre uma garota com TPM: impossível resistir. Minhas mãos, ainda espalmadas sobre o peito largo – que agora subia e descia tão rápido quanto o meu –, se enroscaram por conta própria em sua camisa. Senti, através do tecido grosso do meu vestido, o calor que irradiava de seu corpo se espalhar pelo meu. Aproximei o rosto ainda mais, presa pela intensidade de seu olhar, e, quando meus lábios se aproximaram tanto dos dele que pude sentir seu cheiro invadindo meus sentidos, turvando minha mente, alguém gritou seu nome.

– Senhor Clarke, senhorita! Estão todos bem? – o rapaz corria em nossa direção, segurando o chapéu em uma das mãos.

Senti meu corpo voltar à terra firme, senti o peso dele, senti que era capaz de comandar meus movimentos outra vez. Rapidamente me levantei, sacudindo a terra do vestido, tentando me recompor um pouco.

Ian ainda estava no chão, me encarando. Estendi a mão para ajudá-lo, mas ele apenas me observava.

– Vem, Ian, levanta daí! O rapaz vai achar que você se machucou. – Seus olhos ansiosos se voltaram para o rapaz e, depois, de volta para mim. – E você não está ferido, está?

– Não – sua voz soou rouca e intensa.

Um arrepio percorreu minha coluna.

– Então vem! – estiquei as mãos e agarrei seu braço. Ian era muito pesado! Também, com toda aquela altura... – Muito bem! Tem certeza de que está bem mesmo? Acha que pode andar?

– Estou bem – murmurou, se endireitando, porém não parecia ter tanta certeza disso.

– Oh! Senhor Clarke... – o garoto ofegante nos alcançou. – O cavalo... fugiu... Eu estava... atrás... dele... há horas... patrão.

Ian não disse nada, apenas esperou, confuso, o rapaz recuperar o fôlego.

– Errr... Storm não fugiu – respondi, já que Ian não parecia ser capaz de fazê-lo. – Apenas saiu para um passeio, eu acho.

Estava ficando preocupada. Ian não abria a boca.

– Será que pode levá-lo de volta? Vou ajudar o I... o senhor Clarke a voltar pra casa. Storm o derrubou.

– Minha nossa! Está ferido, patrão? Não deveria tentar montá-lo outra vez. Lembra-se da última tentativa, quando...

– Não! Ele não tentou montá-lo! – me apressei. Ian ainda me encarava sem dizer nada. – É que o cavalo se assustou quando eu tropecei e acabei... acabei...

– Leve-o daqui, Isaac – Ian disse, a voz séria e firme agora. – Está tudo bem comigo. Apenas leve-o e certifique-se de trancar o estábulo desta vez.

Suspirei de alívio. Ele estava bem!

– Sim, senhor!

O rapaz correu até Storm – que desta vez não deu trabalho algum – e rapidamente ambos voltaram para o caminho de casa.

Comecei a andar também, querendo chegar o mais rápido possível à segurança da casa, já que Ian parecia estar bem. Entretanto, sua mão agarrou meu pulso outra vez, me restringindo.

– Você não vai fugir desta vez! – avisou com a voz mais alta. Fiquei surpresa com a intensidade que ouvi nela.

– Não vou mesmo! Eu não fugi nem uma vez, não seria agora que eu faria isso – retruquei, petulante. Tentei puxar o braço, mas sua mão era firme. Não a ponto de me machucar, apenas firme o suficiente para que eu não conseguisse escapar. – Eu estou com fome. Andamos por horas, sabia? Agora, quer fazer a gentileza de me soltar?

Eu não conseguia pensar direito quando ele me tocava, e eu precisava pensar muito bem no que estava fazendo. Não cometer erros. Não me meter em confusão.

Em *mais* confusão.

– Não – ele respondeu simplesmente.

– Não? – Puxei a mão outra vez, mas ele não me soltou. – Me solte! Agora!

– Não! – ele repetiu, e sem hesitar me puxou para mais perto. Tentei girar o pulso na esperança de me libertar, mas seu braço livre contornou minha cintura antes que eu pudesse perceber o que ele estava fazendo. – Desta vez, você vai ficar aqui comigo, Sofia.

Olhei para ele atônita. Meu coração bateu forte no peito.

– Do... que... você... me... chamou? – perguntei num sussurro, meus joelhos tremiam.

– Sofia. Pensei que esse fosse seu nome... – um meio sorriso brincou em sua boca perfeita. – Agora, ouça-me, por favor.

Gostei muito da forma como meu nome soou em seus lábios. Gostei demais!

– Sobre o que quer conversar? – perguntei derrotada e muito perturbada com sua proximidade.

– Sobre você e eu. Sobre nós dois – o calor de seu hálito pinicou meu rosto. Eu não conseguia encontrar uma única parte de mim que quisesse realmente sair do seu abraço.

Nem uma única célula!

– Não existe *nós*, Ian. Então, não temos nada pra conversar – respondi fracamente, hipnotizada por seus olhos urgentes.

– Existe sim! Sei que você também sente alguma coisa quando estamos assim. – Ele estreitou o braço em minha cintura, fazendo meu corpo colar ainda mais ao dele, o que era praticamente impossível. – Não negue! Posso ver em seus olhos.

– Você precisa de óculos, então – tentei parecer firme, mas minha respiração acelerada fez minha sentença soar como um gemido.

– Não posso ter certeza do que você sente, é claro, mas eu *sei* que não é indiferente a mim. Que sente algo além de apenas gratidão e amizade. E sei, com muita exatidão, como *eu* me sinto.

– E como se sente? – Eu não queria perguntar, porque não queria ouvir a resposta. Saber como ele se sentia tornaria tudo mais difícil. Mas minha boca não deu ouvidos ao meu cérebro e, curiosa que só, perguntou mesmo assim.

– Sinto que posso... flutuar quando estou com você. Como se fosse capaz de realmente voar! Sinto-me completo pela primeira vez, Sofia. Há uma força em você que me atrai, que me arrasta para perto, uma força inexplicável que turva meus pensamentos. Não consigo pensar em nada mais, apenas em como seria tocar seu cabelo... – ele afrouxou meu pulso e deslizou os dedos em uma mecha perto do meu rosto – ... segurar sua mão... – segurou minha mão por um momento, depois a colocou sobre o peito, sobre seu coração. – Sinta o que acontece com meu coração quando estou com você. – Batia forte e rápido, assim como o meu. Eu lutava para respirar. –

E quando não estou com você, meu peito fica vazio, como se meu coração se recusasse a bater até que a encontre novamente. Sinta! Ele diz *Sofia, Sofia, Sofia!* Tem sido assim desde a primeira vez que a vi. Desde aquele instante percebi que não era mais dono do meu coração, que ele não me pertencia mais. Então... – ele tocou meu rosto, deslizou os dedos por meu pescoço e acabou os prendendo em minha nuca – não diga que não existe *nós!*

E, devagar, ainda me aprisionando com seu olhar, aproximou os lábios dos meus. Meu coração palpitava com tanta força que chegava a doer. Pude sentir sua respiração quente contra minha pele, seu cheiro inebriante me cegando por um instante, fazendo tudo ao meu redor desaparecer.

E então os lábios doces tocaram os meus. Os dedos em minha nuca se apertaram minimamente. Fiquei em chamas, minha pele ardia ansiando por seu toque, um fogo denso e abrasador me dominou, acabando com qualquer resistência.

Passei os braços em seu pescoço e me apertei contra ele. O beijo que havia começado de forma suave e delicada se tornou mais intenso, urgente, depois disso. Senti seu braço se estreitar em minha cintura e, apesar de não haver uma única parte de mim que não estivesse colada a ele, ainda assim não era perto o bastante.

Separei um pouco os lábios tentando tomar fôlego e, para minha surpresa, encontrei sua língua começando uma atrevida exploração em minha boca. Uma pequena parte do meu cérebro – talvez a parte que eu usasse para virar as páginas de revistas – ficou maravilhada com essa descoberta. *Sim! O beijo de língua já existe!* Todo o resto de mim se concentrava nele.

Senti algo diferente enquanto nossos lábios – e línguas – se moviam. Alguma coisa dentro de mim despertou, como se eu estivesse adormecida há muito tempo e acordasse só agora. Como se um novo órgão de importância vital começasse a funcionar apenas naquele instante, vinte e quatro anos depois de meu nascimento, nos braços de Ian.

Ele tinha razão. Existia um *nós* – eu não sabia dizer desde quando, mas existia. E era forte!

Tão forte que, talvez, me quebraria em duas quando eu voltasse para casa. E eu sabia que voltaria, *sentia* que voltaria. E meu coração se despedaçaria.

Talvez o dele também.

Meus olhos ficaram úmidos e lutei até conseguir me afastar dele. Não porque ele me impediu, mas porque meu corpo relutava em deixá-lo.

– Não! – gritei, tentando recuperar o fôlego.

– Sofia... – Ian ficou tão surpreso quanto eu com minha reação.

– Não. Não diga mais nada, Ian. Eu não quero ouvir mais nada! – Afastei-me um pouco mais. Meu corpo tremia, querendo desesperadamente voltar para o seu abraço quente. – Não posso me envolver com você! Não quero magoá-lo, e eu *irei* magoá-lo, porque sei que vou voltar pra casa!

Fiquei tão confusa enquanto estava em seus braços, a sensação de conforto e proteção me inundou tão fortemente que, por um instante, pensei que já *estivesse* em casa.

– Sofia... – ele se aproximou, uma mão erguida para tocar meu rosto. Eu recuei. – Tudo bem! – levantou as mãos espalmadas como quem se rende. – Não vou tocá-la, está vendo? Por favor, Sofia, perdoe-me. Eu fui um tolo pretensioso. Pensei que...

– Você pensou que eu estivesse... atraída por você. Pensou que... que... eu quero tanto tocar você que perco a noção de certo e errado. Que quando você me toca é quando me sinto mais viva. E que, quando me beijou, foi como se finalmente minha vida tivesse começado. Que até agora eu estive adormecida esperando que você me despertasse. – Eu lutava contra as lágrimas que teimavam em surgir.

– É assim que se sente? – perguntou, me encarando profundamente.

Mais lágrimas inundaram meus olhos e, dessa vez, não pude mais contê-las.

Abri os braços, exaurida.

– Faz alguma diferença?

Vi pela expressão de seu rosto – de dor, prazer, angústia – que ele havia entendido. Não pude mais ficar ali. Corri em direção à casa, levantando o vestido para ser mais rápida. Corri até meus pulmões queimarem.

Tranquei-me no quarto, ignorando a cara de espanto dos empregados quando me viram atravessar os cômodos correndo e com a saia erguida. Encostei-me na porta, ainda sem fôlego.

O que foi que eu fiz?

Deixei meu corpo cair no chão e não segurei as lágrimas que vieram. Não sabia ao certo por que chorava: se era por mim, por Ian, ou pelo *nós* que jamais existiria. Ou se chorava simplesmente porque queria, com tanto desespero que doía, voltar para os seus braços outra vez.

Nina tinha razão, eu nunca me apaixonara antes. Nunca me sentira tão vulnerável, fraca e tola como naquele momento. Era a primeira vez, e eu não sabia lidar com o que estava sentindo. Mas sabia, com cada fibra do meu corpo, que a agonia só acabaria quando eu estivesse nos braços de Ian novamente.

Bzz. Bzz. Bzz.

Levantei a cabeça dos joelhos e encarei minha bolsa.

O que era agora?

Rastejei até ela e peguei o celular. *Nova mensagem?*

Desconfiada, apertei o botão verde.

Fase dois: completa

Não tive reação alguma. Apenas olhei para a tela, li e reli a mensagem até ela se apagar e desligar. Eu não pude entender. Tudo bem que a conversa com Santiago foi um pouco – bem pouco – esclarecedora. O celular que pensei ter visto em sua mão era a prova de que ele também estava naquela enrascada. Mas *ela* foi muito enfática quando me disse que eu só voltaria se encontrasse o que *eu* procurava. E, certamente, o que eu estava procurando não era a outra pessoa perdida ali, mas algo misterioso e oculto, algo importante apenas para mim...

E então, como se uma luz de emergência se acendesse, me lembrei do que disse a vendedora quando me ligou pela primeira vez.

E finalmente começar a viver sua vida!

Depois de ter beijado Ian, eu disse a ele exatamente como me sentia, usando quase as mesmas palavras. *E que, quando me beijou, foi como se finalmente minha vida tivesse começado!* Seria isso? Ian, de alguma maneira, poderia me levar de volta?

A primeira mensagem tinha chegado quando Ian e eu voltamos da vila. Ele estava comigo. A segunda mensagem chegara após o jantar em que conheci Santiago, depois que Ian e eu conversamos. Novamente ele estava comigo. E recebi essa última instantes depois de termos nos beijado. Obviamente, Ian também estava comigo. Então seria ele? Mas como me apaixonar por ele poderia me ajudar de alguma forma?

Pensei sobre isso por um tempo, mas é claro que não consegui ver o que estava bem na minha frente. Talvez a jornada fosse Ian. Mas, se fosse isso, se me apaixonar por ele fosse o motivo real de eu estar presa no passado, como poderia voltar para casa e deixá-lo?

Não fazia sentido! Não poderia ser Ian.

Então o que era?

Uma vez que eu resolvesse o mistério, sabia que estaria em casa outra vez. Já estava ali há quatro dias e ainda não compreendia o que a tal jornada significava. Tentei unir as outras pistas que eu achava que tinha: Santiago, Ian, o celular e, talvez, meu livro. Nenhuma delas tinha ligação. Santiago e Ian não se conheciam antes – é claro. Ian não conhecia um celular nem, aparentemente, Jane Austen. Santiago talvez conhecesse as duas coisas. Então onde Ian entrava na equação?

Talvez, quando estivesse mais calma, ligaria os fios soltos que agora me escapavam. Guardei o celular de volta na bolsa e me levantei, decidida.

Eu não era disso – ficar sentada chorando e me lamentando. Eu lutava. E agora lutaria ainda mais para tirar Ian da cabeça. Se eu era capaz de aturar o intolerável Carlos todos os dias, suportaria conviver com Ian – que era mais gentil e doce e lindo e forte e, por isso mesmo, muito mais difícil – por mais alguns dias.

Lavei o rosto, ajeitei o cabelo – eu precisava dar um jeito nele, no cabelo – e marchei para o corredor.

18

Para me distrair, tentei me concentrar em coisas mais simples, mantendo Ian longe dos meus pensamentos. Coisas como fazer um condicionador. Contudo, não era tão simples assim conseguir um no século dezenove.

Uma vez, em uma das muitas maluquices de Nina – na primeira viagem que fez para o exterior, a doida resolveu que *tinha* que ser para a Indonésia –, ela cismou que o condicionador caseiro que as indonésias usavam era muito melhor que aqueles caros de perfumaria. Servi de cobaia na época, e o resultado até que foi satisfatório. O creme nem de longe era tão bom quanto os cosméticos que eu usava, mas, comparada ao que eu estava usando naquele momento – detergente sem nada para hidratar –, a gosma da Nina era melhor que nada.

– Madalena, você conhece leite de coco? – Eu já tinha encontrado as outras frutas.

– Leite de coco? Leite?

– Já vi que não. – Sem leite de coco. Humm...

Mas tinha coco na imensa fruteira! E a água de coco era hidratante – pelo menos os médicos a indicavam em caso de desidratação – e, se a água era capaz de hidratar por dentro, por que não por fora? Valia a pena arriscar.

– Errr... Você pode furar este coco pra mim? Não sei fazer isso – me desculpei, estendendo a fruta. – Só preciso da água.

– Claro – disse ela, desconfiada. – Não sabia que a senhorita pretendia cozinhar.

– Madalena, não vou cozinhar. Eu nem sei como fazer isso, já te falei! – assegurei a ela. – Mas preciso fazer um pouco de condicionador pro cabelo. Daqui a pouco, você pode me confundir com um leão e atirar uma panela de água quente em mim.

– Condicionador? Para o cabelo? – sua testa se enrugou.

Suspirei.

– Sim, olha como tá ressecado! Preciso hidratá-lo ou vou acabar parecendo uma vassoura velha.

Enquanto ela abria o coco, adiantei meu trabalho. Amassei meio abacate e uma banana, misturei bem até virar uma papa grossa. Madalena me passou uma caneca com a água de coco. Sob seu olhar curioso, fui adicionando o líquido aos pouquinhos e mexendo até que a consistência ficasse parecida com a de um condicionador de verdade. O cheiro era bom, muito melhor que o xampu com aroma de azeite.

– Pronto – exclamei quando a meleca estava no ponto certo.

Madalena me olhava de um jeito estranho, parecia não entender o que eu faria com aquele mingau esverdeado.

– Quer experimentar? – ofereci.

Ela ergueu o dedo timidamente, passou na papa e depois lambeu.

– Não, Madalena, no cabelo. Quer experimentar usar no cabelo?

Ela me lançou aquele olhar de "Você é doida?".

Revirei os olhos.

– Funciona assim, você lava o cabelo com o xampu. Depois de enxaguar, aplica uma quantidade mais ou menos assim... – peguei um punhadinho na mão – ... espalha no cabelo e enxágua de novo, vai ficar macio e desembaraçado.

Ela não pareceu convencida.

– Eu nunca ouvi falar disso.

– Eu sei! É *por isso* que eu tive que fazer! – Poxa vida! As pessoas podiam se esforçar mais para me entender. Eu não era louca. – Vou deixar um pouco pra você, fiz o bastante pra duas. Você usa e amanhã me conta o que achou, tá? – Coloquei um pouco em uma xícara.

Ela ainda parecia desconfiada.

– Tudo bem, Madalena. Se não quiser usar, não tem problema. Mas eu realmente preciso tratar esta juba. – Toquei meu cabelo ressecado. Pensei que poderia virar pó se o apertasse muito, de tão seco que estava.

– Vou preparar seu banho, senhorita – disse ela, pegando o balde enorme.

– Obrigada, Madalena. – De repente, me lembrei. – Sabe aquele troço que os homens usam para se barbear?

– A senhorita se refere à navalha? – sua testa se enrugou.

– Isso! Preciso de uma. Pode me arrumar?

– Vou pegar uma do patrão. – A desconfiança em sua voz foi mal disfarçada. – Colocarei na mesa de banho.

– Valeu, Madalena. Você é muito bacana. – E saí, para não ter que explicar o uso da navalha.

Minhas pernas e minha virilha iam bem, obrigada – graças ao meu depilador elétrico –, mas minhas axilas... Nunca consegui depilá-las com ele. Os pelos precisavam ter um certo comprimento, e eu não suportava deixar qualquer pelo ali. Usava lâmina de barbear todos os dias. Assim que os pelinhos começavam a aparecer, coçavam e irritavam demais a pele delicada das axilas. E desde sábado eu não tinha uma gilete à mão. A situação estava crítica!

Eu me perdi no corredor – outra vez! – e acabei em uma sala com alguns instrumentos. Lá estava o piano que Ian havia mencionado e uma grande harpa de madeira escura. Curiosa, passei os dedos de leve pelas cordas. O som saiu mais alto do que imaginei. Era um som agradável, ainda que não se parecesse com música. Vi muitas partituras sobre o piano – daqueles sem cauda, que parecem uma escrivaninha quando estão fechados. Pena que eu não sabia tocar! Um pouco de música me ajudaria a acalmar os nervos e a colocar os pensamentos em ordem.

Voltei para o corredor e segui em frente até chegar à sala principal. Estava vazia. Elisa e Teodora não deviam ter voltado ainda. Não vi sinal algum de que Ian estivesse por perto.

Partindo daquela sala, ficava mais fácil encontrar meu quarto, já tinha feito o percurso várias vezes.

A banheira já estava quase cheia quando cheguei. Esperei que os empregados terminassem de arrumar tudo e os agradeci fervorosamente. Agora eu sabia quanto custava preparar um banho. Meus braços ainda doíam um pouco.

Depois de lavar os cabelos, peguei o condicionador caseiro e espalhei a gosma esverdeada por todo o comprimento dos fios, exagerando um pouco. Caprichei principalmente nas pontas ressecadas. Enrolei os cabelos empapados num coque meio solto enquanto usava a navalha afiadíssima. Com muito cuidado, deslizei a lâmina sobre o local já ensaboado e uma pequena linha lisa apareceu. Redobrei o cuidado nas curvas, não queria me machucar – sobretudo porque não tinha certeza se o pronto-socorro já existia. Terminei de usar a lâmina e a coloquei de volta na mesa.

Encostei-me na banheira e deixei meus pensamentos voarem, enquanto esperava que o condicionador fizesse milagres em meu cabelo. Não tinha desistido ainda de resolver o mistério livro-Ian-Santiago-celular. Entretanto, não tive tempo de começar uma única linha de raciocínio, pois a porta de repente se escancarou, fazendo muito barulho, e Ian irrompeu no quarto como um touro bravo.

– O que está fazendo? – perguntou, procurando com os olhos por todo o cômodo. Quando me encontrou na banheira, parou imediatamente.

– O que acha que tô fazendo? Eu tô tomando banho! – cobri os seios com as mãos, não conseguiria pegar a toalha sobre a mesinha de banho sem me expor ainda mais.

Ian me encarou por um segundo, depois seus olhos desceram um pouco até onde estavam minhas mãos, sua boca se abriu e ele corou violentamente.

– O que *você* tá fazendo aqui? – inquiri furiosa e constrangida ao mesmo tempo. Tentei me afundar mais na água esbranquiçada, mas não consegui descer muito.

– Eu... – ele olhava para os próprios pés agora, o vermelho não havia deixado seu rosto. – A senhora Madalena... disse-me que a senhorita pediu uma navalha, e eu pensei... pensei que depois do que lhe fiz esta tarde... – Seu constrangimento o impedia de falar com clareza. Levei alguns segundos para entender sua quase-explicação.

Oh!

– Você pensou que eu tinha a intenção de... me machucar só porque você me beijou?

– Bem... – ainda olhando para o chão. – Perdoe-me, senhorita Sofia. É que já ouvi falar sobre jovens que temem ter perdido sua reputação e cometem atos impensados...

– Pois eu não sou desse tipo. Nem sou covarde! – Se bem que, naquela mesma tarde, eu agi como uma. – De toda forma, eu precisava da navalha para... assuntos particulares. E, agora, se me der licença...

– C-claro, senhorita. Sinto muito por... – ele relanceou os olhos para meu rosto, voltou a olhar para o chão e depois para mim, como se não entendesse o que via. Ele analisava minha cabeça curiosamente. – Por que seu cabelo está verde?

Por puro reflexo, levantei a mão e toquei meu cabelo cheio de gosma verde.

Ai, droga!

Com a confusão, acabei me esquecendo do condicionador.

Claro que as heroínas dos meus romances favoritos, quando eram surpreendidas por seus... amores, amantes, cachos, ficantes ou o que fosse, sempre estavam naturalmente deslumbrantes e gloriosamente vestidas. E lá estava eu, ensopada, nua e com o cabelo verde e gosmento.

Minha mão ainda estava no cabelo quando vi Ian ruborizar ainda mais e arregalar os olhos, baixando-os logo em seguida. Percebi que a parte do corpo que minha mão cobria segundos antes estava agora totalmente exposta.

– Fora! – gritei ultrajada.

Ainda olhando para o chão, ele se inclinou e, sem dizer uma palavra, deixou meu quarto. Meu rosto ardia de humilhação. Por que, sempre que algo importante acontecia, eu acabava em uma situação embaraçosa?

Terminei o banho, furiosa e mortificada. Não só havia beijado Ian, como depois chorado, fugido e agora ele havia me visto nua – realmente nua, não com as roupas que insistia que não cobriam nada – e, para piorar, com o cabelo coberto de meleca verde.

Poderia ficar pior?

Descobri que sim, poderia ficar pior!

Logo que cheguei à sala, percebi que poderia ficar *muito* pior.

19

Eu não tinha intenção de sair do quarto, mas meu estômago se contorcia desconfortavelmente e me vi sem alternativas. Fiquei surpresa ao encontrar Ian na sala, pensei que fosse me evitar depois do incidente embaraçoso em meu quarto – e na estrada. Fiquei ainda mais surpresa quando vi que havia mais cinco pessoas na sala de estar: Elisa, Teodora, um casal mais velho e a garota que conheci no primeiro dia que fui à vila, Valentina *sei-lá-das-quantas*.

– Senhorita Sofia, que imenso prazer em revê-la! – Valentina veio a meu encontro, piscando muito.

Sério, a garota tinha algum problema nos olhos.

– Estava agora mesmo perguntando para a senhorita Elisa se nos daria o prazer de sua companhia – completou, parando bem ao meu lado. Inclinou-se ligeiramente e sorriu.

– Hã... Me desculpe, Valentina. Eu estava...

– Eu estava explicando à senhorita Valentina que você não estava se sentindo bem esta noite – Ian interveio. – Sente-se melhor agora, senhorita Sofia?

Não pude encará-lo. Ainda estava muito constrangida com os eventos daquele dia desastroso.

– Estou – respondi fracamente. – Obrigada, estou bem.

– Fico feliz em ouvir isso. – Elisa colocou as mãos no meu braço. – Estava sentindo sua falta, Sofia.

Maravilha! Mais uma pessoa que ficaria magoada quando eu fosse embora!

Valentina se aproximou do casal mais velho e se dirigiu a mim.

– Senhorita Sofia, quero apresentar-lhe meu pai, senhor Walter de Albuquerque, e minha mãe, senhora Adelaide de Albuquerque.

– Prazer em revê-la, senhorita. Vejo que nos encontramos numa ocasião mais agradável desta vez. Parece estar muito melhor do que quando nos conhecemos. – Sabia que já tinha visto aquele bigode antes! Era o homem de cartola na carruagem. – E Valentina estava demasiadamente ansiosa para revê-la. Parece que causou boa impressão, minha jovem.

– O prazer é meu, senhor. E *causar* é minha especialidade. Nina sempre diz isso. – *A Sofia causou geral!*, ela dizia com frequência, sempre que eu tinha um ataque. Mais ou menos uma vez por semana.

Sorri ao pensar nela. Estava com uma saudade louca da minha amiga.

Apenas eu ri, já que mais ninguém entendeu meu trocadilho. Revirei os olhos e suspirei.

– Bem... – Elisa, percebendo o embaraço geral, tentou mudar de assunto. – Espero que seu vestido já esteja pronto, senhorita Valentina. Certamente virá ao baile no sábado.

– Mas é claro, senhorita Elisa. Já o encomendei. Deve ficar pronto amanhã. Estou muito animada com este baile. O último ao qual fui convidada ocorreu no mês passado na casa do marquês de Bourbon.

Ainda existiam marqueses? Que máximo!

– E não foi um baile muito agradável – explicou sua mãe. Notei de quem a filha herdara tamanha beleza: mesmo sendo mais velha, Adelaide ainda era uma mulher muito atraente. – Alguns cavalheiros se excederam no uísque e tivemos que deixar o baile às pressas.

– Sim, mamãe, eu me lembro. Mas os amigos dos Clarke são mais respeitosos que os do marquês. Creio que por ainda ser solteiro, sem uma boa esposa para guiá-lo no caminho certo, o marquês acabou cercado de amizades inconvenientes.

– Oh, sim! – disse veementemente a senhora Adelaide. – Um homem sem esposa acaba perdendo o rumo. – Notei o olhar que ela lançou na direção de Ian. – Valentina será uma esposa admirável. Foi muito preparada para isso. Não concorda, senhor Clarke?

Que gentileza a dela! Oferecer sua filha tão sutilmente daquela maneira.

– Sim, senhora Adelaide – disse Ian, depois de pigarrear. Ele também notou a oferta. – Suponho que todo homem de bem precise de uma boa esposa ao seu lado. E aquele que conquistar a afeição de sua filha será um homem de muita sorte, certamente.

Valentina baixou os olhos, corando, um pequeno sorriso nos lábios. Vi o constrangimento e a satisfação surgirem em seu rosto de boneca.

Aquilo estava ficando cada vez melhor. Por que foi que eu saí do quarto mesmo?

Os dois homens iniciaram uma animada conversa sobre caça – ainda que eu não pudesse imaginar Ian atirando em qualquer coisa. Valentina se sentou ao meu lado. Ela não tirou os olhos de Ian, e sua mãe, de mim. Eu não parava de pensar que aquela visita para me apresentar a seus pais era apenas uma desculpa e que, no fundo, Valentina e sua mãe queriam investigar o que eu estava fazendo ali e o que Ian achava disso. Adelaide parecia desconfiada de alguma forma e, na verdade, os instintos dela estavam quase certos.

Falei pouco para não correr o risco de dizer asneiras, mas ouvi boa parte da conversa das mulheres. Coisas sem importância para mim: a família Borges também adquiriu uma nova carruagem; o alfaiate brigou com o padeiro e se negava a abrir a loja enquanto este não retirasse a banca de pães da frente de sua porta. E falaram sobre fitas e vestidos – um assunto discutido muito animadamente.

Descobri que Valentina realmente estava apaixonada por Ian. A forma como olhava para ele – com adoração, com prazer, com constrangimento – deixava claro o que sentia.

Não gostei dessa parte.

Vez ou outra, Ian olhava em nossa direção e sorria. Não pude ter certeza se seus sorrisos eram destinados a mim ou à garota pequenina, delicada e inocente ao meu lado. Valentina corou e baixou a cabeça toda vez que o viu sorrir. Senti meu rosto esquentar também, mas não por constrangimento.

Como ele se atrevia? Flertar com Valentina bem na minha frente? E todas as coisas que me disse naquela tarde? E aquele beijo?

No entanto, assim que consegui recuperar o bom senso, pensei que talvez fosse bom que ele se interessasse por ela. Valentina poderia ser uma ótima esposa e uma irmã muito atenciosa para Elisa. Dava para ver que as duas tinham afinidade. Se bem que eu achava difícil Elisa não gostar de alguém, praticamente impossível.

Com o coração pesado, compreendi que talvez a vida de Ian seguiria esse curso se eu não tivesse simplesmente me transportado para aquele século e bagunçado tudo. E eu queria que ele fosse feliz. Valentina seria perfeita para ele. Era linda, apesar do pisca-pisca irritante, usava o vestido bufante sem problemas, saberia como recepcionar os convidados nas festas e jantares, saberia organizar a casa e os empregados. Ensinaria a Elisa o que uma mulher do século dezenove precisaria saber e, quando conversasse com os amigos do seu marido, não os chocaria.

Eu era a pedra no sapato, não ela.

De repente, meu estômago se retorceu, a fome já havia sido esquecida.

– Elisa, se importa se eu for pro meu quarto? Estou com dor de cabeça e não serei uma companhia muito agradável para ninguém – sussurrei.

– Ah, que pena! – ela lamentou desanimada. – Quer que eu peça à senhora Madalena para lhe fazer um chá?

– Não, obrigada. – Eu só queria sair dali. O mais rápido possível!

– Espero que melhore logo, senhorita Sofia – Valentina me disse com olhos sinceros. – É uma pena não termos sua companhia no jantar...

Apenas concordei com a cabeça. Não queria ficar perto dela nem mais um minuto. Porque, apesar de tudo, ela parecia ser uma boa garota. Não queria acabar gostando dela e me sentindo uma vadia por interferir no seu destino. Pois, diferente de Teodora, Valentina parecia se importar com Ian, e eu não poderia odiá-la mesmo que tentasse. Ela era amável e gentil, a mulher certa para ele. Meu estômago revirou outra vez.

Desculpei-me com os outros convidados e disparei feito um raio para meu quarto. Não olhei para Ian. No entanto, quando eu estava na metade do longo corredor mal iluminado, ouvi passos pesados atrás de mim e me virei para ver quem era.

Ian, claro, vindo ao meu encontro.

Andei mais rápido, tentando chegar ao quarto antes que ele pudesse me alcançar.

– Senhorita Sofia – ele chamou à meia-voz.

Por que me arrepia o corpo todo apenas ouvir o som de sua voz? Argh!

Não parei. Continuei mais rápido até estar quase correndo. Ouvi seus passos se acelerarem também.

– Senhorita Sofia – ele repetiu mais firme.

Eu realmente corria agora. Lancei-me para dentro do quarto como uma bola de canhão e comecei a fechar a porta. Mas Ian estava mais perto do que eu pensava. Ele colocou o pé entre as portas, antes que eu pudesse fechá-las. Tentei empurrar mais forte, usando todo o peso do meu corpo como apoio, esmagando seu pé, mas foi em vão. Derrotada e sem outra opção, desisti, deixando as duas partes da porta se escancararem.

– O que você quer? – perguntei friamente.

– Quero falar com você – ele exigiu.

– Acho que não é nem a hora nem o lugar ideal pra isso. Pode falar comigo amanhã. Agora volte para seus convidados e me deixe em paz!

Seus olhos ficaram tão tristes que meu coração se encolheu dentro do peito.

– Por que está fazendo isso? – ele perguntou em voz baixa, intensa.

Calafrios subiram e desceram por minha espinha.

– Não estou fazendo nada – respondi petulante.

– Está fingindo que nada aconteceu. Que nada mudou. – O brilho prateado em seus olhos negros me perturbava. Por que ele tinha que me olhar daquele jeito? Ele continuou: – Por que me manda embora?

Fiquei parada apenas o encarando, sem saber bem como responder a sua pergunta.

– Sofia – ele sussurrou. – Não sei o que você quer, mas basta me dizer e eu farei.

– Quero que volte para a droga do jantar – minha voz subiu um pouco. Minhas emoções estavam tão confusas quanto meus pensamentos. – Quero que volte e aproveite a companhia adorável da *futura esposa perfeita*! Quero que se divirta com os sorrisos inocentes de Valentina. Quero que fique bem longe de mim! Quero que suma da minha frente! – Tentei fechar a porta para que meu recado fosse ainda mais explícito, mas Ian não se moveu.

A última coisa que eu esperava ver em seu rosto era um sorriso, que se tornava cada vez maior conforme os segundos passavam.

– Você está com ciúme – ele afirmou, satisfeito.

– Eu? Com ciúme? De você? Rá! – Tentei empurrá-lo para fora mais uma vez, com a ajuda da porta, mas ele era grande demais, forte demais.

– Pois eu penso que está – seu sorriso enorme me irritou ainda mais. Eu queria tanto quebrar seu nariz!

– Não dou a mínima pro que você pensa. Agora, por favor, saia. Você já invadiu meu quarto hoje! Por que não pode simplesmente me deixar em paz? – Usei toda minha força para fechar a maldita porta. Ele me impediu com facilidade.

– Eu preciso lhe fazer uma pergunta, depois a deixarei em paz. Prometo.

Suspirei e desisti. Meus dedos doíam pelo esforço e eu não consegui mover Ian nem um único milímetro.

– Então comece logo, estou cansada – bufei derrotada.

– Lembra-se do que conversamos esta tarde?

– Poderia ser mais específico? Falamos sobre muitas coisas.

Ele sorriu maliciosamente.

Argh!

– Certamente. Esta tarde você me disse que nunca assistiu a uma ópera, não disse? – perguntou, com os olhos brilhando de entusiasmo.

– E daí? – tentei parecer indiferente, mas o assunto que ele escolheu realmente me pegou de surpresa.

– Pois mandei Isaac comprar nossas entradas para a apresentação de amanhã à noite. Então, eu queria... ter certeza de que não mudou de ideia depois de meu comportamento... grosseiro.

– Grosseiro? Acho que dizer que se comportou como um animal seria mais adequado – minhas bochechas queimaram de vergonha com a lembrança de seu rosto abismado olhando meu corpo nu na banheira.

– Não imagina quanto lamento por ter invadido sua privacidade daquela maneira, senhorita – o embaraço em sua voz estava espelhado em seu rosto. – Não se repetirá, prometo.

– É mesmo? Porque tenho a impressão de que está fazendo exatamente a mesma coisa agora! – rebati, cruzando os braços.

Sua boca se retorceu e a testa se enrugou. Ele ficou constrangido. Constrangido e infeliz.

– Você está certa. – E recuou um passo, deixando o caminho livre para que eu pudesse fechar a porta.

Não a fechei, entretanto. Encarei-o por um tempo. O rosto triste me impediu de bater a porta e ficar dentro do quarto.

– Então, irá comigo? – indagou inseguro, depois de um tempo em silêncio. – Ao espetáculo? À ópera?

– Você e eu? – Ele estava brincado comigo?

– Sim. Eu e você – disse com cautela. – Teodora e Elisa certamente também irão. É uma peça muito aclamada. *La Cenerentola*, de um jovem músico, Rossini. Já ouviu falar dele?

– Acho que não. Não sou muito de ópera. – Ele já sabia disso.

Ian esperou. Depois de um tempo, desistiu e perguntou novamente.

– E então? Irá me acompanhar amanhã? – sua voz era grave, urgente.

– Tem certeza que não prefere convidar Valentina? Ela sem dúvida saberá quem é esse tal Rossili.

– Rossini – corrigiu, tentando não sorrir e não obtendo sucesso. – Apesar de suas negativas, senhorita, tenho a impressão de que está com ciúme da senhorita Valentina.

Ele ergueu a mão quando tentei protestar, dando um passo à frente para se aproximar outra vez, e colocou um dedo sobre meus lábios.

– Não precisa se dar ao trabalho de negar, acho que já a conheço bastante bem para saber que jamais admitiria tal coisa. E não há motivo para se sentir enciumada, posso lhe garantir.

Meu corpo reagiu de imediato ao seu toque. E, pelo que vi em seus olhos, o dele reagia do mesmo modo. Totalmente sem controle.

Eu quis dizer a ele para ir embora. Eu quis! Mas meus lábios não responderam ao comando, não porque o dedo sobre eles me impedisse – mal me tocava, exercia uma suave pressão –, mas porque eu simplesmente não era capaz de falar coisa alguma. E não pude dizer mais nada, pois uma grande parte de mim queria mandar tudo para o inferno e se agarrar a ele.

Instantes depois, Ian delicadamente acompanhou o desenho de meu lábio inferior com o dedo. Pequenos tremores abalaram minha estrutura. E então, de repente, sem mais nem menos, ele se afastou. Fiquei desnorteada, sem equilíbrio.

– Desculpe-me. Isso não irá se repetir. Eu prometo – afirmou constrangido.

Eu não sabia se ria da situação ou se chorava em desespero. Ele estava me dando o que eu pedi. Estava mantendo distância.

– Ótimo! – menti, ainda ofegante.

Ian colocou as mãos no bolso da calça e, depois de hesitar, falou:

– Então, me acompanhará amanhã? – a insegurança em sua voz me desarmou completamente.

– Se mantiver suas mãos longe de mim... – dei de ombros. Queria que ele soubesse que eu não me importava que não quisesse me tocar outra vez! – ... tudo bem.

– Já lhe prometi isso antes. Serei mais cuidadoso daqui em diante, lhe asseguro – vi seu rosto escurecer como uma nuvem de chuva através da fraca luz das velas. A obstinação que vi nele não deixava dúvidas de que cumpriria sua promessa.

Assenti, frustrada. Eu não sabia mais o que queria...

– Boa noite, então – e peguei as maçanetas, começando a fechar as portas lentamente.

– Até amanhã, Sofia – ele sussurrou e, enquanto eu observava sua figura desaparecer pelo corredor, senti que meu mundo, de pernas para o ar há alguns dias, desmoronava de vez.

20

Fiquei deitada na cama por um tempo, observando os desenhos da luz clara da manhã – um gracioso balé de luzes brancas e quentes.

Meus olhos ainda ardiam um pouco, mesmo depois de ter dormido. Engraçado, eu nunca fui esse tipo de garota, que chorava por qualquer coisa, mas era a primeira vez que eu me apaixonava de verdade. Não sabia bem o que estava fazendo.

Eu queria muito sair da cama e encontrar Ian. E também não queria. Sentimentos novos e contraditórios me deixaram tão desnorteada que eu nem me toquei que já era quarta-feira. Isso significava que restavam apenas mais três dias até Santiago voltar com alguma notícia.

Só mais três dias.

Entretanto, não me animei muito com isso. Na verdade, se deu justamente o oposto: fiquei irritada e inquieta. Saí da cama e me vesti apressada. Olhei no espelho e vi que meu cabelo estava um pouco mais domado. Fiz um rabo de cavalo e, depois de jogar água no rosto, saí dali com muita pressa. Não tinha tempo a perder. Talvez fossem meus últimos três dias.

Estranho que certos desejos tivessem mudado tão depressa. No domingo passado, eu estava desesperada para sair dali o mais rápido possível, nem que fosse numa mula voadora. E agora estava angustiada por ter tão pouco tempo para ficar.

– Senhorita Sofia, bom dia! – o mordomo me interceptou no corredor. Trazia uma pilha de lençóis dobrados nas mãos e, ainda assim, conseguiu se inclinar exageradamente. – Espero que esteja se sentindo bem hoje.

– Bom dia... Puxa, esqueci seu nome. Me desculpe – falei constrangida. Era muita falta de educação de minha parte esquecer o nome dele, mas eu havia conhecido tanta gente em tão pouco tempo, e ainda tinha que assimilar toda essa nova situação com Ian.

– Gomes, senhorita, a seu dispor – ele se inclinou outra vez.

– Gomes – repeti para tentar fixar na memória. – Sabe se Elisa já acordou?

– Sim, ela está na sala de jantar acompanhada pelo senhor Clarke.

– Valeu, Gomes. Vou até lá. Tô varada de fome. Acabei indo dormir sem comer nada ontem.

Ele apenas sorriu, confuso.

Encontrei Ian e Elisa à mesa, conversando animadamente.

– Bom dia, Sofia! Está se sentindo melhor? – Elisa perguntou, preocupada.

Eu me senti mal por ter mentido para ela na noite passada. Mas o que eu podia dizer? *Elisa, tô saindo fora porque cansei de ver esta periguete dar em cima do seu irmão. Já te contei que estou apaixonada pelo Ian?* Claro que não podia dizer isso. E Valentina não era realmente uma periguete.

– Bom dia, Elisa. Estou bem, obrigada. – Lancei um olhar furtivo para Ian, mas ao que pareceu minha presença não o importunou. – Oi, Ian.

– Bom dia, senhorita – ele disse simplesmente, com o rosto impassível.

– Onde está Teodora? – perguntei a Elisa.

– Voltou para casa para preparar o vestido para hoje à noite. Ah, Sofia, que bom que está se sentindo bem! Assim, poderemos todos nos divertir juntos. Faz muito tempo que não vamos à ópera, não é, Ian?

Ele assentiu, os olhos grudados em Elisa.

– Acho que gostarão desta ópera. Ouvi falar muito bem dela. Parece que fez muito sucesso na Europa há alguns anos.

Ian parecia o mesmo de sempre: educado, a voz calma, o sorriso no rosto. Apenas os olhos estavam diferentes. Pareciam tristes, mesmo quando sorria.

– Está com fome, Sofia? – Elisa esticou o braço, indicando a cadeira para que eu me sentasse.

– A senhorita Sofia está sempre com fome – Ian respondeu, sem tirar os olhos de sua xícara.

Um sorriso involuntário apareceu em meu rosto. Ele realmente prestava atenção nas coisas que eu dizia.

— Na verdade, estou faminta — concordei, ainda sorrindo. — Ainda bem que Teodora não está aqui pra me encher o saco. Sou capaz de devorar um boi hoje!

Elisa riu abertamente, exibindo as adoráveis covinhas. Ian tentou esconder o sorriso atrás da xícara, mas vi quando seus olhos se enrugaram nos cantos.

Servi-me de bolo, leite, café, um pão escuro e meio duro — mas muito saboroso — e algumas frutas.

— Por que Teodora precisa preparar o vestido? — Não tinha entendido essa parte.

— É que ela não terá tempo para comprar um novo tão em cima da hora, então voltou para casa para que sua criada faça algumas alterações em um vestido que já tinha. Acho que ela o usou apenas uma vez.

Minha boca cheia de comida me impediu de perguntar imediatamente. Engoli e, depois de tomar um pouco do leite, indaguei:

— Mas pra que tudo isso? — Quem se importava que o vestido já tinha sido usado? E apenas uma vez?

— Ora, senhorita Sofia. Apenas os mais nobres da sociedade vão à ópera. Penso que é a única maneira de mostrarem uns para os outros quanto são ricos e importantes. — Ela fez uma careta, isso a divertia. — É o que penso! E creio que já notou como Teodora adora encontrar desculpas para comprar um novo vestido.

— Isso eu notei!

De vez em quando, eu olhava furtivamente para Ian, que sempre estava olhando para qualquer outra coisa, menos em minha direção.

— Então, eu já entreguei meu vestido para Madalena engomar e outro para que ela possa soltar a bainha e deixá-lo mais longo.

— Você vai usar dois vestidos, Elisa?

— Não. Apenas um. O outro você usará — seu sorriso se alargou.

— Ah, não! Não mesmo! — minha voz se alterou. — Não vou acabar com seus vestidos e, além disso, Ian me comprou dois vestidos novos. E ainda tem aquele do baile! Não vou pegar outro emprestado de jeito nenhum. Ainda mais agora que estou tão perto de ir embora.

Duas cabeças se levantaram abruptamente.

– Perto? – Ian indagou. Sua testa estava vincada e seus olhos faiscando, a voz era apenas um sussurro.

– Bom... ainda não tenho certeza, mas, se minhas suspeitas estiverem certas, acho que pode ser neste sábado, talvez domingo. – Vi a tristeza invadir seus olhos, seu rosto se retorcer em angústia.

Meu coração bateu dolorosamente mais rápido quando percebi quanto o magoou saber disso. Ian sacudiu a cabeça devagar, respirou fundo e, de repente, parecia não saber o que fazer.

– Eu... Hã... Perdoem-me, preciso... Preciso... – ele não terminou, apenas se levantou e saiu apressado.

Fiquei olhando até suas costas desaparecerem no corredor. Eu queria correr atrás dele, abraçá-lo e dizer que tudo ficaria bem. E desejei muito, muito mesmo, que isso fosse possível, que no final tudo ficasse bem de alguma forma. Mas, apesar da estranha situação em que eu me encontrava ainda era a vida real e não um faz de conta. As histórias nunca terminavam bem na vida real.

– Ele a estima muito... – falou Elisa, também triste – ... assim como eu. Queria que ficasse mais um pouco. – Seu rosto delicado também estava infeliz. E eu detestava cada vez mais a *bruxa vendedora* por permitir que pessoas como os dois fossem magoadas.

– Também gosto muito de vocês, Elisa. Demais, na verdade. Mas não posso ficar. Eu nem deveria estar aqui, pra começo de conversa – falei, sufocada pela tristeza que me invadiu. – Queria poder dizer que nos veremos de novo, mas nem isso será possível. Será adeus pra valer.

Seus olhos brilharam e notei, com horror, que os meus também estavam úmidos.

– Bem – eu disse, fungando. – Não vamos perder tempo chorando! Se vamos ter apenas mais alguns dias, vamos aproveitar.

– Certo – ela disse, com algum esforço para soar tão segura. – Então, que tal começar pelo vestido?

– Ai, Elisa! – Teimosia devia ser herança de família por ali. – Eu já te expliquei!

– Você me magoaria se não aceitasse usá-lo. É apenas um empréstimo. Depois, peço a Madalena para subir a bainha outra vez. – Seus olhos grandes e brilhantes pelas lágrimas me encheram de culpa.

– Tá bom – eu disse exasperada. Então, me lembrei: – Elisa, eu queria conversar com você. Só nós duas – pedi conspiratoriamente, olhando para os lados. – Num lugar mais reservado.

– Podemos falar em meu quarto – ela sugeriu.

– Beleza! Quero dizer, ótimo!

Ela riu. Depois de algumas fungadelas e de secar os olhos, fomos até o quarto de Elisa. Um quarto que parecia o de uma princesa de conto de fadas, com delicados tecidos brancos e cor-de-rosa cobrindo toda a mobília. Era lindo e acolhedor, assim como sua dona. Depois de passar a chave na porta, Elisa se sentou ao meu lado na cama grande de dossel.

– Ninguém nos perturbará aqui. O que quer falar que parece ser tão importante e que ninguém mais deve ouvir?

– Errrr.... – Imaginei que seria mais fácil começar. – Eu... queria falar sobre uma coisa que... Primeiro, prometa que não contará a ninguém sobre o que conversaremos! – implorei, agarrando suas mãos. – Principalmente para o Ian! Ele me mata se souber que te contei o que vou te contar.

– Eu prometo – ela disse, alarmada. – Estou ficando preocupada, Sofia.

– Não fique, Elisa, não é nada tão horrível assim, mas você precisa saber de algumas... coisas que só uma mulher mais velha pode te explicar. E seu irmão deu a entender que ninguém vai ter essa conversa com você. Sua mãe talvez gostasse de te explicar como tudo funciona, mas já que ela...

Não estava dando muito certo. E aquela conversa era muito importante para uma garota. Respirei fundo e tentei me lembrar de como foi a minha com a minha mãe. Talvez ela tenha tido mais tempo para se preparar...

Pensando nisso, decidi fazer o que minha mãe havia feito. Sondei o que Elisa sabia primeiro, para ter por onde começar.

– Elisa, você sabe o que um homem e uma mulher fazem no quarto quando são casados?

– Eu acredito que eles durmam – ela disse confusa.

– Sim – concordei lentamente. – E o que mais?

– Tem mais?

Ai, Deus!

– Tem muito mais, Elisa. Tem a parte principal de um casamento! – Essa conversa seria complicada. Seria como explicar para uma criança de seis anos, se é que Elisa sabia *tudo* o que uma criança de seis anos do meu tempo sabia.

Seus olhos azuis se arregalaram.

– É mesmo? Ninguém nunca me disse nada! Que parte é essa? – ela exigiu saber, agarrando uma de minhas mãos.

– Já ouviu alguma coisa sobre... fazer amor? – imaginei que esse fosse o termo mais adequado para a época.

– Hã... Não.

– E sobre sexo?

Ela corou um pouco. Talvez soubesse de alguma coisa afinal.

– Bem... Uma vez, uma professora disse algo sobre homens serem governados pelo sexo, mas não explicou mais nada. Perguntei a Ian o que ela quis dizer com isso, mas meu irmão me deu uma bronca e me deixou de castigo. Disse que jovens de família não deviam usar tais palavras, muito menos pensar sobre o assunto. Nunca! Então, imaginei que fosse uma coisa ruim e não perguntei a mais ninguém.

Se Ian descobrisse o que eu estava prestes a fazer, me estrangularia, sem dúvida alguma.

– É sobre isso que vamos conversar. Sobre sexo. Vou te explicar como tudo funciona para que não se assuste com absolutamente nada quando se casar, apenas... se divirta.

Ela assentiu, séria.

Respirei fundo e comecei explicando as diferenças entre o corpo feminino e o masculino. Ela já vira um bebê sem roupas, o que facilitou um pouco a coisa. Quando comecei a explicar sobre o ato, onde cada coisa se encaixava, seu rosto assumiu um tom vermelho intenso, quase roxo, mas eu não parei. Ela tinha que saber como tudo funcionava. Toda mulher precisava saber.

Respondi a todas as suas perguntas, coisas que me lembrava de ter perguntado a minha mãe também. *Dói? Vai sangrar? E se não sangrar, o que ele vai pensar? Preciso tirar toda a roupa? E se eu ficar com medo? Como pode ca-*

ber? Vou gostar disso? E se eu não tiver um orgasmo, significa que tem algo errado comigo?

Expliquei tudo: que ela não precisava temer porque, quando encontrasse alguém que realmente amasse, tudo seria natural. Que o corpo dela também iria querer fazer aquilo. Que não era apenas o homem que era governado pelo sexo. Que as mulheres também se divertiam muito, até mais que os homens, já que orgasmos múltiplos eram exclusividade feminina. Para outras perguntas, porém, eu não estava preparada. *Então, se eu me sentar no mesmo lugar onde um rapaz estava sentado, não vou ter um bebê?*

Ensinei a ela como fazer as contas para evitar a gravidez, fiz com que repetisse os cálculos diversas vezes para que não se esquecesse. Expliquei sobre a gestação, apesar de que essa parte eu também conhecia apenas na teoria, porém contei a ela tudo que sabia.

Quando terminei, sua expressão era um misto de vergonha, alegria e satisfação. Isso me fez sorrir – ela estava feliz por saber o que acontecia na cama de um casal.

– Então, aquela história de que uma jovem pode ter filhos apenas por beijar um rapaz é mentira! – disse ela, abismada.

– É sim. – Aí me corrigi: – Bem, só com beijo é mentira, se só a língua dele estiver dentro de você... – Segurei suas mãos e olhei em seus olhos. – Mas não saia beijando por aí, Elisa! – Ela era jovem e precisava de todas as explicações. – Ainda mais aqui, onde a reputação de uma garota conta tanto. Sexo é diferente de amor. Sexo é físico, enquanto o amor é emocional. Você pode sentir desejo por alguém sem necessariamente amá-lo. O ideal é que sinta as duas coisas pela mesma pessoa. – *Assim como eu sinto por seu irmão*, eu quis acrescentar.

– Eu entendi. Fique tranquila – ela sorriu, acanhada. – Não vou beijar ninguém.

Olhei para ela. Seus olhos tão azuis, mas que, de alguma forma, me lembravam os de Ian, me trouxeram recordações de outra conversa que tive com ele.

– Elisa, me prometa uma coisa.

– Prometo – ela concordou solene, antes mesmo de eu dizer o que queria. Ela não tinha a desconfiança que eu tinha das pessoas. Assim como Ian. Talvez o século vinte e um não fosse tudo isso, afinal...

– Prometa que apenas se casará quando se apaixonar por alguém. Prometa que só se casará com alguém que realmente ame! Nada de casamento arranjado.

– Prometo! Ainda mais depois de tudo o que me contou – e sacudiu a cabeça, corando levemente. – Se não amá-lo demais, não serei capaz de permitir que veja minha anágua, que dirá me ver sem ela! – disse, um pouco escandalizada. – Obrigada, Sofia. Eu adoro você! – e lançou os braços em meu pescoço.

– Eu também, Elisa. Quero que você seja muito feliz! Mesmo que eu não possa ficar aqui pra ver.

– Ah, Sofia! Se pudesse enxergar como você é importante para o meu irmão e para mim, jamais nos deixaria.

– Vocês também são muito importantes pra mim, acredite! Você é como uma irmã caçula. – Minha outra irmã era Nina, mas ela era três meses mais velha que eu. Minha irmã mais velha. Minha querida Nina! Percebi que, se ficasse abraçada com Elisa por muito tempo, eu voltaria a chorar, então a soltei e tentei sorrir.

– Agora é sua vez de me ensinar – pedi.

– Ensiná-la? – sua testa se enrugou.

– Claro! – ergui as pernas, apoiando os pés na beirada da cama, e abracei os joelhos. – Me ensinar o que eu devo fazer na ópera. Ou melhor, o que *não devo* fazer na ópera!

– Ah! – ela riu. – Entendi.

Prestei bastante atenção no que ela me disse: me inclinar quando alguém fosse apresentado, e nada de "valeu", "beleza", "e aí" ou coisa parecida. Meus cabelos deveriam estar presos. As mulheres solteiras sempre se sentavam à frente dos cavalheiros. Basicamente, ela me disse o que eu já tinha visto em filmes de época. Tentei memorizar tudo para não colocar ninguém em uma situação embaraçosa.

Sacudi a cabeça, rindo.

Como se isso fosse possível!

21

Encontrei Madalena em meu quarto, deixando um vestido rosa sobre a cama.

– Oh! Senhorita Sofia. Acabei de ajustar o vestido. Ficará muito bonita com ele – ela exclamou, colocando as mãos sobre o peito.

– Obrigada, Madalena. Eu disse a Elisa que não era necessário, mas ela não me deu ouvidos.

– Que bom! Uma jovem como a senhorita precisa se vestir à altura de sua beleza. E este aqui é um dos mais bonitos! Sei que Elisa usou este vestido apenas uma vez. Ninguém notará.

– Não ligo para isso – dei de ombros.

Quando se vive com um salário apertado como o meu, se aprende a aproveitar todas as roupas de formas muito criativas. E, apesar de estar em outro século, eu continuava pegando roupas emprestadas das amigas. Um ciclo que nunca teria fim, ao que parecia.

– Quer que eu a ajude a se vestir, senhorita? – ofereceu.

– Não, Madalena. Eu me viro bem sozinha.

– Como quiser. – Ela hesitou. Parecia que queria me dizer mais alguma coisa e depois mudara de ideia.

– Tá tudo bem, Madalena?

– Eu... queria saber se... a senhorita poderia me ensinar a fazer o condicionador – ela corou.

Eu ri.

– Ah! Você usou, então? – Mulheres sempre seriam as mesmas com relação aos cabelos, não importava a década ou o século em que viviam.

– Nunca experimentei nada parecido! – disse maravilhada. – Pode me ensinar?

– Claro, Madalena. Amanhã eu faço mais e você presta atenção, pode ser?

– Certamente – exclamou satisfeita. Ajeitou as saias, olhou para ver se estava tudo em ordem e saiu do quarto. – Se precisar, estou às ordens, senhorita.

Observei o vestido bordado, tocando as pequenas contas transparentes com a ponta dos dedos. Um vestido do tipo princesa de conto de fadas, bufante, com alças largas que caíam nos ombros. Essa seria uma das coisas das quais eu não sentiria saudades quando voltasse para casa, os vestidos longos. E a casinha – acrescentei rapidamente à lista.

Comecei a me produzir, primeiro colocando o vestido – e me sentindo um gigantesco suspiro cor-de-rosa de padaria – e, em seguida, fiz uma maquiagem mais elaborada. Um pouco de sombra, um pouco de blush, batom e máscara para cílios. Queria ter algum delineador para fazer o contorno dos olhos, mas tive que me contentar em fazer um risco de forma imprecisa com o pincel para sombra – daqueles curtos, com duas esponjinhas nas pontas. Esfumei tudo e ficou bastante razoável.

Depois, cheguei ao mais complicado: o cabelo. O que fazer com ele? Elisa disse que as mulheres não iam, jamais, à ópera com os cabelos soltos. Na verdade, as mulheres jamais deixavam seus cabelos soltos na presença de outras pessoas – homens, principalmente.

Fiquei me olhando no espelho, tentando lembrar de algum penteado fácil de fazer.

Ah, se a Nina estivesse aqui!

Mas eu estava sozinha e tinha que me virar do jeito que desse. E como não tinha muitas opções – eu não sabia fazer muita coisa além de rabo de cavalo e coque, só que para isso precisaria de alguns grampos e eu não tinha nenhum – resolvi fazer uma trança lateral meio frouxa. Alguns fios ficaram soltos, mas achei que ficou bem bacana. O elástico preto destoava um pouco, mas dava para disfarçar colocando uma flor sobre ele, e foi exatamente o que fiz. Peguei uma flor branca do vaso do corredor e a prendi no elástico.

Eu estava usando uma flor no cabelo! Agora tinha chegado ao fundo do poço.

Dirigi-me até a sala para esperar pelos outros e encontrei Ian sozinho, vestindo um smoking preto completo, muito parecido com os atuais. Tinha uma cartola nas mãos e uma expressão séria no rosto.

Meu Deus, como ele está lindo!

Assim que Ian ouviu minha chegada, se pôs de pé e se curvou, como sempre.

– Senhorita – ele disse, enquanto seus olhos percorriam meus cabelos, meu rosto, meu corpo, até meus pés dentro dos tênis vermelhos, que dessa vez não apareciam graças ao trabalho de Madalena. – Se me permite, preciso dizer que você está muito... – ele hesitou.

Fiquei um pouco apreensiva.

– Estou ridícula, não estou? Eu sabia! Eu disse a Elisa que...

– Não, senhorita Sofia – ele me interrompeu, apressado. – Estou tentando encontrar a palavra adequada para descrevê-la agora. Não acredito que exista uma única palavra que descreva tanta beleza – seu sorriso se alargou. – Creio que *esplendorosa* e *magnífica* não façam justiça à sua figura neste momento.

– Ah! – corei um pouco. – Obrigada, Ian. Você também está um arraso!

Ele piscou algumas vezes antes de falar outra vez.

– Desculpe-me. O que disse? – perguntou, confuso.

Suspirei, revirando os olhos.

– Você está um arraso. Tão lindo que pode causar um ataque cardíaco em alguma garota desavisada – expliquei, corando para valer. – É como pessoas da minha idade se expressam. Me desculpe. Estou realmente tentando evitar esse tipo de expressão, mas é tão difícil! Velhos hábitos, lembra?

– Sim, eu me lembro. E não se desculpe. Gosto de ouvir você dizê-las. Creio que acabo de encontrar o que procurava. Você está um *arraso*, Sofia!

Meus joelhos sacudiram um pouco quando ouvi sua voz baixa e rouca dizer meu nome.

– Onde está Elisa? Estou atrasada? – mudei de assunto para não me jogar em cima dele, como eu queria desesperadamente fazer.

– A senhorita Teodora mandou a carruagem até aqui para buscar Elisa. Parece que era uma emergência. Algo sobre fitas ou outra coisa... – *Ah, sem dúvida uma emergência!* – E não está atrasada. Estamos bem de tempo. Podemos partir agora mesmo e pegar Elisa e a senhorita Teodora no caminho. Está pronta?

– Estou. Acho que, depois de tudo isso, estarei pronta pra qualquer coisa!

– O que disse?

– Hã... nada.

Pensei que seria uma viagem longa até a casa de Teodora. Não que fosse longe ou a estrada estivesse ruim e esburacada, mas ficar com Ian a menos de um palmo do meu corpo, numa carruagem fechada, me deixou inquieta; o tempo parecia rastejar. Tantas coisas pecaminosas entraram na minha cabeça sem ser convidadas... Tentei rebatê-las, mas algumas imagens já estavam plantadas ali: abrir os botões de sua camisa, correr as mãos por seu peito rijo, beijar sua boca cheia e perfeita, depois deslizar os lábios na pele macia do pescoço, sentindo seu gosto em minha língua...

– Está me ouvindo, senhorita? – perguntou Ian, tocando meu braço e me despertando do sonho. – Você está bem?

– Ah! Está tudo bem – acho que eu corei. – Estou ótima, por que não estaria?

– Eu lhe fiz a mesma pergunta duas vezes e você não pareceu me ouvir – explicou com as sobrancelhas quase unidas.

– Eu... Eu... Estava sonhando acordada, eu acho. Me desculpe – abaixei a cabeça embaraçada, meu rosto ardia.

Sua mão rapidamente deixou meu braço e descansou sobre sua perna. Ian sorriu.

– Ao menos, espero que o sonho tenha sido agradável.

– Nem faz ideia! Mas o que me perguntou antes? – me apressei a questionar para que ele não pudesse ter mais detalhes do meu "sonho".

Ele olhou pela janela e apontou.

– O que acha?

Estiquei o pescoço para ver o que ele apontava. Bem ao longe, vi uma enorme construção, com muitos andares e a largura de três ou quatro casarões.

– É um castelo? – perguntei, em dúvida. Não sabia da existência de nenhum castelo no Brasil, mas vai saber.

– Não. É uma mansão, apenas. O que acha?

– Acho enorme! Por quê?

– Estou pensando em comprar essa propriedade – contou presunçoso.

Franzi a testa.

– Por quê? Não tem quartos o bastante naquele seu labirinto? – Voltei a admirar a construção. Havia uma quantidade enorme de janelas. Poderia muito bem ser um hotel luxuoso.

Ian riu outra vez.

– Não é para mim. É para Elisa! Para quando se casar. Não quero que ela vá para longe.

Contemplei uma última vez a mansão, que mais parecia ter saído de um filme.

– Bem, ainda acho que se parece com um palácio, mas... – me aproximei mais da janela, colocando a mão sobre o vidro – ... é linda!

– Estava pensando a mesma coisa – Ian falou, a voz um pouco rouca.

Virei-me, encontrei seu olhar penetrante e paralisei. Só então percebi que tinha me aproximado demais, que meu rosto estava a meros centímetros do dele.

Meu coração disparou quando vi seus olhos negros ganharem aquele brilho prateado. Senti o martelar em minhas veias aumentar até zumbir em meus ouvidos. Não me movi um centímetro sequer, fiquei ali parada, o encarando de volta, querendo muito obedecer aos impulsos de meu corpo e esquecer o que minha cabeça me dizia.

– Sofia. – Hesitante, ele tocou meu rosto. – Eu queria que... – Ele se calou e a frase inacabada me deixou arrepiada.

Sim, eu quis dizer, *eu também queria*. Mas, em vez disso, sem poder me conter, também toquei seu rosto, sentindo a maciez de sua pele contrastando com a aspereza dos fios da barba que já teimavam em aparecer.

Foi o que bastou para incentivar Ian.

Não me afastei quando sua outra mão enlaçou minha cintura, me puxando para mais perto, nem tentei impedi-lo quando seu rosto se aproximou do meu com a clara intenção de me beijar. Não o empurrei quando seus lábios gentilmente pressionaram os meus. Ao contrário, agarrei-me à gola de sua camisa com a intenção de nunca mais soltá-lo. Sua boca faminta devorava a minha, e correspondi com a mesma intensidade, até que tudo ao nosso redor se tornou um borrão sem sentido. E mais uma vez a sensação de estar viva me sufocou como uma avalanche. Naquele exato momento, com seus lábios colados aos meus e seus braços me prendendo com urgência, tudo parecia estar no lugar certo.

Inclusive eu mesma.

Ian deslizou os lábios até meu queixo, meu pescoço e todo o caminho até minha orelha. Meu coração já acelerado quase saiu pela boca.

– Sofia – ele sussurrou.

Um jorro de prazer percorreu meu corpo todo, me fazendo estremecer. Quando sua boca recapturou a minha, eu já tinha dificuldade para respirar, mas me apertei ainda mais contra ele. Porém ainda não era perto o bastante.

Seguindo as ordens de meu corpo, passei as pernas ao redor de seu quadril, apoiando os joelhos no assento da carruagem, e grudei todas as partes de mim a ele. A forma como Ian me beijou depois disso foi quase selvagem. Ele me apertou tanto, na ânsia de afugentar a distância inexistente entre nós, que eu mal sabia dizer onde ele terminava e eu começava; éramos um só naquele instante, grudados como um adesivo. Um gemido rouco escapou de seus lábios, e imediatamente eu soube onde aquilo acabaria. Não tentei evitar.

Não mesmo!

Deixei que minhas mãos percorressem seu peito plano e tentei abrir alguns botões, enquanto seus dedos acompanhavam a alça do vestido, fazendo o tecido escorregar por meu braço, deixando o decote ainda mais baixo. Fiquei um pouco surpresa – e muito satisfeita – quando uma mão deslizou, ainda que um pouco hesitante, sobre meu peito. Eu estava de acordo com aquilo. Muito de acordo! Estremeci quando a palma quente me tocou ali – ainda vestida, contra minha vontade. Uma onda de desejo afogou qualquer outro sentimento.

Tentei arrancar aquela gravata de nó tão complicado o mais rápido que pude. Queria vê-lo, vê-lo de verdade, sem todo aquele amontoado de tecido.

Seus lábios deixaram os meus para criar um rastro de fogo em meu pescoço, sua barba recém-cortada pinicava prazerosamente minha pele. Ian não parou, continuou descendo um pouco mais, até alcançar as curvas de meus seios. Seus dedos acompanharam o contorno do decote. A carícia – tão suave, tão delicada e tão quente – me fez tremer. Não pude conter um gemido de prazer quando seus dedos enfim me descobriram e seus lábios acolheram a parte exposta. Arqueei as costas, me oferecendo ainda mais a ele enquanto enroscava os dedos em seus cabelos macios.

Fiquei deslumbrada ao constatar, apesar de todo o tecido da saia volumosa, que ele também me desejava. *Intensamente!*

– Sofia – ele murmurou, rodeando meu quadril com as duas mãos, me trazendo para mais perto, enquanto voltava a me beijar com violência.

Foi aí que a carruagem deu um solavanco que me fez bater a cabeça no teto e depois quase cair no chão, se Ian não tivesse sido rápido o bastante para me segurar.

A consciência retornou de imediato, me libertando do transe e me deixando absolutamente constrangida, extremamente exposta e ainda no colo de Ian.

– O que estamos fazendo? – perguntei, mais para mim mesma, arrumando o vestido às pressas e me sentando ao seu lado.

– Tem razão. Eu... sinto muito. Não sei o que deu em mim. Perdoe-me, Sofia – ele pediu, corando muito, arrumando a bagunça da camisa e gravata abertas. – Eu não posso tratá-la desta maneira... O que eu estou pensando? E eu havia prometido que não a tocaria... Apenas...

– O quê? – perguntei, embaraçada, quando ele não continuou.

– Perco o controle sobre mim mesmo quando estou perto de você – ele concluiu, baixando a cabeça.

– A culpa não é sua. Não é *só* sua, afinal. Eu também não consigo me conter quando você... me... beija – fui mais honesta do que realmente pretendia.

Ele tentou muito conter um sorriso.

– É mesmo?

Não pude deixar de sorrir de sua cara de satisfação.

– Não me diga que ainda não percebeu isso?

Ele riu.

– Pensei que talvez... estivesse sendo condescendente comigo.

– Tá brincando? Ian, corresponder a um beijo é uma coisa, isso que estávamos fazendo... era outra coisa... Era... Não estou sendo condescendente! Ninguém me toca a não ser que eu queira muito – terminei, meio enrolada. Ainda sentia a cabeça girando.

O sorriso em seu rosto se alargou ainda mais.

– Pare de sorrir! – pedi, séria. – O que estávamos fazendo é errado! Vai magoar a nós dois num futuro nada distante.

O sorriso desapareceu imediatamente. Seu rosto ficou duro, carregado como uma nuvem de tempestade.

– Por que gosta tanto de viver no futuro? – perguntou, à queima-roupa.

Olhei para ele atônita. Minha boca se abriu e pisquei diversas vezes antes de conseguir responder. Sabia que Ian era muito inteligente, perspicaz até demais! Mas como ele descobriu meu segredo?

– Como você soube...? – tentei dizer, mas estava chocada demais por ele ter descoberto, *sabe-se-lá-como*, que eu vinha do futuro, e que ainda me olhasse da mesma forma.

Quase da mesma forma, ele estava zangado agora.

– Basta observá-la. Você nunca vive o presente, o agora. Sempre com a cabeça no futuro, no amanhã, no que ainda está para acontecer. – Um leve toque de ressentimento se espreitou em sua voz.

Ah! *Esse* futuro!

– Eu faço isso, às vezes. Nina me enche o saco por não aproveitar o "momento". Acho que vocês dois se dariam bem, sabia?

– Não respondeu a minha pergunta – disse ele, sério. Seus olhos estavam repletos de um brilho novo. Um que eu não soube discernir o significado.

Eu não tinha resposta para essa pergunta. Então, não disse nada, apenas olhei pela janela e vi outra casa se aproximando.

– É aqui? – perguntei, tentando distraí-lo.

– Sim, esta é a casa da senhorita Teodora.

A casa era bem menor que a que eu acabara de ver na estrada, mais *normal*, como a casa de Ian. Era bonita.

– Se eu lhe fizer uma pergunta, responderá com sinceridade? – Ian ainda estava sisudo.

Um curto silêncio se seguiu antes que ele voltasse a me encarar com tamanha intensidade que apenas sacudi a cabeça confirmando, totalmente impotente.

– Está comprometida com alguém?

– Não. – Essa era uma pergunta fácil de responder.

– Nem mesmo no lugar de onde vem?

– Não, não tenho ninguém me esperando – sussurrei.

Ele assentiu. Voltou a olhar pela janela por um tempo, depois seus olhos voltaram aos meus com uma força opressora.

– Fico feliz em ouvir isso. – A forma como articulou as palavras, tão firme e honesto e... aliviado, me deixou sem fôlego. – Não terei que lutar contra mais ninguém além de você mesma.

Puxei uma grande quantidade de ar.

– Lutar comigo? – gemi.

Ele assentiu, a determinação estampada em seu rosto.

– Sim. Sofia, vou fazê-la entender o que reluta tanto em aceitar.

Eu gemi baixinho, porque, se ele iria se esforçar ainda mais... eu realmente estaria perdida. Sem trocadilhos.

22

Chegamos ao grande teatro por volta de seis horas. Um dos lugares mais lindos em que já estive na vida. Muito luxuoso, com paredes revestidas de madeira cor de mel e detalhes dourados, o teto segurava um lustre de cristal gigantesco com centenas de velas, a balaustrada delicada era coberta por mais ouro, e os assentos, revestidos por um tecido vermelho-escuro – talvez veludo –, deixavam o balcão onde estávamos com um aspecto elegante e charmoso. Sentei-me ao lado de Teodora, na fila de três cadeiras da frente, com Ian bem atrás e Elisa ao seu lado.

A viagem foi longa, demorou muito para alcançarmos a cidade. Não que fosse tão distante assim, mas a carruagem ficou mais pesada com quatro adultos e passou a se arrastar a meros quilômetros por hora.

Falei pouco, quase nada, durante o trajeto. Ainda estava muito assustada com minha própria conduta – com a falta dela – no caminho até a casa de Teodora. *E se alguém nos visse agarrados daquela maneira? E se Elisa tivesse visto?* Apenas respondi a algumas perguntas banais que Elisa e – para minha surpresa – Teodora me fizeram.

Tentei muito não olhar para Ian. Não queria ver a pergunta ainda em seu rosto. *Por que não vive o presente?* Eu não sabia o que responder, nem para mim mesma. Entretanto, falhei algumas vezes – meus olhos vagavam por vontade própria em sua direção – e, em todas as vezes, encontrei seus olhos me observando atentamente.

Eu mal sabia dizer como havíamos chegado até a cidade, não consegui prestar atenção em nada além de Ian. Até mesmo Elisa notou – percebi isso depois que saímos da carruagem, quando se afastou um pouco do nosso pequeno grupo e me puxou junto.

– Você e meu irmão brigaram?

– Claro que não – assegurei a ela.

Ela sorriu um pouco.

– Oh! – e seu rosto se iluminou.

– O quer dizer com *Oh*? – Não gostei do brilho em seu rosto.

– Não é nada. Apenas nunca vi Ian ficar tão perturbado na presença de uma dama como ele fica quando você está presente – outro sorriso, dessa vez um enorme.

– Elisa, eu não... – Mas eu não sabia o que dizer a ela, nem tinha certeza de que não queria realmente perturbá-lo.

– Não seja tola, Sofia. Você não tem culpa se ele se apaixonou por você, tem?

Meu queixo caiu. Tentei pensar em algo que contradissesse sua suposição, mas não fui capaz. Ian não estava apaixonado por mim. O que sentia era atração física – muito forte e incontrolável, ao que parecia –, mas apenas isso. Ao menos, era o que eu pensava. E depois não pude mais explicar que ela estava enganada, já que Ian e Teodora se juntaram a nós.

Esforcei-me muito para não me virar e observá-lo de vez em quando. E dessa vez consegui – por um tempo. Em parte porque a orquestra começou a tocar e prendeu minha atenção, mas, assim que a cortina se abriu e os atores começaram a cantar, percebi que não entendia absolutamente nada. Elisa discretamente me entregou um pedaço de papel, um tipo de programa, como aqueles de desfile de carnaval, que explicam as alas e alegorias e que gente normal como eu nunca conseguia entender direito. Analisei o papel sob vários ângulos.

– Também está em italiano! – murmurei.

– Mas é claro que está, minha cara. Toda ópera é em italiano! – Teodora sussurrou, um pouco irritada pela interrupção.

– Você não consegue acompanhar? – Elisa perguntou. Suas sobrancelhas quase unidas indicavam que eu *deveria* saber italiano.

– Não! – rebati. – É sobre o quê?

Elisa se inclinou um pouco, recuando logo em seguida, assim que viu Ian fazendo o mesmo. Ele estava bem atrás do meu assento, ficava mais fácil se comunicar sem atrapalhar as outras pessoas. Sua mão quente nas costas da cadeira roçou em minha pele, sua boca se aproximou de minha orelha e o calor de sua respiração atrapalhou de vez minha concentração.

– Trata-se de uma comédia lírica. Dom Magnífico é um homem muito ambicioso. Tem duas filhas igualmente ambiciosas, Clorinda e Tisbe, e uma enteada gentil e bondosa, Angelina, a qual trata como criada. O príncipe Ramiro...

Ian continuou dizendo alguma coisa, mas meu cérebro não assimilava mais as palavras. Registrei apenas o tom rouco de sua voz, seu calor sapecando minha pele, seu cheiro delicioso – um misto de madeira e ervas, muito sensual – me entorpecendo.

– Ãrrã – resmunguei quando ele terminou sua narrativa. Tentei entender tudo o que ele havia acabado de dizer, mas não sabia ao certo se tinha conseguido. A ponta de seu nariz brincava em minha orelha e eu já não tinha certeza nem mesmo de qual era o meu nome.

– Ainda tem mais. – Ele se aproximou um pouco mais, seus dedos tocaram suavemente meu ombro nu. Seu toque quente e delicado fez meu coração retumbar, abafando os outros sons do teatro. Quase podia sentir seus lábios em minha pele. Era enlouquecedor! – O príncipe lhes comunica que dará um baile para todas as jovens do reino. Angelina vai ao baile às escondidas, vestida com elegância, graças à ajuda de Alidoro, o tutor do príncipe Ramiro, e deixa a todos encantados. Contudo, dom Magnífico a reconhece e teme que todos descubram que ele renegou a ela todos os direitos como sua filha. Obviamente, não vou lhe contar como termina, mas creio que agora poderá acompanhar o restante. – Ele suspirou em meus cabelos, a mão ainda em meu ombro. – Entende melhor agora, senhorita?

– Eu... – Tentei me lembrar do que ouvi, tentei muito. Mas, para falar a verdade, não sabia dizer o que havia escutado. Tinha alguma coisa a ver com um príncipe e um baile e a irmã de alguém. Uma nuvem espessa cobria meu cérebro. Era impossível me concentrar em qualquer coisa com Ian sussurrando daquela forma em minha orelha.

Virei-me para agradecer a ele, mas Ian estava perto o bastante para que meu nariz esbarrasse de leve em seu queixo. Ele não recuou.

– Claro. Obrigada – sussurrei atordoada.

– Fico feliz em lhe ser útil – um sorriso malicioso apareceu em sua boca perfeita.

Sorri também, me virando depressa para não cometer nenhuma idiotice em local público, do tipo me jogar no colo dele e beijá-lo ali mesmo, bem ao lado de sua irmã adolescente.

Prestei atenção no espetáculo depois disso. Acabei me divertindo. Para minha surpresa, era uma espécie de comédia. O tal dom Magnífico era extremamente burlesco e, depois de meia hora, achei que a história fosse um pouco familiar.

No intervalo, fiquei onde estava, assim como todos do nosso grupo. Ian e Elisa conversaram animados sobre a música e que "esplêndido" compositor o tal Rossini era. Eu apenas concordava, já que não tinha muito conhecimento no assunto. Teodora prestava mais atenção nos vizinhos de balcão e conversava, bastante entusiasmada, com uma mulher coberta de joias.

Recomeçou o segundo – e final – ato, e então eu descobri o motivo de achar a história tão familiar: havia duas irmãs invejosas, uma criada em um baile luxuoso e, quando o verdadeiro príncipe revelou quem era e a garota fugiu assustada, ela deixou cair um bracelete, o qual o príncipe decidiu experimentar em todas as moças do reino a fim de encontrar sua amada. Tive que rir.

– É a Cinderela! – sussurrei para Elisa e Ian.

– Sim, *La Cenerentola* – Ian me explicou, sorrindo.

– Você podia ter dito isso logo no começo, não precisava ter se dado ao trabalho de explicar tudo – tentei parecer ofendida.

Ian se inclinou até que seus lábios ficassem a milímetros de minha orelha mais uma vez.

– E perder a oportunidade de sentir seu delicioso perfume tão de perto?– ele riu baixinho, fazendo todos os pelos de meu corpo se arrepiarem e minha cabeça girar.

Tentei ficar brava com ele, mas não pude fazer a careta de reprovação que pretendia. Eu estava muito zonza para isso.

– Vamos? – perguntou Ian, tocando meu ombro assim que o espetáculo terminou.

– Demorou! – respondi. Ian me lançou um olhar confuso. Revirei os olhos. – Vamos, Ian.

Ele riu e sacudiu a cabeça, me guiando para o corredor luxuosamente ornamentado.

Na saída, Ian conversou com diversas pessoas, vestidas com roupas muito elegantes – para a época –, e fez questão de me apresentar a todas elas. Segui os conselhos de Elisa e me limitei apenas a dizer "Prazer em conhecê-lo", "Bem, obrigada", "Sim, gostei do espetáculo". Esqueci dos nomes assim que me foram ditos. Eu não me encontraria com aquelas pessoas de novo. Contudo, notei mais de uma vez que as mulheres em especial me observavam com curiosidade.

– Ian, não posso acreditar que tenha se esquecido de entregar as joias que deixei para Sofia usar esta noite. Você notou como lady Catarina Romanov a observou? – Elisa disse, aborrecida, enquanto esperávamos pela carruagem. Havia uma fila delas, todas parecidas umas com as outras. Porém, uma delas se destacava, era muito grande e os cavalos usavam um adorno vermelho na cabeça. A mulher coberta de joias que Teodora passou boa parte da noite paparicando entrou nela.

– Desculpe-me, Elisa. Eu me esqueci – Ian passou a mão pelos cabelos escuros, parecendo constrangido.

– Você *devia* ter se lembrado. As pessoas notaram que ela não tinha nada para destacar a beleza de seu rosto – Elisa cruzou os braços sobre o peito.

– Mas ela não precisa! – ele disse simplesmente, me fazendo corar.

– Sim, isso é verdade, mas ainda assim... – Elisa sorriu para mim, esquecendo a briga com o irmão.

No caminho para casa, Teodora estava eufórica por ter conversado com lady Catarina *sei-lá-das-quantas*, uma senhora muito importante, descendente de uma importante família russa, com um filho em idade adulta procurando por uma esposa. Aparentemente, o tal filho devia ser muito importante na sociedade, pois seu interesse em conhecê-lo era tocante.

Fiquei maravilhada ao passarmos pela vila à noite – já era tarde, talvez perto da meia-noite. Não imaginei que já existisse iluminação pública no século dezenove. Claro que não era luz elétrica, mas um tipo de lanterna ou lamparina pendia como braços do alto das casas. Iluminava até que bem as ruas e vielas.

A pequena lamparina iluminava fracamente o interior da carruagem, mas era o suficiente para que eu pudesse ver que os olhos de Ian não me deixaram nem por um momento.

– Gostou do espetáculo, senhorita Sofia? – Teodora perguntou ao meu lado, quando já estávamos na estrada que levava até a casa.

– Foi demais! Não pensei que uma ópera pudesse ser tão divertida. Pensei que todas fossem melancólicas e enfadonhas.

Elisa riu.

– Sabe que, às vezes, penso a mesma coisa? Não gosto das melancólicas também – confessou ela.

Eu assenti, sorrindo.

– Realmente gostou, senhorita? – indagou Ian, que até então estava calado, apenas me encarando.

– Pra caramba! Foi incrível! Apesar da história ser um pouco diferente da que eu conheço, ainda assim foi divertido demais! Eu adorava a Cinderela quando era criança. Era minha princesa favorita.

– É mesmo? – perguntou curioso.

– Sim! Eu pegava escondida os vestidos da minha mãe, quando tinha uns seis ou sete anos, e vestia um sobre o outro para que ficassem tão volumosos quanto estes. – Como a vida podia ser surpreendente! – Passava horas brincando de princesa, esperando que o príncipe viesse me buscar com seu cavalo e... – Parei de falar assim que a lembrança de Ian vestido com seu casaco comprido e montado em seu cavalo invadiu minha cabeça. De uma forma estranha, eu estava vivendo o meu faz de conta.

Sacudi a cabeça, pensando se, de repente, eu não teria uma fada madrinha em algum lugar que poderia ajudar a resolver minha vida. Mas, como eu bem sabia, na vida real, contos de fadas não se realizam com frequência.

– E? – Ian instigou.

– E eu cresci! Aprendi que contos de fadas só acabam bem nos livros – dei de ombros e suspirei.

– Contos de fadas podem se tornar realidade, Sofia. Basta que a princesa não lute contra a própria felicidade – falou com a voz intensa.

Elisa e Teodora se entreolharam sem entender, mas é claro que eu sabia bem a que ele se referia.

– Às vezes, ela não tem outra saída. Às vezes, não é possível que ela escolha ser feliz, porque ela está no lugar errado, ainda que o príncipe... – *Pareça ser o certo*, eu quis acrescentar, mas não fui capaz. – Talvez ela queira muitas coisas, mas não tenha o livre-arbítrio para poder decidir nada.

– Então, talvez ela devesse lutar pelo que quer.

Encarei-o por um momento, sem saber bem como responder. Porque eu queria ficar com ele, mas também queria voltar para minha casa. Então, lutar como? Como conciliar duas coisas tão incompatíveis?

– Talvez ela nem mesmo tenha essa opção – sussurrei, sentindo meu coração se apertar dentro do peito.

A cabeça das garotas se virava de um lado para o outro, como num jogo de pingue-pongue.

– Talvez não sozinha, mas talvez o príncipe pudesse ajudá-la, se ela lhe permitisse – seus olhos brilhavam, mesmo na luz fraca da lanterna.

– Não dá! Ela tem que resolver sozinha – tentei ser firme.

– Talvez a princesa esteja sendo muito teimosa! – ele disse, irônico.

– Talvez o príncipe não saiba a história toda para poder julgá-la!

– Como ele pode conhecer a história toda se ela não confia nele o suficiente para contar? – sua sobrancelha se arqueou em desafio.

– Não é falta de confiança, Ian – sacudi a cabeça. Estava exausta, emocionalmente. – Eu... Ela não pode contar porque nem ela mesma sabe o que está acontecendo.

– Não acredito nisso.

– Você é tão cabeça-dura! – retruquei, um pouco irritada.

– Sim, eu sou. Eu luto quando sei o que quero.

– Eu lutaria também, se soubesse o que *eu* quero! – eu disse, um pouco mais alto do que pretendia.

Ele sorriu, se divertindo com minha raiva. Cruzou os braços sobre o peito largo e esticou as pernas no pequeno espaço que restara no interior da carruagem. As pontas de suas botas se esconderam sob a barra do meu vestido.

– Não acredito nisso também.

– Ah, não?

– Não! Você sabe bem o que quer e está com medo de admitir – concluiu, muito seguro de si.

Ugh! Ele era tão teimoso!

– Falou o senhor sabe-tudo! – rebati acidamente.

– Sabe, senhorita, posso lhe assegurar que conheço seus sentimentos melhor que você mesma.

– Eu devia ter quebrado seu nariz quando tive a chance! – cruzei os braços sobre o peito.

Ian gargalhou. O som de seu riso causou reações estranhas em meu corpo.

– Nunca é tarde para reparar um erro – acrescentou carinhoso. – Estou à sua disposição, senhorita.

– Vocês estão brigando! – Elisa exclamou, assustada.

– Não! – Ian e eu respondemos ao mesmo tempo.

Olhei para ele, que me encarava com ternura e diversão, e fui incapaz de continuar irritada. Rimos juntos, e as duas garotas nos olharam como se nós dois fôssemos malucos.

– Não estamos brigando, Elisa – ele disse à irmã, mas seus olhos não deixaram meu rosto, o sorriso ainda em seus lábios. – Apenas estamos tentando chegar a um acordo sobre um assunto de mútuo interesse. Não se preocupe. Essa não é a primeira vez que a senhorita Sofia ameaça quebrar meu nariz. E ouso dizer que não será a última.

Tentei não rir, mas foi impossível não corresponder ao seu sorriso.

– Não gosto de vê-los discutindo. Estimo demais os dois, não poderia suportar se brigassem – Elisa sacudiu a cabeça, aflita.

– Não é uma briga, Elisa – falei. – De verdade. É que seu irmão sabe me perturbar como ninguém, é tipo um dom! – Me perturbar de todas as formas possíveis e imagináveis.

– Posso dizer o mesmo de você – o brilho prateado despontou nos olhos dele. Tentei respirar normalmente.

Teodora se hospedou mais uma vez na casa de Ian e Elisa. Assim que entramos, desejei boa noite e me apressei para o quarto. Não queria correr o risco de me encontrar com Ian pela casa e, de repente... Não queria correr o risco!

Quando cheguei ao quarto, fui rapidinho pegar meu celular, que estava apagado, como quase sempre. Eu tinha a estúpida esperança de que algo estaria ali – uma mensagem, talvez – depois do incidente com Ian na carruagem, mas não havia nada. Minhas suposições estavam falhando, ao que parecia.

23

Demorei a pegar no sono naquela noite, em parte porque Ian não saía da minha cabeça – ainda sentia meu corpo se arrepiar apenas com a lembrança do cheiro de sua pele – e em parte porque eu não tinha tomado banho. Fiz uso da água do jarro para lavar apenas o essencial e mais nada.

Entretanto, quando finalmente adormeci, tive um sonho muito real. Ian e eu estávamos em casa – na minha casa. Ele sentado no sofá e eu deitada, com a cabeça em seu colo. Conversávamos sobre coisas banais e sua mão brincava em meus cabelos. Uma música suave coloria a cena. Foi tudo tão real que eu podia dizer até o nome da música que ouvi tocando.

Acordei cedo outra vez, não sei se devido ao sonho estranho ou ao incômodo. Mas, já que estava desperta e o sol havia nascido, decidi sair da cama. Juntei os apetrechos de banho e minhas roupas – minha saia e regata – e saí sorrateiramente.

Não encontrei ninguém na cozinha nem nos corredores. Imaginei que ainda fosse muito cedo para que os empregados estivessem por ali. Segui o caminho que Ian e eu fizemos no passeio do outro dia e assim que cheguei ao rio, procurei em todas as direções por algum olho curioso, mas eu estava sozinha.

Deixei a trouxinha perto da margem do rio e me despi. Pensei em entrar na água aos poucos, mas imaginei que ela estaria um pouco fria, o sol ainda era fraco. Então dei um impulso e mergulhei na água cristalina.

Caramba! Gelada! Gelada! Gelada!

Minha respiração se acelerou e me arrepiei inteira. Batendo os dentes, alcancei a trouxinha e comecei meu banho – quanto mais ágil eu fosse, mais rapidamente sairia da água fria. Contudo, depois de alguns minutos, meu corpo foi se habituando com a temperatura e pude aproveitar melhor. Não me lembrava da última vez que tinha tomado banho de rio, talvez quando ainda era criança. A suave correnteza brincava em minha pele e, depois de me sentir limpa, realmente desfrutei o rio. Tanto que estava brincando exatamente como uma criança – jogando água para cima e tudo! – quando Ian me encontrou.

– Você é impossível! – censurou, me assustando.

– Ian! – gritei, afundando na água o mais rápido que pude, mas, pela expressão constrangida, tive plena certeza de que ele tinha visto bem mais que meus belos olhos castanhos.

Era a segunda vez que ele me via tomar banho. Pelo menos dessa vez meu cabelo não estava verde, me consolei.

– O que está fazendo aqui?

– Pretendia lhe fazer a mesma pergunta. O que faz aqui tão cedo, desacompanhada e... – ele olhou o vestido jogado no chão – ... sem seu vestido?

– O que parece? Estou tomando banho, não deu pra notar?

– Notei sim. Lá da estrada. – Seu sorriso era perturbador. Não sabia se era irônico ou desgostoso. Mas, com certeza, não era um sorriso feliz.

Ai, droga!

– Você *devia* ter pedido aos criados para que lhe preparassem o banho. Não é seguro, tampouco apropriado, que esteja aqui nestas condições – proferiu, austero.

– Acontece que dá muito trabalho tomar banho por aqui, sabia? Já tentou preparar seu próprio banho alguma vez? – Sua testa se enrugou. Claro que ele nunca tinha feito isso. Eu continuei: – E pare de chamar seus empregados de criados, é irritante, grosseiro e ofensivo!

– Perdoe-me, senhorita, mas acho que não a compreendi.

– Você me entendeu, sim! Pare de dizer que são seus *criados*. São seus empregados. Seus funcionários. É tão ridículo se referir a eles dessa forma!

Ian não sabia se ria ou se ficava irritado.

– Por que se importa com isso? – questionou.

– Porque eu também trabalho! Se meu chefe se referisse a mim como sua criada, eu te juro que arrancaria as tripas dele pela orelha!

Ian tentou não rir do meu pequeno discurso trabalhista, mas acabou gargalhando alto. Só então me dei conta de que Storm estava ali também.

– Ele fugiu outra vez? – perguntei sem pensar.

– Não. Estamos tentando uma caminhada amistosa. – Ele passou a mão no pescoço do cavalo. – Estou tentando me tornar seu amigo.

– Ian, olha só, eu preciso sair daqui antes que minha plateia aumente – ergui apenas uma sobrancelha. – Será que poderia se virar, por favor?

– Certamente, senhorita. Eu a deixaria sozinha se tivesse certeza de que nenhum rapazote fosse aparecer por aqui e... – ele se virou e terminou com a voz mais baixa – ... imaginar tolices.

– Engraçado – eu disse, me erguendo na margem e me embrulhando com o pano-toalha. – Não é que você tem razão? Tem mesmo um rapazote que insiste em me ver tomando banho. Já fez isso duas vezes!

– Não era minha intenção... – Ian começou, e depois se virou rapidamente para me olhar nos olhos. – Quem é um rapazote? – ele quis saber, seu rosto indignado. Ele estava ofendido.

– Você, quem mais? – Apertei mais firme o pano-toalha, mas senti que se grudava em cada curva de meu corpo conforme absorvia a água. Rezei para que não revelasse nada mais.

– Sou *homem* há muito tempo! E, se não estou enganado, até já lhe provei isso.

Eu corei. Lembrei-me com muita clareza de seus beijos na carruagem, das carícias, da rigidez...

– Obrigada por lembrar. Agora, vire-se para que eu possa me vestir.

Ele fez o que eu pedi e se calou. Vesti minhas roupas mesmo ainda estando muito molhada. Não me importei. Passei o pano nos cabelos e os desembaracei com os dedos. Juntei minhas coisas na beira no rio.

– Desculpe-me, senhorita, eu não tinha a intenção de ofendê-la – disse ele, ainda de costas.

– Tudo bem – retruquei, sentindo exatamente o oposto. Caminhei até ele e lhe atirei minhas coisas com pouco cuidado. – Já que está aqui, então seja útil, pelo menos.

Ian me deixava muito perturbada; às vezes eu queria beijá-lo e nunca mais parar, e às vezes queria esganá-lo!

Ele se virou para me acompanhar, mas parou. Seus olhos arregalados me examinaram minuciosamente.

– Por que não está vestida?

– Mas eu estou vestida – abri os braços para que visse a roupa.

– Não está, não! Coloque o vestido de volta – ele ordenou. – Não quero que algum moleque mal-intencionado a veja dessa forma. – Tirou o vestido da pilha que eu havia lhe entregado e o estendeu para que eu o pegasse.

– Eu. Estou. Vestida! Tenho certeza de que, se você me viu da estrada, sabe muito bem diferenciar quando estou nua e quando estou vestida, não sabe?

Ele corou, confirmando minhas suspeitas. Respirei fundo e comecei a andar. Brinquei com o cavalo quando passei por ele. Ian me seguiu.

– Não quero que ninguém a veja vestida assim. Por favor, senhorita? – ele me estendeu o vestido outra vez, suplicante.

– Não se preocupe, Ian. Assim que eu entrar em casa, colocarei um vestido limpo. Não o trouxe porque achei que acabaria cheio de lama, já que a barra se arrasta no chão. Não precisa ficar preocupado, não vou envergonhá-lo – assegurei a ele.

Ele sacudiu a cabeça.

– Não é com isso que estou preocupado. Só não quero que outro homem... – ele parou, parecia que iria sufocar se não dissesse as palavras.

– O quê? – incitei.

– Não quero que outro homem possa vê-la usando estas roupas. Elas deixam muito pouco para a imaginação! – concluiu, olhando para os próprios pés.

– Você não quer... – Aos poucos, meu cérebro juntou suas palavras e as associou de forma engraçada. – Você está com ciúme?

– Na verdade, estou sim – a voz baixa e acanhada o deixou ainda mais irresistível. – Creio que já sabe que eu a... estimo muito.

Mesmo sabendo que era errado de muitas formas, não pude deixar de sorrir. Aproximei-me dele com cautela, pronta para fugir caso seus braços começassem a me rodear, e beijei sua bochecha delicadamente.

– Também gosto de você, Ian.

E, assim como eu sabia que faria, seus braços encontraram o caminho de minha cintura, mas dessa vez fui mais rápida e disparei correndo para a casa. No entanto, depois de ter corrido apenas alguns metros, me virei para vê-lo, ainda parado no mesmo lugar, feito uma estaca, o rosto desconcertado.

– Você nem faz ideia de quanto! – eu disse, sem conseguir me conter.

Ele sorriu em resposta, recomeçou a andar e eu me pus a correr outra vez.

24

Assim que me vesti de maneira adequada, voei para a cozinha. Estava com muita fome e pensei que talvez Ian pudesse estar na sala de jantar. Não queria me encontrar com ele. Meu corpo agia sem controle quando ele estava por perto, o que não era bom – racionalmente falando. Encontrei Madalena com a barriga colada no fogão a lenha, preparando alguma coisa com um cheiro muito bom.

– Vou querer um pouco disso – disse, para anunciar minha presença.

– Oh! Bom dia, senhorita Sofia. Como foi seu passeio ontem? – perguntou ela, sorrindo.

– Foi muito legal. Posso comer alguma coisa? Estou com fome.

– Claro que sim. Levarei seu café em um minuto. Pode esperar na sala...

– Não posso comer aqui? – eu a interrompi.

Sua testa se enrugou.

– Aqui?

– Tem algum problema? Não quero metê-la em encrenca.

– Problema? Não, senhorita. Claro que não tem problema. Mas é que os patrões não comem aqui – explicou.

– Ótimo, então! Eu não sou patroa de ninguém mesmo! – Eu ri e puxei a cadeira, pegando um pedaço do bolo que estava em um prato grande sobre a mesa. – Humm! – murmurei com a boca cheia.

Madalena me passou uma xícara e depois me serviu o café fumegante.

– Deseja comer alguma coisa em especial? – e me olhou curiosamente.

– Hum-hum. – Engoli. – Não. Só bolo e café tá bom. Na verdade, tá ótimo! – Mordi outro pedaço do bolo, derrubando um pouco de farelo.

Madalena riu e sacudiu a cabeça.

– Sabia que a senhora Clarke também gostava disso? Bolo com café, quero dizer. E, muitas vezes, quando o marido viajava e os filhos ainda eram pequenos, ela tomava o café aqui na cozinha. Não gostava de comer sozinha, pobrezinha – seus olhos ficaram vazios, distantes, com a lembrança. – Era uma boa patroa. Muito boa mesmo!

– Você gostava dela, Madalena? – perguntei curiosa.

– E quem não gostaria? – ela disse, como se qualquer um soubesse disso. – Era muito atenciosa, muito educada. Nunca destratou ninguém nessa vida!

– Posso acreditar nisso. – Conhecendo Ian e Elisa, sua mãe tinha que ter sido uma mulher extraordinária, assim como eram os filhos. – Como ela era?

– Elisa se parece muito com ela, exceto pelos cabelos. Os da senhora Laura eram muito loiros.

Isso me surpreendeu. Tanto Ian quanto Elisa tinham cabelos pretos como carvão. Madalena notou minha surpresa.

– O senhor John Clarke tinha os cabelos escuros, como os filhos, mas os olhos azuis são herança da mãe. Ela era uma mulher muito bonita.

– Pelos filhos que teve, acredito que foi mesmo!

Enquanto eu terminava meu café, Madalena remexia numa pilha de roupas. Ela ergueu uma peça e a examinou por um segundo, em seguida sacudiu a cabeça.

– Outra camisa perdida! – falou desgostosa.

Olhei para a camisa nas mãos dela, grandes manchas coloridas cobriam a frente e parte das mangas.

– Toda vez que o senhor Clarke resolve pintar à noite é a mesma coisa! – reclamou desanimada. – Já perdi as contas de quantas camisas ele estragou.

– Ian está pintando? – minha voz soou mais interessada do que eu pretendia.

– Sim, mas dessa vez no quarto de dormir! – disse ela, escandalizada. – Não sei o que deu no patrão! Hoje de manhã, quando fui arrumar seu quarto, me deparei com a bagunça de tintas e uma tela coberta – sua testa se franziu. – Ele não quer que ninguém veja a tela. Achei estranho. Ele nunca fez isso!

Ali estava uma coisa que eu queria ver: Ian pintando. Mas, se ele não deixou sua governanta ver, imaginei que eu não teria chance.

– O senhor Clarke está muito diferente esses dias. Pergunto-me o que pode ter mudado para que ele tenha começado a agir de forma tão inconstante... – e me lançou um olhar que me disse o nome e o sobrenome da tal mudança.

Limpei a garganta.

– Deve ser... uma fase. Um cara jovem como ele sempre entra *numas* de vez em quando. Passa logo! – dei de ombros.

Vi a incompreensão no rosto redondo de Madalena e desisti de explicar.

– O que vai fazer com ela? – perguntei, apontando a camisa.

– Acho que está perdida. Nem posso mandá-la para a paróquia como doação. Estas manchas não sairão daqui – ela me mostrava as grandes bolas coloridas.

– Será que posso ficar com ela, então?

– Ficar com a camisa do senhor Clarke? – suas sobrancelhas se ergueram e três grandes vincos surgiram em sua testa.

– Madalena, não me olha assim! Eu tô meio sem roupas, lembra? Essa camisa seria perfeita para eu usar como pijama. Ou será que não se importa se eu dormir sem roupa alguma?

Ela corou pensando no assunto. Depois, voltou a colocar a camisa na pilha de roupas sujas.

– Vou lavá-la e depois a deixarei em seu quarto, senhorita.

– Valeu, Madalena. E obrigada pelo café. Estava maravilhoso, como sempre.

Do corredor, ouvi uma melodia muito agradável e, hipnotizada, segui o som até chegar à sala de música. Elisa tocava harpa. Assim que me viu, parou de tocar e começou a se levantar.

– Por favor, não pare! Toque mais um pouco, Elisa. Sinto tanta falta de música!

Ela sorriu.

– Bom dia, Sofia. Alguma música em especial? – Elisa perguntou me mostrando suas covinhas.

– Não – sacudi a cabeça. – Toque as que você mais gostar. – Eu não conhecia música clássica, de toda forma. Ela começou uma melodia animada. As notas doces da harpa faziam a música parecer algo celestial, delicado e puro.

Sentei-me na cadeira perto de Teodora. Pensei que seria rude de minha parte me sentar do outro lado da sala.

– Bom dia, senhorita Sofia – ela disse.

– Bom dia, Teodora. Como está?

– Estou muito bem, senhorita. Ainda mais agora que o baile se aproxima. Estou tão ansiosa para conhecer o filho de lady Catarina! – seu sorriso era enorme.

– Legal! – concordei.

Ficamos em silêncio por um tempo, apenas ouvindo a melodia que enchia toda a sala.

– Posso lhe fazer uma pergunta, senhorita? – ela parecia insegura.

– Claro, Teodora. – O que ela queria?

Ela titubeou um pouco e depois começou:

– Gosta dele, não é? – Eu sabia a quem ela se referia.

– É claro que eu gosto. Gosto de todos aqui.

Ela sacudiu a cabeça.

– Não, senhorita Sofia. Refiro-me a outro tipo de afeto, de gostar romanticamente. Você gosta dele dessa forma, não é?

– Eu... Por que quer saber?

– Porque estimo muito a família Clarke. Não quero vê-los magoados. – seus olhos pareceram sinceros.

– Nem eu, Teodora – suspirei. – Nem eu.

– Mas eu notei como ele olha para você. E depois do que presenciei ontem na carruagem... Ele a estima de uma forma única. Eu o conheço há muito tempo para saber que está encantado com sua pessoa. Apaixonado, talvez.

Não respondi. Remexi na saia do vestido, apreensiva.

– Sei que pretende ir embora logo, e ele sofrerá muito com isso – Teodora concluiu.

Eu sabia disso. Sabia muito bem!

Apenas assenti, sem ter nenhuma resposta para ela.

– Então, eu queria lhe pedir que não o engane – sua voz estava muito séria, sem aquele tom cínico que ela usava frequentemente quando falava comigo.

– Não vou! Jamais poderia enganá-lo – apressei-me. – Eu queria muito que as coisas fossem diferentes. – Como no sonho daquela noite, talvez. – Mas não posso controlar nada. Acredite! E ele sabe que partirei logo, de toda forma. Não estou enganando ninguém.

Ela assentiu também, os olhos em Elisa.

– Se não precisasse partir, você ficaria aqui? – ela indagou.

– Eu... Eu...

Ficaria? Abriria mão de tudo para ficar presa ali?

Não podia responder a isso. Eu tinha minha vida, meus amigos, meu emprego. Não podia largar tudo e viver no passado, mesmo se fosse possível. Mas pensar em ir embora e nunca mais ver Ian era doloroso demais, impossível também. Perder Ian seria insuportavelmente excruciante.

– Eu não sei dizer – respondi com sinceridade.

Ela viu a tristeza em meus olhos, ouviu o pesar em minha voz. E me surpreendeu mais uma vez tocando minha mão com a sua.

– Desculpe-me. Não queria aborrecê-la. Apenas queria me certificar de que meus amigos tão queridos não estavam sendo enganados. Você realmente os estima – ela sorriu, suas sobrancelhas se arquearam, a testa se enrugou. – Parece que me enganei!

– Eu gosto deles de verdade, Teodora.

– Posso ver isso em seus olhos agora. Espero que tudo se resolva para o melhor. Ele seria feliz com você. Nunca o vi tão animado como agora – ela sorriu outra vez. – Parece que você o enfeitiçou.

Eu ri, nervosa.

– Acho que não dá pra dizer que virar a vida dele de pernas pro ar seja um feitiço. É mais uma praga! E ele deve estar interessado porque é algo novo, daqui a pouco a novidade acaba e ele nem me notará mais. – Engoli em seco quando terminei. Seria assim?

– Duvido muito. Ele não é volúvel – rebateu enfaticamente.

Elisa parou de tocar quando o mordomo apareceu na porta. Trazia uma carta em uma bandeja. Ela a leu e depois sorriu.

– Esplêndido! Nossos vestidos estão prontos. Madame Georgette pede para irmos buscá-los ainda hoje. – Levantou-se do banquinho, incapaz de conter a excitação. – Você ficará linda com seu vestido, Teodora – ela exclamou, contente.

– Eu espero que sim. Madame Georgette é uma artista! E eu preciso estar majestosa para o baile!

– E o seu também será deslumbrante, Sofia. – Elisa estava tão empolgada que parecia quicar no chão de madeira. – Um vestido tão delicado que combinará perfeitamente com sua pessoa.

Eu? Delicada? Rá!

– Sabe que nem prestei muita atenção no modelo? – confessei. – Não tenho certeza se me lembro do desenho que você escolheu... – Não tinha certeza nem se era um vestido de mangas ou alças, acabei me distraindo com as novidades que a costureira tinha para contar. Mas a cor eu sabia: era branco.

– Tanto melhor! Assim, não poderá reclamar depois que estiver pronto – Elisa disse, me deixando apreensiva. – Não que você reclame, mas já notei que não gosta de vestidos muito grandes – ela fez um gesto passando as mãos em torno dos quadris para demonstrar.

– Acertou na mosca. – Ela fez aquela cara de *hein?* e eu me expliquei melhor: – Você tem razão. Não gosto de me sentir um balão. – E, para minha surpresa, dessa vez Teodora também riu.

25

Ficamos na sala de música até que o almoço foi anunciado. Ian não estava à mesa. Madalena e mais dois empregados apareceram com os braços repletos de bandejas e travessas.

– Oh, senhorita Elisa! Mandei avisar seu irmão que o almoço seria servido, mas ele disse que não sairá do quarto até que termine o que está fazendo – disse agoniada. – Ele nem tomou o café hoje! Estou preocupada que ele esteja doente!

Elisa ficou alarmada. Assim como eu.

Ele não estava bem? Estaria realmente doente? Tinha algum remédio naquele lugar atrasado? Mas ele pareceu tão normal e bem disposto quando nos vimos pela manhã!

– Eu vou chamá-lo – eu disse, apressada. Os olhos das três mulheres me observavam. – Talvez consiga convencê-lo a comer alguma coisa para não deixá-las tão preocupadas.

– Por favor, faça isso – Elisa me disse.

Fui para o corredor quase correndo, mas tive que voltar quando estava na metade.

– Err... Eu não sei onde é o quarto dele – falei desconcertada.

– Três portas à esquerda do meu. – Elisa se levantou. – Se quiser, posso ir até lá com você.

– Não precisa! Sei chegar lá. Acho que talvez uma amiga possa argumentar de forma mais persuasiva que a própria irmã – sorri amarelo. Minha desculpa soou esfarrapada até para mim.

Saí apressada para o corredor que levava até a sala principal. Eu só conseguiria encontrar o quarto de Elisa se partisse dali. Apressei o passo, enquanto pensamentos desagradáveis teimavam em entrar em minha cabeça. Ele estava doente? Mas parecia tão normal de manhã! Corado e saudável e lindo e forte e cheiroso e... Talvez estivesse mal e não tenha dito nada para não me preocupar. Ian não parecia ser um daqueles homens resmungões que quase precisam de morfina quando uma unha do pé encrava.

Encontrei o quarto de Elisa. Contei três portas à esquerda. Bati. Não ouvi som de passos ou resposta. Bati novamente, já ficando impaciente.

Senti um pouco de alívio quando ouvi passos e, depois, a voz abafada de Ian.

– Senhora Madalena, eu já lhe disse que não estou... – ele abriu a porta e me viu – ... com fome – terminou confuso.

– Oi.

– Oi!

Analisei atentamente sua fisionomia. Ele não parecia doente. Pelo contrário, parecia esbanjar saúde, com o cabelo desarrumado e uma mancha de tinta rosa na testa. Não vestia o casaco habitual, apenas uma camisa branca, os dois primeiros botões abertos permitiam entrever os pelos negros de seu peito. As mangas estavam enroladas até a altura dos cotovelos e pequenas pintas coloridas decoravam todo o tecido. Nunca o tinha visto mais lindo!

– Está tudo bem com você? – consegui falar, depois de recuperar o fôlego.

– Mas é claro que está. Por que não estaria? – sua testa se enrugou.

Vestido daquele jeito, com camisa e calças escuras, ele parecia um rapaz comum – não por sua aparência, Ian era lindo demais para ser considerado comum, mas como um rapaz do século vinte e um. Qualquer homem ainda usava camisa e calças.

– Madalena pensou que você estivesse doente. Ficamos preocupadas e eu vim até aqui para ver se você estava bem. E, caso estivesse bem, te arrastar até a mesa e obrigá-lo a comer.

Ele bufou.

– A senhora Madalena sempre se preocupa desnecessariamente. Eu estou bem, apenas quero terminar o que estou fazendo e depois vou comer.

– Está pintando?

– Estou – respondeu exasperado. – Minha governanta não sabe manter a boca fechada.

– Ela não fez por mal. Posso ver?

– Não! – disse ele, um pouco alto demais. Assustei-me com sua reação exagerada ao meu pedido simples. – Quero dizer, ainda não. Não está pronto.

– Ah! – exclamei frustrada. – Então, vamos almoçar?

– Eu pretendia terminar a pintura primeiro.

– Tá bom – murmurei infeliz. – Vou até a vila com sua irmã e Teodora para pegar os vestidos esta tarde.

– Estão prontos? Que ótima notícia. Assim, não terá nenhuma desculpa para não dançar comigo no baile – ele sorriu malicioso, e meu coração disparou.

– Não quero desapontá-lo, mas provavelmente não sei dançar o tipo de dança que você conhece. – Recuei um passo e comecei a voltar para a sala. – Te vejo depois, então – dei de ombros. Não pude evitar ficar decepcionada.

– Espere – sua voz soou um pouco mais alta. – Me dê apenas um minuto.

– Mudou de ideia?

– Sim – abriu a porta do quarto. – Apenas preciso me livrar de toda esta tinta primeiro – ele me mostrou as mãos coloridas e entrou, fechando a porta outra vez.

Esperei no corredor, observando alguns quadros e brincando com uma das flores do imenso buquê no vaso sobre o aparador. Depois de um curto período, Ian saiu do quarto mais alinhado, com o cabelo levemente úmido e uma camisa limpa por baixo do casaco.

– Assim está melhor – disse ao se aproximar.

– Não sei se eu concordo... – Gostei muito de vê-lo mais desarrumado. Muito mesmo!

– Perdoe-me, o que disse? – ele franziu a testa. A mancha rosa ainda estava ali.

Mordi o lábio para não rir.

– Sua testa está rosa. Se Madalena te visse agora, iria pensar que é algum tipo novo de doença que faz as pessoas mudarem de cor.

– Onde? – perguntou, levando a mão à testa.

– Bem aqui – toquei a mancha e friccionei levemente, mas a tinta não saiu. – Acho que terá que lavar com sabão, a tinta está seca.

Rápido como o bote de uma cobra, seus braços me envolveram e, de repente, eu estava colada a ele. Tentei empurrá-lo para me livrar do abraço, mas Ian era mais forte que eu.

– Agora, senhorita, me diga exatamente quanto – e sorriu.

Tentei tirar suas mãos de minha cintura, mas não consegui mover nem mesmo um de seus dedos.

– Pare de brincadeira, Ian. Alguém pode nos ver. Me solte! – pedi inquieta.

Seu sorriso se alargou.

– Soltarei assim que me disser quanto. – Seus olhos brilhavam como duas estrelas negras, o sorriso era de fazer meu coração parar de bater.

– Quanto o quê? – perguntei exaurida. Se Elisa viesse procurar por ele e nos visse agarrados daquele jeito, depois de tudo que contei a ela...

– Quanto gosta de mim – disse divertido. – Você me disse que gosta e que eu nem imagino quanto!

– Ian! Me solte e pare com isso. – Eu estava ficando com medo. Meu corpo começava a perder o controle outra vez. E estávamos sozinhos no corredor cheio de portas, que levavam a quartos cheios de camas. – Elisa pode aparecer...

– Então, me conte! – pediu com a voz intensa e suplicante. A diversão em seus olhos foi substituída por alguma emoção que não pude ler. – Por favor, me diga.

– Não digo até que me solte! – proferi desesperada. Minha pele pinicava, meu nariz estava cheio do aroma de sua pele (tão masculino), que turvava meus pensamentos.

– Sofia – ele sussurrou, se inclinando para me beijar.

Tentei detê-lo, mas seu súbito ataque me pegou de surpresa e não consegui afastá-lo a tempo. É claro que, quando sua boca encontrou a minha, meu corpo reagiu e minhas boas intenções caíram por terra. E lá estava eu, outra vez, agarrada a ele de forma nada educada, sem me importar se o mundo acabasse ou se alguém nos visse. Parecia que, a cada vez que ele me beijava, uma nova parte de mim despertava. Eu era inteiramente nova, uma outra pessoa, mais feliz e completa.

Não sei bem como acabei presa entre ele e a parede, os botões do vestido cravados em minhas costas, mas fiquei muito satisfeita. Suas mãos deixaram minha cintura e deslizaram por meu corpo, subindo e descendo por minhas costas, rodeando a lateral do meu quadril, descendo até minhas coxas. Instintivamente, levantei as pernas e as prendi em seu quadril. Ele me apertou ainda mais contra a parede fria. Tudo ao meu redor começou a girar enquanto seus lábios brincavam em meu pescoço.

– Ian – arfei, trazendo sua boca de volta para a minha.

Minhas mãos – por vontade própria – desvendavam a musculatura firme de seu peito, sua barriga chata, seus ombros largos. O calor que irradiava dele me queimava, me deixando maluca, e eu queria desesperadamente que sua camisa se desintegrasse. Ele encontrou um caminho por baixo de minha saia, sua mão subiu devagar pela lateral de minha coxa, e apertei ainda mais as pernas em seu quadril, o trazendo para mais perto.

Presa a ele daquela forma, eu não tinha para onde escapar. Eu *não queria* escapar! Desci as mãos por sua barriga, procurando pelo botão da calça, e acabei encontrando outra coisa. Uma coisa muito maior! Ian gemeu.

Seus beijos se tornaram mais sérios, ainda mais urgentes, e fiquei feliz demais quando ele tentou alcançar os botões em minhas costas.

– Rã-rã...

De repente, Ian me soltou. Escorreguei pela parede e acabei no chão, com a parte de trás da saia enrolada na cabeça.

– Ah! Desculpe-me, Sofia. Digo, senhorita Sofia – senti suas mãos tentando me desembrulhar. Sua voz parecia estranha.

– Ian... – tentei me desenrolar do tecido. – O que...

Quando pude enxergar alguma coisa, vi apenas as costas de um homem mais velho. O mordomo. Gomes, me lembrei.

– Desculpe-me, senhor. Não tive a intenção de interrompê-los. Vim avisá-lo de que as bebidas para o baile acabaram de ser entregues. Pensei que gostaria de conferir a qualidade, como é seu costume.

Ai, droga!
Droga! Droga! Droga!

— Err.. Eu... vou num minuto, Gomes. — Ian não sabia bem o que fazer: se me acudia ou se levava o homem dali. — Apenas vou... ajudar a senhorita Sofia a chegar até a sala e me encontro com você na adega.

Ainda de costas, o homem disse:

— Sim, senhor — e se retirou apressado.

Ian estendeu as mãos para me ajudar a ficar de pé. Aceitei sua ajuda sem hesitar.

— Você está bem? — perguntou, preocupado. Suas mãos separaram as mechas de cabelo que cobriam meu rosto.

Não, eu quis dizer. *Não estou bem. Não estarei bem até que me beije outra vez!*

— Ótima! — ofeguei.

Arrumei o vestido e passei as mãos pelos cabelos, tentando me recompor. Estava claro que esse tipo de coisa — Ian e eu sozinhos em qualquer lugar — não estava dando certo.

— Você acha que ele vai contar pra alguém? — perguntei, preocupada com Elisa.

Ele tocou delicadamente uma mecha de cabelo que teimava em cair nos meus olhos e a colocou atrás da orelha.

— Não se preocupe com isso. Gomes é muito discreto. Faz parte de seu trabalho — e sorriu.

Afastei-me um pouco dele.

— Não quero te causar problemas — recuei um pouco mais.

— E não causou. Se me lembro bem, fui eu quem começou isso — ele me observava atentamente. — Por que está se afastando como se eu fosse perigoso?

A distância agora era de alguns passos.

— Porque dessa forma poderemos conversar civilizadamente, sem acabar... do jeito que acabou agora há pouco — falei, envergonhada.

Ele riu.

— Acho que tem razão. — Correu uma das mãos por seus cabelos negros. — Creio que precisamos conversar sobre o que está acontecendo entre nós dois. Você não pode mais fugir do que sente.

– Eu sei – concordei, pensando na conversa que tinha tido com Teodora na sala de música. Que se danasse aquela vendedora e seus conselhos! Ele precisava saber da minha história, toda a história, para poder entender que eu não era livre para decidir nada. Eu devia isso a ele. – Preciso te explicar muita coisa. Mas não agora. Elisa está me esperando e você tem que ver as bebidas.

Eu estava presa à parede outra vez. Dessa vez, apenas pela parede. Ele não pareceu satisfeito em adiar a conversa.

– Outra hora, então – disse, solenemente. – Vou acompanhá-la até a sala de jantar para que Elisa não se preocupe mais – e ofereceu-me o braço.

Sacudi a cabeça. Suas sobrancelhas se arquearam.

– Você vai daí – indiquei a outra parede – e eu vou daqui. Essa casa tem muitos corredores iguais a este – esclareci meio sem graça.

Ele sorriu.

– Não vou atacá-la, Sofia.

– Mas talvez eu te ataque – sorri também. – Melhor não arriscar.

Ele assentiu, ainda sorrindo. Andamos alguns passos em silêncio. Eu espiava seu rosto de vez em quando e sempre encontrava seus olhos me observando. Depois de um tempo, Ian resolveu falar.

– Então irá até a vila esta tarde? – perguntou casualmente.

– Vou. Acho que Elisa não me deu outra opção.

– Pode ficar aqui comigo, se quiser – ele se aproximou um pouco.

– Já prometi que iria – menti. Era melhor evitar a tentação de ter a casa só para nós dois outra vez.

Ele continuou andando, colocou as mãos nos bolsos e se aproximou um pouco mais.

– Talvez depois do jantar possamos conversar – e sua voz mais baixa me causou calafrios.

– Talvez. Ou amanhã durante o dia, num lugar que não tenha portas nem paredes. – Com certeza, seria mais prudente se, pelo menos, não tivéssemos a facilidade de tantos quartos ao alcance das mãos.

Ele se aproximou mais, as mãos ainda dentro dos bolsos, mas nossos cotovelos se tocaram. De repente, um pensamento desagradável encheu minha cabeça. Eu parei e o puxei pelo braço, fazendo com que ficasse de frente para mim.

– Ian, preciso te dizer uma coisa.

– Diga!

Observei seu rosto atentamente. Ele parecia esperar algo. Algo que eu não tinha ideia do que era.

– Você já sabe que eu... *dormi* com alguns homens. Não muitos – me apressei, ainda observando sua reação. – Mas alguns.

Seus olhos ficaram tristes. Não era bem o que eu estava esperando.

– Por acaso, você não estaria imaginando que eu me comporto com todos os homens que encontro pela frente da mesma forma que ando me comportando com você, estaria?

Seu rosto escureceu, como uma tempestade de verão.

– Acha que estou querendo me aproveitar de você pelo fato de saber que já foi de outro homem? – rosnou, trincando os dentes.

– Conheço muitos tipos de homens. Não seria surpresa se fosse assim, afinal.

Ele agarrou meu braço com força – mas não a ponto de me machucar –, me impedindo de sair do seu campo de visão.

– Não sei que tipo de homem você conhece, mas eu não sou um aproveitador! Você é tão cega assim, Sofia? – A fúria e o desespero em sua voz me deixaram alarmada. – Não consegue ver o que eu sinto por você? Eu jamais a trataria de forma tão desonrosa se eu não estivesse tão...tão...

Ele parou e sacudiu a cabeça, depois soltou meu braço e recuou. Eu fiquei paralisada, de medo, de espanto e de ansiedade também. Queria que ele concluísse. Se eu não estivesse tão... apaixonado? Assim como eu estava?

– Desculpe-me. Parece que não estou sendo muito claro com você. E nem posso culpá-la por não entender o que eu sinto. Não depois de tê-la tratado de forma tão abominável. – Ele me encarou, a raiva ainda dominava seus olhos, mas agora se misturava com angústia. – Realmente, precisamos ter uma conversa definitiva!

Concordei com a cabeça, incapaz de dizer qualquer coisa.

Ele se virou para o corredor, andou apenas um passo e depois voltou até onde eu estava, ainda estarrecida e grudada no chão.

– Perdoe-me, Sofia – ele disse, tocando o local em meu braço onde sua mão estivera agarrada até alguns segundos atrás.

– Tudo bem – sussurrei. – Não me machucou nem nada disso.

Ele pareceu tristonho.

– Não estou me saindo muito bem. Mas essa é a primeira vez que me apaixono – e sorriu timidamente.

Senti um tremor percorrer cada centímetro de meu corpo. A emoção que me dominou me deixou entorpecida. E, antes que eu pudesse dizer qualquer coisa, antes mesmo de poder piscar, suas mãos se encaixaram em meu queixo e seus lábios pressionaram os meus delicadamente. Então me soltou, cedo demais para o meu gosto, e suspirou.

– Até depois.

Ele estava apaixonado por mim! Por mim!

Ele me queria tanto quanto eu o queria e, assim como eu, era a primeira vez. Tentei recuperar o fôlego para poder dizer que eu também estava louca por ele, contudo, não consegui responder a tempo. Quando finalmente o ar voltou aos meus pulmões, Ian já tinha desaparecido pelo corredor.

Ele está apaixonado por mim!

A alegria era tanta que eu queria sair gritando pelos quatro cantos do mundo. Respirei fundo algumas vezes para me recompor, um sorriso imenso e involuntário se espalhou por meu rosto.

Ele está apaixonado por mim!

Não conseguia parar de repetir as palavras, meu coração quase explodindo de tanta felicidade. Um novo tipo de felicidade, muito mais intensa, prazerosa, importante e maravilhosa!

Bzz. Bzz. Bzz.

O zumbido fraco, quase um sussurro – mas que eu conhecia bem –, ecoou no corredor.

Disparei para o quarto, quase derrubando a porta ao entrar. Corri para o celular. Minha mão tremia.

Fase três: completa
Bem-vinda ao novo nível. Esteja preparada.

Ah, não! Ah, não!

Não agora! Não agora que Ian...

Está apaixonado por mim!

Horror, dor e medo me invadiram de uma só vez.

O que foi que eu fiz? Iria magoá-lo tanto! E eu sabia disso. Sempre soubera disso!

E por que *novo nível*? Eu nem sabia o que tinha feito para acabar o nível anterior!

Já não sabia mais o que eu queria de verdade. Mas tinha certeza do que eu não queria. E eu não queria machucar Ian. Não sabia ao certo o que "estar preparada" significava, mas minha intuição me dizia que era minha volta para casa. Um bolo no estômago me impediu de respirar, me agachei perto da poltrona abraçando os joelhos e deixei que as lágrimas corressem livremente, enquanto uma dor profunda e cortante atingia meu coração.

26

— Você está bem, Sofia? – Elisa perguntou, enquanto o cocheiro colocava as caixas dos vestidos sobre o teto da carruagem.
– Claro. Por que não estaria? – Só porque enfim me apaixonei perdidamente por um cara incrível, que também estava apaixonado por mim, e eu sabia que o magoaria muito em breve sem que eu pudesse fazer nada para impedir isso? Ou porque eu não sabia mais onde era o meu lugar? Porque, quando estava com Ian, já me sentia como se estivesse em casa. Isso era motivo para não estar bem? Imagina, motivo algum!
– Você está triste! – constatou. – Nunca a vi assim antes. Será que posso ajudar com alg...
– Elisa, valeu. Mas eu tô numa boa. É só... Sei lá. Eu tô meio ansiosa com o baile – menti.
Ela não se enganou.
– Foi meu irmão, não foi? Se ele fez alguma coisa que a importunou...
– Elisa, Ian é o cara mais sensacional que eu já conheci. Ele não me importunou. Eu é que fiz tudo errado – sacudi a cabeça, desolada.
– Você?
– Sim, eu. Baguncei a vida dele!
– Não é verdade. E eu nunca o vi tão feliz quanto agora.
– Por enquanto – sussurrei, chateada.
Elisa não disse nada. Teodora por fim se juntou a nós duas, após conversar animadamente com a costureira sobre um novo vestido. A viagem

de volta foi silenciosa, mas Elisa me observou o tempo todo, às vezes com curiosidade, às vezes com pena.

Assim que cheguei da vila, fui procurar por Ian. Tinha que conversar com ele. Tinha que avisá-lo que não poderia mais aceitar seus beijos, suas carícias e seu afeto, porque eu teria que voltar para casa

Procurei por ele em todo o casarão, me perdendo inúmeras vezes em cômodos até então desconhecidos, mas ele não estava em parte alguma. Madalena não sabia dizer se ele tinha saído ou não. Procurei, então, a única pessoa que eu não queria ver tão cedo.

Gomes.

Engolindo a vergonha de ter sido flagrada de forma pouco decorosa com seu patrão, acabei encontrando o senhor de rosto fino e amistoso na sala de jantar, lustrando talheres. Imaginei que ele pensasse que eu era um tipo de garota muito comum no meu tempo. Uma periguete. O que não estaria muito errado, dada a forma como eu vinha me comportando.

– Seu Gomes, boa tarde. Quer dizer, já é quase noite – um sorriso amarelo. – Estou procurando o I... o senhor Clarke. Sabe onde posso encontrá-lo?

– O patrão foi até a cidade, senhorita Sofia. Creio que precisou buscar algo importante para o baile – seus olhos não me censuravam. Eram amigáveis.

Remexi nas colheres e facas que ele polia tão minuciosamente. Havia dezenas delas. Talvez centenas.

– Para sábado? – perguntei, erguendo uma peça.

– Sim, senhorita Sofia. Amanhã será um dia conturbado. Teremos todos os preparativos do banquete e ainda os serviços diários. – Ele polia muito rápido, demonstrando toda a experiência que tinha.

– Eu posso te ajudar – ofereci.

– De maneira alguma, senhorita. Isso é trabalho para os criados e não para as damas – repreendeu, sem me olhar nos olhos.

– Ai, Gomes, por favor! Estou nervosa e sem nada para fazer. Madalena só falta cuspir fogo quando chego perto da cozinha. Me deixe ajudá-lo. Se eu estiver atrapalhando, você me manda embora que eu vou quietinha. Por favor! – implorei.

Os olhos ligeiramente enrugados analisaram meu rosto por um tempo. Acreditei que a expressão desesperada que eu devia ter na cara o convenceu, pois, sem dizer nada, ele se levantou e foi até o guarda-louças para pegar outra flanela – ou pelo menos parecia flanela.

Primeiro observei como ele fazia, depois tentei copiar os movimentos, mas sem a mesma rapidez. Lustramos os talheres em silêncio por um longo tempo, havia uma pilha imensa esperando para ser polida.

– A senhorita é uma criatura estranha – ele disse do nada, sorrindo um pouco.

– Quem, eu? – Pensei um pouco no assunto. – Prefiro "*quase* normal".

Sua gargalhada encheu a sala.

– Como preferir!

Lustrei mais alguns talheres, enquanto Gomes terminava com vários deles.

– Por que acha isso? – eu quis saber, não pude resistir.

– Você não é como as outras jovens. Não se importa de trabalhar, nem com vestidos ou de dizer o que pensa – ele disse de forma doce, nem um pouco reprovador.

– É porque não sou daqui, lembra? – eu o cutuquei com o cotovelo.
– E trabalho faz muito tempo. Ficar sem ter nada para fazer está me deixando neurótica.

Ele riu outra vez.

Eu não sabia como entrar no assunto. Depois de meditar sobre a questão, resolvi que falar de uma vez era a melhor saída.

– Gomes, sobre o que você viu hoje...

– Mas eu não vi nada, senhorita – ele me interrompeu. – Sou muito bem instruído para saber que o que vi não foi nada. Apenas um abraço amigável.

Muito amigável, realmente!

– Eu só queria que soubesse que eu não fico por aí... – senti minhas bochechas arderem.

– É claro que não! Eu jamais pensaria tal coisa a seu respeito – ele me encarava com olhos sinceros. Ou estava sendo franco ou era um ator formidável.

– Obrigada – sussurrei.

– Disponha.

Lustramos mais alguns talheres em silêncio. Não um silêncio constrangedor, mas aquele tipo de silêncio de trabalho, de concentração.

– Eu gosto dele de verdade – soltei depois de um tempo.

Ele sorriu sem tirar os olhos da prataria.

– Notei isso há algum tempo, minha cara.

– Notou? – Eu mesma só percebi há poucos dias! Se bem que eu estava ali há poucos dias...

– Ouso dizer que desde a primeira vez que a conheci. A velhice tem suas vantagens. Já vi muitas jovens apaixonadas – sorriu e piscou um dos olhos.

– Por ele? – instiguei.

Ele concordou com a cabeça.

Eu podia imaginar. Gentil, inteligente, lindo, charmoso, delicado, divertido, tinha uma pegada forte e parecia ser rico – não que isso me importasse. Quem não cairia de amores por Ian?

– Mas esta é a primeira vez que ele retribui – Gomes acrescentou.

Suas palavras feriam e curavam ao mesmo tempo meu coração machucado. Era incrível que, mesmo imersa na confusão de sentimentos em que eu estava, ainda conseguisse sentir prazer com aquela simples expressão.

– Sabe se ele volta logo? – Eu não podia mais adiar a conversa. Contaria tudo a ele. *Tudo*. Não me importava se ele risse ou me pusesse para fora de sua casa. Ele tinha o direito de saber tudo, saber o motivo que me impedia de ficar com ele, ficar ali.

– Não sei. Mas creio que pode demorar um pouco. A cidade fica distante daqui. Lembra-se da viagem até o teatro, não lembra?

Ah! Aquela cidade. Era longe, de fato, quando não se tinha um veículo movido a gasolina.

Terminamos a prataria perto da hora do jantar, Ian ainda não tinha dado as caras. Eu não estava no clima de ouvir as conversas fúteis de Teodora – ainda que ela estivesse me tratando com mais amabilidade – sobre fitas, chapéus, baile e lady Catarina, então, logo que o jantar acabou, fui para o quarto, mas pedi a Gomes que me avisasse assim que Ian retornasse.

Depois do banho – vestida muito confortavelmente com a camisa manchada de tinta –, fiquei na janela do quarto esperando por ele, mas era impossível avistar qualquer coisa na noite sem lua.

Sentei-me na cama e peguei meu romance esfrangalhado para passar o tempo. Levantei-me algumas vezes para olhar pela janela, só para ter o que fazer. Li muitas páginas e acabei caindo no sono. Quando dei por mim, o sol batia em meu rosto, me despertando. Puxei o livro que agora estava sob minha barriga, os cantos estavam começando a machucar minhas costelas. Uma nova orelha havia se formado na contracapa. Esse era um dos motivos de o livro estar naquele estado penoso: às vezes, eu acabava adormecendo sem guardá-lo de maneira apropriada. O outro motivo era eu deixá-lo jogado dentro da bolsa.

Vesti-me e saí para procurar por Ian. Eu tinha que contar tudo a ele antes que o maldito celular me mostrasse outra mensagem. A próxima podia ser algo do tipo: *Perdeu, perdeu!* – e então *puf!*, me mandaria de volta para o presente.

Encontrei um verdadeiro caos na cozinha. A grande mesa de madeira estava abarrotada de frutas, verduras, vidros, panelas, temperos, ovos, sacos de tecido – de farinha ou açúcar, ou talvez os dois. Muitas pessoas corriam de um lado para o outro, exatamente como quando há um terremoto e ninguém nunca sabe para onde ir. Observei a bagunça e não achei o que procurava. Fui até a sala de jantar. Elisa e Teodora estavam à mesa.

– Bom dia – saudei.

– Bom dia – Elisa me disse, sorrindo

– Bom dia, senhorita Sofia. Já tomou seu café? – Teodora indagou.

Ao que parecia, ela ainda se esforçava para ser mais agradável comigo. Que bom! Ela subiu no meu conceito simplesmente por se preocupar com meus amigos – o mesmo motivo que a fazia ser tão cordial comigo agora.

– Não, ainda não comi – puxei a cadeira e me sentei.

Peguei um pedaço de pão e comecei a esfarelar com os dedos enquanto as observava. As duas agiam como sempre, então Ian já teria retornado a essa altura – caso contrário, Elisa estaria se descabelando por causa do irmão desaparecido, e não sentada ali, comendo tão calmamente.

– Onde está Ian? – indaguei depois de alguns segundos.

As duas trocaram um olhar conspiratório e sorriram.

– Que foi? – perguntei confusa.

– Ele está no estábulo. Ainda tentando convencer Storm a não derrubá-lo – contou Elisa, tentando não rir. – Teodora e eu estávamos discutindo minutos atrás quanto tempo levaria para que você perguntasse por ele.

As duas riram.

Fiquei constrangida e um pouco irritada. Levantei-me de uma vez, deixando a comida de lado, e saí em direção ao estábulo. Parei quando cheguei à porta.

– E quem acertou? – perguntei.

– Eu! – Teodora disse com um sorriso enorme. – Não fique com raiva, senhorita. Mas é impossível não notar o que está escrito em seus olhos.

– Você o ama! – Elisa exclamou maravilhada, como se fosse uma notícia boa.

Eu apenas abaixei a cabeça e saí da sala apressada. Esperava que estivessem enganadas. Esperava que ele não conseguisse ler meus olhos tão facilmente.

27

Fora do casarão, a bagunça era tão grande quanto na cozinha. Muitas pessoas passando de um lado para o outro com caixas nas mãos, carroças e mais carroças cheias de aparatos e alimentos.

Ian estava no centro do estábulo com Storm. Sua aparência era bem diferente da que eu estava habituada. Vestia apenas camisa e calças, como na noite anterior, mas agora a camisa estava suja de terra e grandes manchas de suor no peito largo faziam o tecido grudar em sua pele; o cabelo despenteado estava úmido pelo esforço, os joelhos da calça repletos de terra. Até seu rosto parecia estar sujo. Estava lindo, irresistível! Fiquei observando a cena por um tempo, não queria perder nenhum detalhe.

Com as mãos espalmadas, como se dissesse ao cavalo à sua frente que estava desarmado, ele tentava se aproximar do animal. Contudo, Storm não se deixou enganar. Recuou vários passos todas as vezes que Ian tentou chegar perto.

Ian fez mais algumas tentativas e, por fim, conseguiu se aproximar o suficiente para montá-lo. No entanto, o sorriso triunfante em seu belo rosto durou apenas alguns segundos, já que Storm, em um ataque de rebeldia, empinou para trás relinchando feito louco. Ian não conseguiu mais se segurar e acabou caindo.

– Ian? – gritei, abrindo a cerca e correndo (com o vestido erguido) até ele. – Você está bem?

Atirei-me de joelhos ao lado dele, minhas mãos percorrendo seu peito, seus ombros, seu pescoço. Tudo estava no lugar.

Ele tentou se levantar e gemeu baixinho.

– Ai, minhas costas! – resmungou, se apoiando nos cotovelos. Encarou-me meio sorrindo, meio gemendo. – Bom dia, senhorita. Como está hoje?

– Eu? Como *você* está? Quer que eu mande chamar o médico ou te leve para algum hospital, ou um pronto-socorro, ou seja lá o nome que tem aqui? Você quebrou alguma coisa? Bateu a cabeça? Quantas Sofias você está vendo?

Ele riu, me acalmando um pouco.

– Acalme-se. Estou perfeitamente bem. – Sua mão tocou a minha, ainda sobre seu peito. – Não é a primeira vez que ele me derruba, lembra-se?

Ele tentou se sentar, coloquei as mãos em seus ombros para dar apoio.

– Tem certeza que tá tudo bem mesmo? – O cavalo era tão alto! Talvez ele não sentisse a dor porque o corpo ainda estava quente.

– Tenho. Agora, pare de se preocupar comigo. – Ele sacudiu a camisa cheia de terra. Uma chuva de areia caiu. – Acho que Madalena me passará outro sermão hoje. Ontem já falou pelos cotovelos por conta de uma ou duas manchas de tinta. – Depois sorriu com cara de quem tinha aprontado e tinha sido pego. E não se arrependia nem um pouco.

Não achei graça.

– Você poderia ter se matado, idiota. – Soltei-o, me levantando rapidamente. – Pensei que tivesse desistido deste cavalo. Está tentando deixar Elisa sozinha? Sem pai, mãe e sem irmão também? – Como se atrevia a fazer aquele tipo de idiotice? Qualquer um podia ver que Storm não seria domado por ninguém. Era claro como cristal. Apenas aquele teimoso não via isso! Por que ele ainda insistia?

– É claro que não. Só estou tentando uma nova técnica – ele ainda sorria.

Minha raiva aumentou.

– E qual é a nova técnica? Ser atirado a dois metros de altura por um animal selvagem? Parabéns! Funciona perfeitamente bem! – A ironia e a raiva se misturaram em minha voz.

Ele se levantou e sacudiu as calças, fazendo cair outra chuva de areia.

– Pensei que não fosse possível, mas vejo que me enganei – ele disse, endireitando as costas.

Fiquei confusa.

– Que não fosse possível o quê?

– Pensei que não fosse possível você ficar mais adorável do que já é. Mas me enganei – ele explicou, sorrindo carinhoso. – Fica ainda mais encantadora quando está preocupada comigo.

Eu bufei e lhe dei as costas, marchando de volta para a casa. Obviamente ele estava bem, já que era capaz de ficar me gozando!

Entretanto, na pressa de sair dali, e com a raiva turvando minha visão, acabei enroscando a barra do vestido na cerca de madeira, abrindo um buraco no tecido, grande o suficiente para passar uma laranja.

– Droga de vestido estúpido! – resmunguei, puxando a saia e aumentando ainda mais o rasgo.

Ian estava bem atrás de mim quando voltei a andar.

– Por que está tão furiosa? – falou, mais sério.

– Por que ficou tão imbecil? – retruquei.

Ele alcançou meu cotovelo, me fazendo parar.

– Por que está tão irritada comigo? – A confusão estava estampada em seu rosto. – Não pode ser apenas por causa do cavalo.

E, na verdade, não era *apenas* por isso. Eu teria que partir e teria que esquecê-lo. Teria que esquecer a coisa mais bacana e intensa que já senti, sem que nem mesmo tivesse começado direito.

Respirei fundo várias vezes, tentando me acalmar. Ele esperou pacientemente, sem dizer nada.

– Eu preciso falar com você. Agora! Te esperei ontem à noite, mas você não chegava nunca... Onde esteve afinal?

– Precisei ir até a cidade. Faltavam alguns detalhes para o baile e eu precisava lhe comprar uma coisa...

– Me comprar o quê? – perguntei cautelosa. Não gostei muito da cara dele quando disse isso. O jeito como falou e o seu sorriso me diziam que eu podia me meter em outra enrascada. Uma deliciosa, mas ainda assim uma enrascada!

– Ficará pronto dentro de alguns dias. Em breve você saberá, prometo. Por que queria falar comigo ontem? – o tom carinhoso em sua voz derreteu minha raiva de vez.

Suspirei.

– Você sabe por quê.

– Ah – ele assentiu. – Podemos conversar agora. Também tenho algo importante para lhe dizer.

Ian parecia ansioso para termos nossa conversa. Talvez pensasse que poderíamos encontrar uma forma de resolver tudo. Que tudo acabaria bem. Mas ele não conhecia a história toda, e nem toda conversa do mundo consertaria minha vida naquele momento.

– Ótimo! Mas eu preferia que fosse num lugar mais reservado. – Se eu ia contar que nasci duzentos anos à frente, seria melhor não ter plateia. Apesar de os empregados estarem atarefados com os preparativos para o baile e passarem por nós como se não nos vissem, um ouvido curioso poderia captar algo que não devia. E eu não queria nem pensar nas consequências que isso poderia ter.

– E onde gostaria de fazer isso?

– Tanto faz. Desde que ninguém nos ouça, não me importa onde seja – dei de ombros. Minha coragem começava a fraquejar. Seria tão bom se eu pudesse simplesmente não pensar em nada, não contar nada e agir apenas como *eu* queria.

Suspirei outra vez. Não adiantava mais adiar o inevitável. Ele tinha que saber tudo antes que eu desaparecesse de sua vida para sempre sem deixar nem uma explicação.

Ian deu uma arrumada na gola da camisa e passou as mãos pelos cabelos suados.

– Se não se importar que eu não esteja vestido adequadamente para acompanhá-la...

– Não seja ridículo, Ian! Você está ótimo assim. Vamos logo, antes que eu perca a coragem – e comecei a andar, esperando que ele me seguisse. E assim ele fez.

Porém andamos uns três ou quatro passos apenas, antes que Madalena aparecesse correndo e gritando desesperada. Aparentemente, alguém havia deixado alguns animais escaparem e agora sua cozinha estava repleta de galinhas vivas empoleiradas para todo lado, porcos gigantes roíam os sacos de milho que estavam no chão e ela tinha que começar a preparar os assados para o dia seguinte.

Ian se virou e me lançou um olhar de súplica.

– Vá logo! Eu espero – falei desanimada.

Tentei me aproximar da cozinha, mas foi impossível. Havia muita gente tentando agarrar os bichos. Achei melhor esperar do lado de fora. Levou mais tempo do que eu esperava para capturarem todos os animais. Ouvi muito cacarejo, grito e *oinc-oinc*.

– Porra! – exclamou Ian, e eu arregalei os olhos, completamente maravilhada. Gostei de vê-lo despido de sua fachada educada, se comportando mais como o tipo de gente a que eu estava acostumada. Outros xingamentos foram ditos por alguns empregados, fazendo com que eu me sentisse em casa.

Depois de quase meia hora, Ian saiu da cozinha, uma galinha em cada mão, algumas penas no cabelo.

Tentei muito não rir.

Bem que eu tentei!

Ele entregou as galinhas ao moleque que passava.

– Cuide disso, por favor – pediu, parecendo cansado.

Depois foi até a torneira ao lado do cocho e meteu a cabeça na água. Seus cabelos ensopados brilhavam num tom de azul muito escuro. Um pouco da água escorreu pela camisa, que grudou em seu peito, e cada músculo bem definido ficou exposto através do tecido transparente. Foi impossível desgrudar os olhos, mas ele não pareceu notar meu olhar de cobiça.

Ian se aproximou e sorriu afetuosamente.

– Onde aprendeu aquela palavra? – perguntei, queimando de curiosidade.

– Qual? – ele disse confuso.

– Porra! Onde aprendeu isso?

– Ah, perdoe-me, Sofia! Eu não imaginei que você pudesse ter ouvido.

– Não se desculpe. Eu adorei! Só fiquei curiosa pra saber onde aprendeu um palavrão desses. Pensei que não existissem essas palavras aqui.

– Eu leio muito – explicou envergonhado.

– E aprendeu isso num livro? – indaguei, ainda mais interessada. – Um livro que tem *porra* escrito? De verdade?

Ele corou.

– Sim. E não repita o que eu disse, por favor.
– Que livro é esse? Deve ser um autor revolucionário!
Ele relutou, parecia muito embaraçado. Mas acabou me dizendo.
– Bocage – sua voz saiu tão baixa que mal pude ouvir.
– Acho que já ouvi falar. Não é aquele carinha português que escrevia poemas eróticos? – Eu me lembrava de parte da poesia, o pessoal de letras adorava citá-lo... "Aqui dorme Bocage, o putanheiro; Passou vida folgada, e milagrosa; Comeu, bebeu, fodeu sem ter dinheiro."
– E como é que *você* sabe disso? – Ian inquiriu, exasperado.
– Faz parte do que eu tenho pra te contar – apontei.
Ele suspirou.
– Que tal conversarmos na margem do rio? Creio que não correremos o risco de...
– Senhor Clarke, que bom que o encontrei! – Gomes desceu os degraus da cozinha com o rosto em pânico. – Houve um incidente com as carroças de entregas, patrão. Uma delas acabou batendo na outra, e os dois cavalheiros não estão se entendendo. Estão muito exaltados. Temo que acabem perdendo a cabeça.
Os olhos aflitos do mordomo não deixavam dúvida quanto ao que seria esse "perdendo a cabeça".
– Não em minha casa! – Ian vociferou e depois saiu quase correndo, com o mordomo em seu encalço.
Estava começando a pensar que o destino não queria que eu contasse minha história a ele. Tudo acabava dando errado de alguma forma cada vez que eu tentava.
Tentei falar com Ian outras vezes naquela tarde, mas as emergências apareciam e lá ia ele *salvar o mundo*. Pensei que poderíamos conversar depois do jantar. Eu ainda não entendia tanto carnaval só por causa de um baile.
– É como as pessoas se lembrarão da família – Ian me explicou, enquanto seguíamos para a sala de música. Elisa queria tocar um pouco antes de dormir. – Lembra-se do que disse a senhora Albuquerque sobre o baile que o marquês ofereceu?
– Claro. – Homens que se comportaram mal as fizeram sair mais cedo da festa.

– Então, por mais que o marquês ofereça outros bailes, melhores do que qualquer um de que já se tenha ouvido falar, ele sempre será lembrado por este específico, do qual os convidados foram obrigados a se retirar porque alguns cavalheiros não souberam se comportar perante as damas.

Sentei-me ao lado dele, e Teodora ao lado de Elisa no piano. Imaginei que estivesse nos dando um pouco mais de privacidade. Começava a gostar de Teodora.

– E por que você se importa com isso? – Ele não parecia ser tão vaidoso a ponto de querer dar o baile mais perfeito que já existiu.

– Na verdade, não me importo, mas Elisa se importa – ele olhou para a irmã com ternura. – Quero que tudo ocorra como ela planejou.

Também observei Elisa, que começara a tocar uma música familiar. Reconheci de imediato, pois eu tinha aquela música no meu mp3! Só que era tocada por uma banda "dinossáurica" de rock, juntamente com uma filarmônica.

Sorri. A primeira coisa em comum até agora!

Bem, com exceção do palavrão de Ian.

– Gosta dessa? – Ian indicou o piano com a cabeça.

– Muito! – respondi entusiasmada, agarrando seu braço com as duas mãos. – Eu tenho essa música. É uma versão um pouco diferente, bem mais pesada, mas é a mesma melodia! Tive muito trabalho pra baixá-la na internet. Eu não conseguia enc... – Parei no instante que a ruga em sua testa se aprofundou. Eu tinha que conversar com ele logo. A situação estava ficando insuportável.

– Pretende me contar algum dia onde fica esse tal lugar? – perguntou, depois de algum tempo de silêncio, exceto pela música.

– Na verdade, pretendo te contar hoje. Tenho que te contar *tudo*, Ian! Acha que pegaria mal se fôssemos conversar lá na sala de visitas? Só nós dois?

– Não sei. O que significa *pegar mal*? – ele perguntou, educado como sempre.

Argh!

– É tipo... ruim. Ofensivo ou indecoroso. Não fica bem...

– Senhor Clarke! Ainda bem que o encontrei! – Era Gomes outra vez.

Ah, pelo amor de Deus!

Não prestei atenção em qual era a emergência que Ian simplesmente *tinha* que resolver àquela hora da noite. Esperei impaciente que ele voltasse, mas a hora foi passando, ele não voltava, Teodora e Elisa ficaram cansadas e resolveram se retirar. Fiz o mesmo. O que mais poderia fazer?

Não consegui dormir, é claro. Na verdade, nem tentei. Fiquei andando de um lado para o outro, acreditando que ele viria me procurar. Aguardei mais algumas horas e então desisti de esperar por ele.

Abri a porta decidida e vi o corredor às escuras. Alguém devia ter apagado as velas e eu nem ao menos percebi. Peguei a vela do quarto e andei pelo corredor, tentando não fazer barulho nem chamar atenção. Encontrei a sala igualmente escura e vazia. Continuei em frente. Eu iria falar com Ian! Nem que precisasse ficar sentada diante de seu quarto esperando a noite toda.

Bati de leve na porta quando a alcancei. Elisa dormia a poucos metros dali e eu não fazia ideia de qual era o quarto de Teodora. Ouvi alguma coisa lá dentro.

Ian estava no quarto.

A porta se abriu um pouco e pude ver que ele ainda estava de camisa.

– Ainda está acordado. Que bom! – sussurrei. – Vamos conversar? Agora! – exigi.

Ele abriu a porta um pouco mais, mas pareceu perturbado.

– O que está fazendo aqui a essa hora? – sussurrou, me reprovando.

– Eu te esperei até agora, mas, como você não me procurou, resolvi te encontrar, e te encontrei. Agora, vai me deixar entrar ou vamos conversar no corredor e acabar acordando a casa toda?

– Sofia, eu não posso deixá-la entrar! Você enlouqueceu?

– Tem alguém aí dentro com você? – Essa seria a única coisa que me impediria de entrar naquele quarto e ter esta conversa com ele.

– É claro que não! – ele respondeu, horrorizado e ofendido. Sua voz era bem mais alta que meus sussurros. – O que você está pensando?

– Não estou! Agora me deixe passar. – Não esperei pela resposta, me enfiei entre ele e a porta e entrei.

Ian olhou para os dois lados do corredor antes de fechá-la.

– O que acha que está fazendo, Sofia? – Ele foi até uma mesa (como a do meu quarto, com o jarro e a bacia) e lavou as mãos cheias de tinta. A água ficou negra quando as cores se misturaram. – Se alguém souber que está aqui... vai arruinar sua reputação!

– Tenho coisas mais importantes para resolver agora do que me preocupar com minha reputação! – Não tirei os olhos dele. Vestido novamente apenas com camisa e a calça. – Tenho que dizer muita coisa. É importante. Não saio daqui até que você me escute!

Ele secou as mãos e, depois de colocar o pano sobre a mesinha, se aproximou.

– Não pode esperar até amanhã?

– Não!

– Muito bem, então – suspirou. – Vamos conversar.

– Vamos – concordei.

Mas, de repente, as palavras fugiram e eu não sabia por onde começar. Respirei fundo algumas vezes, reunindo coragem, que já não era muita. Ian me observava com atenção.

– Talvez... – comecei hesitante. – Talvez queira se sentar para ouvir tudo o... – fiz um gesto apontando para a cama e parei de falar.

Acho que de respirar também.

Havia um quadro ao lado da cama. Uma tela inacabada. Meus pés foram atraídos até ela sem que eu me desse conta disso. Levantei a vela que ainda segurava para iluminar melhor o retrato e arfei.

Mas era...

Eu!

O quadro inacabado era uma cópia perfeita da noite em que fomos à ópera. Eu usava o vestido rosa, a flor presa em minha trança, meus olhos brilhantes. Minha figura estava quase pronta, meus cabelos, minha pele, meus lábios. O vestido, porém, tinha apenas um pequeno contorno de tinta rosa no colo.

Levantei a mão para tocá-lo. Era tão real que parecia um espelho. Um espelho de meio corpo que refletia uma imagem mais bonita que a original.

– Não toque! – ele pediu, ainda do outro lado do quarto. Virei-me para vê-lo. – A tinta ainda está úmida. Vai borrar. – Ele parecia desconfortável, assustado, inseguro.

Olhei para o quadro mais uma vez.

Essa mulher linda no quadro sou eu? É assim que ele me vê?

– Ian – minha voz saiu distorcida por culpa do nó em minha garganta. – Por que me pintou? Pensei que não gostasse de retratar pessoas.

Ele não respondeu. Virei-me para encará-lo, a pergunta ainda em meus olhos. Nós nos encararmos por um minuto eterno antes que ele me respondesse.

– Porque não posso perdê-la, Sofia! Porque, se tudo que posso ter é este retrato... – e apontou para a tela com um gesto derrotado.

– Ah, Ian. – Deixei a vela no apoio de tintas e me atirei em seus braços.

28

Ian ficou muito surpreso com a forma brusca com que me joguei em seus braços, mas, assim que meus lábios tocaram os seus, a surpresa desapareceu instantaneamente, dando lugar a outra coisa.

Agarrei-me ao seu pescoço, tentando aproximá-lo mais de mim, suas mãos enormes em minha cintura fizeram o mesmo. Meu coração martelava como louco dentro do peito. E a certeza de estar em casa me sufocou tão intensamente que calou de vez os gritos dentro da minha cabeça, os quais pediam que eu parasse, porque ele sofreria ainda mais depois disso. Não pensei em mais nada, apenas que ele me queria ali com ele.

No entanto, seus lábios deixaram os meus e suas mãos seguraram meus ombros, me restringindo.

– Ian? – Eu tinha dificuldade para falar. Dificuldade para respirar.

– Não posso fazer isso com você! Não posso desonrá-la dessa maneira – ele murmurou, também instável, aflito. – Não podemos!

– Podemos, Ian. Podemos sim! – Eu tentava recuperar o fôlego para poder me explicar direito.

– Devemos esperar um pouco mais. Eu pretendia lhe dizer isso de forma mais...

– Mas nós não temos mais tempo! – eu o interrompi, sacudindo a cabeça. – Você não entende? Eu... eu não sei quanto tempo eu tenho. Mas tenho certeza que não é muito. Eu nem sei se ainda estarei aqui amanhã, Ian!

— Mas é errado, Sofia! — Ele colou a testa na minha e fechou os olhos, sacudindo a cabeça. Parecia tão torturado! — Tão errado! Você mesma disse!

Toquei seu rosto.

— Não é errado. O que sinto quando estou com você é... é a coisa mais certa que já senti na vida! Ian, pela primeira vez eu sei a qual lugar pertenço.

Ele abriu os olhos.

— Pertence a este lugar? — perguntou, confuso.

— Não. Pertenço a *este* lugar — eu sorri e deslizei as mãos de seu pescoço para os braços fortes e firmes, para que ele entendesse exatamente a que eu me referia. — Pertenço a *este* lugar — coloquei a mão sobre seu coração, que batia tão rápido quanto o meu. — Como pode ser errado?

Vi a luta através de seus olhos negros, a moral e a honra duelando contra o desejo louco que sentia. Vi quando seus olhos se escureceram ainda mais, e a luta terminou. E vi a expressão em seu rosto — desesperada e faminta —, antes que voltasse a me beijar.

Senti a urgência de seus lábios quando voltaram a tocar os meus, e a verdade de minhas palavras penetrava em cada célula de meu corpo enquanto ele me puxava impossivelmente para mais perto.

Não me importei com mais nada. Não me importei com o amanhã. Com o que iria acontecer depois. Nada mais importava. Apenas o agora.

Apenas Ian.

Sua boca consumia a minha e suas mãos grandes e firmes me apertavam freneticamente. Fiquei sem ar. Ele percorria as curvas de meu corpo, fazendo minha cabeça girar, libertando o desejo insano que estava adormecido dentro de mim. Até aquele instante, eu havia tido apenas uma amostra, apenas um vislumbre de quanto o desejava. Uma verdadeira explosão ocorreu dentro de mim, consumindo e transformando tudo que encontrou pela frente. Mudando o meu *eu*, alterando minha essência.

Fui incapaz de resistir ao impulso de abrir sua camisa com violência, arrancando alguns botões em minha urgência. Assim que me livrei do tecido, deslizei as mãos por seu peito duro, sentindo o calor de sua pele — tão quente como se estivesse em chamas — afugentar todos os meus temores. Naquele instante, éramos apenas eu, Sofia, e ele, Ian. Nada mais.

Eu arfava sob seus lábios, mas não permiti que os afastasse de mim. Ele também respirava com dificuldade, mas não pareceu se importar com isso. Ao contrário, me beijava com tanta fúria, suas mãos tão urgentes, que cheguei a temer que meu vestido tivesse o mesmo destino que sua camisa. Contudo, Ian foi gentil e abriu delicadamente os pequenos botões em minhas costas. Seus lábios percorreram meu pescoço, assim como suas mãos deslizaram por minha clavícula até alcançarem os ombros, fazendo o vestido escorregar e cair no chão.

Ian ergueu a cabeça para me olhar sob a fraca luz do candelabro. Não encontrei vestígio algum de vergonha ou constrangimento dentro de mim. Em vez disso, quando seus olhos esfomeados percorreram cada linha de meu corpo e o sorriso malicioso que eu adorava surgiu em seus lábios, uma onda de prazer me sufocou. Ele deslizou as mãos por meus braços até alcançar as minhas, e a necessidade que eu sentia dele me tomou por completo. Lancei-me contra ele e esmaguei sua boca com desespero, enquanto seus dedos febris percorriam sem pressa as curvas de meu corpo, enviando pequenas ondas de eletricidade até o centro dos meus ossos.

Tão rápido que não pude ver como, Ian passou um dos braços por trás dos meus joelhos, me pegando no colo e me levando até a cama. Colocou-me delicadamente sobre ela, cobrindo meu corpo com o seu. Sentir o peso dele sobre mim era quase insuportável. Seus lábios exploraram meu corpo – cada milímetro dele. Ian olhou com curiosidade para minha calcinha – calcinha de verdade, para minha felicidade, não uma feita de tecido velho –, mas não disse nada enquanto a arrancava.

Assim que todas as nossas roupas estavam no chão, observei minuciosamente seu corpo, iluminado apenas pela luz das velas. Era ainda mais delicioso do que eu havia imaginado! Os músculos bem definidos sob a pele clara, o cabelo negro e macio emoldurando o rosto perfeito, os olhos famintos de desejo brilhando como se fossem duas estrelas... Pude admirar cada detalhe, cada aspecto dele. E, para ser franca, Ian tinha aspectos *enormes* a serem admirados.

Ele voltou a me beijar, suas mãos me acariciando de forma tão intensa, tão urgente que não pude mais suportar. Movimentei meu corpo sob o dele, procurando... Ele notou minha investida e se moveu, permitindo que eu o alcançasse.

E quando finalmente – finalmente! – nossos corpos se uniram num encaixe perfeito, pensei que fosse literalmente chorar. Ter Ian dentro de mim era a experiência mais prazerosa, mais intensa e indescritível que eu havia tido até então. Cada parte de mim – até mesmo as mais ínfimas – se transformava enquanto ele me beijava, me tocava, me possuía.

Ele não apenas possuía meu corpo, mas também minha alma, com o mesmo ímpeto e desespero. Senti sua alma se fundindo com a minha, numa união sem retorno.

– Sofia... – ele murmurava vez ou outra em minha pele.

A onda de prazer se aproximou rápida e intensa. Agarrei-me aos seus ombros, a única coisa estável no turbilhão de sensações. Ele notou quando acelerei o ritmo e correspondeu com a mesma intensidade. Fiquei à deriva por alguns segundos, logo em seguida fui tomada pela violenta explosão de cores reluzentes. Segundos depois, ouvi Ian gemer e depois desabar sobre mim.

Ficamos ali por um tempo, arfando e flutuando na imensidão de sensações e sentimentos, tentando normalizar nossa respiração, tentando nos conectar ao planeta outra vez.

Jamais havia sentido algo tão forte, tão grandioso quanto naquele instante. Nunca havia me conectado a alguém de forma tão intensa – de corpo e alma – como naquela noite. Nunca havia sentido tanto prazer, tanta paixão, tanta sincronia. Era como se existíssemos apenas para completar um ao outro.

Tudo se uniu dentro de mim enquanto o amor que eu sentia por ele se acomodava em cada célula do meu ser. Então, como se uma cortina fosse retirada de meus olhos, eu soube.

Naquele exato momento, eu soube o que procurava. Eu soube o que realmente queria. E soube o que eu tinha que encontrar ali.

Ian.

Ian era a resposta para todas as minhas perguntas. Eu não tinha mais dúvidas quanto a isso. Era por ele que eu procurava – a vida toda –, sem nem mesmo saber que procurava. Era ele que eu queria, de forma desesperada, para toda a vida. E era ele a minha jornada ali, minha missão.

Seu rosto ainda enterrado em meu pescoço e a respiração quente em meus cabelos foram as únicas coisas que me fizeram acreditar que tudo fora real. Que aquele momento mágico realmente existira.

– Nossa! – ele disse, ainda sem fôlego. – Então, isso é o paraíso!

Eu ri.

– Não acredito que permitam esse tipo de coisa por lá. – Eu também respirava com dificuldade.

Ele riu, seu corpo sacudiu o meu levemente.

– Acho que tem razão. O que eu quis dizer é que não imagino que exista algo mais extraordinário que isso.

Pensei um pouco sobre o que ele disse, ainda sentindo a letargia provocada pelo êxtase. Meu cérebro demorou para fazer a ligação, mas, quando o fez, meus olhos se arregalaram com horror.

– Ian? – perguntei aflita.

– Sim?

– Já esteve com outras mulheres? – Ele tinha que ter tido outras, não tinha?

Ele hesitou por um momento. Talvez não quisesse me magoar dizendo números absurdos.

– Bem... – Levantou a cabeça para me olhar nos olhos, então eu soube a resposta antes mesmo que ele a dissesse. – Esta foi a primeira vez.

– Ah, não!

– As coisas são diferentes por aqui, Sofia. Não é comum acontecer... o que acabou de acontecer. Não sem terminar em casamento – ele deu um meio sorriso.

Ai, droga! Eu vou direto pro inferno! Sem direito a escala no purgatório! Droga!

– Ian, me desculpe! Eu não imaginei que... Eu não tinha como... Você parecia tão seguro! Eu...

– *Shhhh* – ele colocou um dedo sobre meus lábios. – Não se desculpe. Não pode se desculpar por me dar a noite mais magnífica de minha vida. Eu a proíbo!

– Mas... – tentei dizer.

– Não! Não fiz nada que *eu* não desejasse. Justamente o oposto! – Então, suas pupilas se dilataram, a chama prateada retornou a seus olhos, e notei que parte dele começava a ganhar vida outra vez. – E vou fazer exatamente o que quero mais uma vez!

Sua boca grudou na minha e uma carícia nova e atrevida me tirou o fôlego. Não demorei muito para esquecer minha aflição e entrar no clima. Na verdade, não demorei nadinha!

* * *

Fiquei deitada na cama, tentando respirar. Imaginei que não pudesse existir uma noite mais perfeita que aquela.

Aquela foi a primeira vez que Ian fez amor – as duas primeiras vezes, para ser mais exata, ele tinha muita fome! –, mas também foi a minha primeira vez. Não a primeira transa, claro, mas a primeira vez que realmente *fiz amor*.

E foi incrível!

Minha cabeça vagava sem destino, vazia de pensamentos, em paz afinal.

– Em que está pensando? – Ian perguntou, com a voz um pouco mais controlada, tocando meu cabelo.

– Em nada. Estava ouvindo uma música – eu disse preguiçosamente, enquanto brincava com os pelos de seu peito.

– Ouvindo? – zombou ele.

– É, ouvindo! – sorri de olhos fechados, me deleitando com as novas e deliciosas sensações que Ian tinha me proporcionado. – Não ouvindo de ouvir, mas tipo pensando nela, lembrando dos acordes, da letra.

Levantei a cabeça de seu peito para poder vê-lo. Seu rosto estava feliz. Exultante na verdade, e indescritivelmente lindo.

– Eu já a ouvi?

– Não, tenho certeza que não! Mas aposto que você ia gostar também. É de uma banda incrível, fez um sucesso estrondoso no MySpace. Essa música é uma das minhas favoritas. Acho que é perfeita.

Apoiei o queixo em seu peito e continuei brincando com os pelos encaracolados.

– Cante para mim, então – pediu com doçura.

– Ficou doido?

– Por favor? – implorou com a voz macia.

– Nem pensar! Eu canto muito mal! – exclamei horrorizada.

– Não me importo com isso – um sorriso brincalhão apareceu em seu rosto. – Queria poder conhecer as coisas que você tanto aprecia... Como vou conhecê-las se você não me mostrar?

– Ian, de verdade, eu não sei cantar!

– Por favor, Sofia? – suplicou.

– Mas é em inglês! – tentei fazê-lo desistir da ideia.

– Acho que posso acompanhar – seus olhos intensos me coagiam. – Por favor, deixe-me entendê-la melhor.

Suspirei. Não dava para negar nada a ele quando me pedia daquele jeito! Deitei a cabeça em sua barriga chata, tentando esconder o rosto, tornei a fechar os olhos e cantarolei baixinho, enquanto sua mão brincava em meus cabelos. Quando terminei, ele suspirou.

Tive que olhar para ele.

– Eu te avisei que não sabia cantar!

Ele sorriu e, depois de alguns segundos, seu rosto ficou muito sério. Meu coração disparou assim que li o que estava escrito em seus olhos.

– Eu a amo, Sofia.

Meu corpo reagiu imediatamente, meu pulso se acelerou, meu coração disparou feito uma britadeira, e cada parte de mim parecia ter virado gelatina. Arrastei-me sobre ele com dificuldade até alcançar seu rosto, então o segurei entre as mãos.

– Eu te amo, Ian. Não importa para onde eu vá nem quanto tempo passe. Vou te amar pra sempre! – prometi, olhando para as profundezas de seus olhos negros. E eu sabia que nunca, jamais amaria outro alguém.

Uma de suas mãos se enroscou em meus cabelos, me puxando delicadamente para mais perto.

– Para sempre – ele concordou, me silenciando com seus lábios.

29

Acordei com uma batida na porta. Demorei para entender onde eu estava. Olhei em volta e vi Ian – com seus braços ainda me envolvendo – dormindo ao meu lado. Eu ainda estava em seu quarto.

A batida se repetiu.

– Senhor Clarke? Preciso muito de sua ajuda, senhor. Por favor, abra a porta – a voz abafada de Gomes suplicava.

Ah, merda!

– Estou ficando preocupado, patrão. Se não abrir, eu vou arrombar! – ameaçou.

Droga! Droga! Droga!

Ian não se moveu. Dormia profundamente. Toquei seu braço, apavorada.

– Ian, acorde! – sussurrei. Ele não se moveu. – Ian, acorde, por favor! – sacudi com mais vigor.

Se Gomes arrombasse a porta e nos visse juntos, não poderia mais fingir, como fez quando nos flagrou aos beijos no corredor. E a casa toda saberia. Seria um escândalo, bem no dia do baile especial de Elisa. Isso não podia acontecer! Sacudi Ian outra vez, com um pouco mais de força.

Ele piscou algumas vezes, depois focalizou meu rosto e sorriu.

– Bom dia, senhorita – murmurou com a voz rouca, me puxando para mais perto. Percebi que ele *todo* havia despertado.

Tum! Tum! Tum!

Seus olhos se arregalaram e ele rapidamente se sentou na cama.

– Estou avisando, senhor Clarke, vou invadir este quarto se não abrir esta porta!

– Errr... Espere um minuto – respondeu aturdido.

Ian já estava de pé, colocando as calças em um ritmo frenético e me olhando com cara de pânico.

– O que vai fazer? – sussurrei.

– Tentar me livrar dele – sussurrou de volta, pegando a camisa do chão. – Não se mova.

Eu concordei com a cabeça. Não dava para sair por outro lugar que não fosse pela porta. A janela era alta demais e a queda certamente deixaria alguma coisa – ou muitas – quebrada em meu corpo.

Ian foi em direção à porta, tropeçou em alguma coisa no caminho (meu All Star), recolheu habilmente todas as minhas roupas e as atirou no canto oposto; então abriu a porta apenas o suficiente para passar por ela e voltou a fechá-la.

Fiquei imóvel. Tentei ouvir o que diziam.

As coisas estavam ficando cada vez piores!

Gomes alertou Ian de que eu havia desaparecido. Pela manhã, um dos empregados notou que a porta do meu quarto estava aberta e que eu não estava lá dentro, minha cama ainda arrumada. Vários empregados estavam me procurando por toda a propriedade, mas ninguém tinha notícias minhas.

Claro que não tinham!

Ian fingiu surpresa e eu mordi o lábio para não rir de seu falso assombro. Em seguida, ele garantiu a Gomes que me encontraria ainda antes do almoço, apenas precisava trocar de roupa antes de sair. Sugeriu que Gomes desse uma olhada na sala de leitura, já que Elisa lhe contara que eu era fascinada por livros.

Depois de fechar a porta e esperar um momento, correu até a cama e se sentou ao meu lado.

– E agora, Ian? – Eu me apoiei em um cotovelo e prendi o lençol branco com os braços. – Como vou sair daqui? Eu te arrumei um problemão!

– Na verdade, isso aconteceu quando a vi pela primeira vez – brincou, tocando meu queixo.

– Não tem graça! – E não tinha mesmo, porque era a mais pura verdade. – Como vou sair daqui sem que me vejam?

Suas sobrancelhas se arquearam e um sorriso muito significativo surgiu em seus lábios.

– Então não saia nunca.

– Tô falando sério! – ralhei. – Que horas são agora?

Ele tirou o relógio do bolso preso à calça por uma corrente dourada.

– São exatamente dez e meia.

– Dez e meia? – levei as mãos à testa. A casa inteira estava acordada há horas!

Por que não escapei durante a madrugada enquanto todo mundo ainda dormia? Por que permiti que Ian me abraçasse daquele jeito – me prometendo que não dormiria – em vez de voltar para o meu quarto? Era óbvio que acabaríamos desmaiando de exaustão, depois de fazermos amor durante quase a noite toda.

Sentei-me na cama, prendendo o lençol mais firme, e suspirei frustrada. Nenhuma ideia mirabolante apareceu para me livrar da enrascada.

Percebi que Ian me encarava.

– O que foi? – passei a mão pelos cabelos para ter certeza de que não estava a cara da Medusa.

– Você está linda – falou com voz suave, os olhos intensos. – Apenas quero me lembrar deste momento – ele tocou meu cabelo e, com delicadeza, colocou uma das minhas ondas atrás da orelha.

Entendi o que ele quis dizer. Queria se lembrar daquele momento quando eu já não estivesse ali. E imediatamente me lembrei do motivo que me levou até seu quarto na noite passada.

– Caramba, Ian! Acabei não te contando o que eu vim te contar! – eu disse meio enrolada.

Ele riu.

– Eu também tenho um assunto de máxima importância que preciso discutir com você, senhorita, mas teremos que adiar novamente, caso contrário seremos obrigados a nos explicar aos criados e a Elisa. Aposto que, se eu não sair daqui logo, Gomes voltará e, desta vez, entrará no quarto à força, como prometeu.

Franzi a testa.

— Promete que vamos conversar ainda hoje? É importante!

— Prometo — afirmou solene.

Concordei com a cabeça. Joguei o lençol para o lado e me levantei na intenção de pegar minhas coisas e sair dali sorrateiramente, mas Ian foi mais rápido. Seus braços de serpente me puxaram e eu estava, de repente, em seu colo.

— Não sei se gosto da ideia de deixá-la sair deste quarto. — Eu já sabia bem o que aquele brilho em seus olhos significava.

— Ian, você mesmo disse que o Gomes... — mas não pude terminar, sua boca me impediu. E, quando uma de suas mãos começou a traçar uma trilha de fogo dos joelhos até minhas coxas, pensei que não teria problema se eu me demorasse só um pouco, só mais um beijo.

— Você precisa se vestir — ele disse, ao mesmo tempo em que me abraçava mais forte.

— Assim que você me soltar — sussurrei, me agarrando a ele.

— Acho melhor se vestir de uma vez.

— Tudo bem — murmurei desanimada, tentando me soltar dele, mas sua língua invadiu minha boca, bagunçando minha capacidade de raciocinar.

Ele me beijou até que, de repente, me deitou na cama, sua boca deslizando por meu pescoço até alcançar meu coração, já acelerado e querendo sair do peito, como era de esperar. Perdi o controle da situação.

O que eu tinha que fazer mesmo?

Decidi que, seja lá o que fosse que eu *tinha* que fazer, poderia esperar só mais um pouquinho...

30

Ian saiu primeiro para se certificar de que o corredor estava realmente vazio. Saí logo em seguida, indo na direção oposta. Tive que explicar para uma Elisa muito preocupada que me perdi na fazenda tentando encontrar o riacho sozinha e que, depois de andar por horas, consegui encontrar o caminho de volta para a casa. Meu rosto queimou de vergonha por mentir para ela.

Passado o alvoroço do meu suposto desaparecimento, um novo recomeçou: o dos preparativos para o baile.

Ajudei Elisa com a retirada dos vasos e enfeites da sala de visitas. Os empregados retiraram a maior parte da mobília. Poucos móveis permaneceram ali. "Precisaremos de espaço para a dança", ela disse.

Uma grande correria, parecida com a de compras de presentes de Natal de última hora, dominava todos os habitantes da casa. Mal vi Ian durante o almoço – estava atarefado demais explicando a Gomes tudo o que deveria ser feito. Mas no breve instante em que nos vimos – ele, muito gentil, se ofereceu para acompanhar Elisa, Teodora e a mim até a sala depois do almoço e, de modo estratégico, deixou que as duas garotas fossem na frente para ficar ao meu lado e segurar minha mão furtivamente –, o sorriso que não deixava seu rosto me garantiu que eu não tinha cometido o maior erro da minha vida. Na verdade, aquele tinha sido o maior acerto da minha vida!

Não o vi pelo resto do dia. E desisti de vez de ter a tal conversa com ele antes do baile, já que Elisa disse que era hora de nos vestirmos.

Tomei um longo banho. Aquela noite seria importante. Ian saberia de tudo. Eu não esconderia nada dele.

E então, *por acaso*, me lembrei da existência de Santiago. Ele saberia a forma de voltar? Eu teria que voltar logo também? Agora que eu sabia qual era a minha jornada, ele teria mais alguma informação que serviria para alguma coisa?

Sequei meu cabelo o melhor que pude e deixei a toalha enrolada na cabeça para terminar o serviço. Peguei minha maquiagem e caprichei no visual: olhos esfumados – em um degradê suave de cinza-claro a cinza-escuro –, blush, camadas e mais camadas de máscara nos cílios e batom cor de boca. Não era bem o estilo da época, eu sabia disso, mas queria me sentir bonita, *estar* bonita para Ian, e aquela maquiagem deixava qualquer mulher maravilhosa, não importava a roupa que usasse.

Que era o meu caso.

Na bagunça dos últimos dias, acabei me esquecendo de olhar o vestido de baile. Não tinha a menor ideia do que esperar. Peguei a grande caixa, soltei a fita e retirei a tampa. Levantei cuidadosamente o vestido de cetim branco. Minha boca se abriu de surpresa. O vestido era fantástico: sem alças, com a saia menos ampla que a dos vestidos que eu tinha ali. No fundo da caixa, encontrei um tipo de saia longa com várias camadas de babados. *Aquilo* dava para usar! Encontrei também um par de luvas brancas.

Apressei-me em vesti-lo – como qualquer garota normal faria –, ansiosa para ver o resultado. Como o espelho de meio corpo não mostrava toda a silhueta, recorri ao vidro da janela, que era grande o bastante para poder me ver de corpo inteiro, já que a noite escura o transformara em um espelho.

Gostei muito do vestido. Ele aderiu com perfeição ao busto e à cintura, abrindo de leve na saia, que não era rodada, mas também não era colada ao corpo. Não tinha todo aquele franzido na cintura. Seis pequenas pregas desciam do decote transversalmente até a lateral da cintura – onde uma delicada flor de pedras prateadas dava o acabamento – e continuavam ininterruptas, alargando-se pouco a pouco até alcançarem a barra do vestido. Na verdade, lembrava muito um vestido de noiva moderno. Era maravilhoso!

Calcei as luvas longas e rodopiei em frente à janela para me ver de todos os ângulos. Fiquei feliz com o que vi – desconsiderando o pano enrolado na cabeça, claro.

Usei os grampos que Elisa me emprestou – muito maiores que os que eu estava acostumada a ver nas perfumarias, ela os chamou de forquilhas – e fiz o único penteado que sabia: um coque baixo, com a franja alisada caindo na lateral na testa, terminando atrás da orelha. Usei um pouco de espuma de sabonete para fixar os fios rebeldes da franja. Deixou o cabelo um pouco rígido e meio opaco, mas eu não tinha gel nem pomada, ou qualquer outra coisa para dar acabamento.

Olhei-me na janela mais uma vez e gostei muito do resultado final. Estava pronta e extremamente ansiosa para ver Ian outra vez. Entretanto, não precisei ir muito longe para isso. Assim que abri a porta, dei de cara com ele esperando por mim no corredor.

Perdi o fôlego assim que o vi. Vestia um smoking parecido com o da noite da ópera, mas o colete branco substituía o preto, a gravata também branca. O cabelo penteado para trás brilhava intensamente. Talvez ele usasse alguma coisa nos cabelos, afinal: teria que me lembrar de perguntar a ele sobre isso.

Ian arregalou os olhos e sua boca se abriu enquanto me analisava, observando cada detalhe do vestido, do meu rosto, do cabelo, atentamente. Um sorriso enorme brincou em seus lábios. Sorri também, um pouco constrangida, mas muito satisfeita.

– Eu... Eu... Você... Nossa!

– Obrigada. – Deixá-lo sem fala era melhor que qualquer outro elogio.

– Você está lindo!

– Você está... Como foi que disse outro dia? Ah, sim! Você está um arraso! – e tocou a lateral do meu rosto com ternura. – Mas acho que falta alguma coisa – sua testa se enrugou e ele colocou a mão no queixo, fazendo uma expressão divertida. – Ah! – ergueu o dedo indicador como se tivesse tido uma grande ideia.

Lentamente, Ian levantou a mão que escondia atrás das costas e me mostrou uma flor. Um lírio branco perfeito. Quebrou o talo da flor, deixando apenas um cabinho curto, e a prendeu em meu coque com muita delicadeza. Depois voltou a me observar.

– Agora está perfeita!

Eu ri de sua cara de bobo.

– Pare de me olhar desse jeito. Ainda sou a mesma garota de sempre, só que com o cabelo menos desgrenhado. – Ele sacudiu a cabeça, negando, então levantei o vestido mostrando meus tênis vermelhos como prova.

Ian não conseguiu conter o riso, depois fingiu estar irritado, mas os cantos de seus lábios teimavam em subir.

– Posso perguntar por que não comprou um sapato para combinar com este lindo vestido, senhorita Sofia?

– Sabe que nem pensei nisso? – dei de ombros. – Além do mais, eu gosto destes. Quando o baile terminar, meus pés ainda estarão inteiros, não estarão doloridos e cheios de bolhas.

Ele assentiu. Um sorriso malicioso apareceu.

– Realmente, prefiro que seus pés estejam bem esta noite. Ainda teremos que conversar quando o baile acabar – aquele brilho prateado se insinuou em seus olhos. Sua expressão divertida me dizia que ele tinha outro tipo de conversa em mente.

– Mas conversar de verdade! É importante, Ian. Muito importante.

Ele ficou sério, a diversão esquecida.

– Eu também preciso conversar com você sobre algo importante.

– Importante? – perguntei apreensiva. Seu rosto estava sério, os olhos ansiosos. – Que tipo de coisa importante?

– Do *tipo* muito importante – e sorriu um pouco.

Fiquei mais aliviada. Fosse o que fosse, não devia ser nenhum problema.

– Beleza! Mas eu quero te contar minha história antes de mais nada! Você precisa saber de onde eu vim de uma vez por todas. Já tô ficando maluca com esse segredo todo!

– Quero muito que me conte toda sua história, Sofia. Talvez... talvez eu possa... ajudá-la, ou conheça alguém... que possa... – ele começou, irrequieto.

– Não, Ian – interrompi. Pelo esforço com que ele proferiu as palavras, ficou claro que não tinha a menor intenção de descobrir como me mandar de volta para casa. Eu sorri. – Ninguém aqui pode. Talvez o tal Santiago saiba alguma coisa, mas isso eu vou descobrir hoje.

Seu rosto ficou infeliz.

– Alguns convidados já chegaram, então... – me ofereceu o braço. – Será que posso conduzi-la até a sala, ou vai me mandar para a parede outra vez? – disse ele, mudando de assunto, mas sua expressão ainda era triste.

– Se comporte – respondi, aceitando seu braço.

Ele tentou sorrir um pouco enquanto me conduzia. Beijou minha testa carinhosamente pouco antes de entrarmos na grande sala de baile e suspirou. Não disse nada até chegarmos ali, apenas me olhava nos olhos. Eu podia ouvir o zumbido de vozes dentro do salão.

– Sabe que não sei me comportar seguindo esses costumes – eu avisei, para o caso de cometer alguma gafe e arruinar o baile de Elisa.

– Agradeço aos céus por isso. – Seu sorriso era mais feliz agora. – Não se preocupe, se sairá muito bem.

Assenti, mais por hábito que por confirmação. Tinha uma intuição ruim sobre o baile. Só não sabia bem por quê.

31

Assim que entramos na sala, todas as cabeças se viraram para nos observar. Corei um pouco e procurei por rostos conhecidos. Encontrei Elisa, com um imenso sorriso, me olhando maravilhada. Estava parecida com uma princesa, tão delicada e encantadora com seu vestido marfim, que realçava ainda mais seus cabelos negros. Também encontrei Teodora, que não sorriu, mas também não me olhou de forma gélida. Fez um leve aceno com a cabeça e voltou a conversar com uma garota. Diferente de Elisa, Teodora gostava de coisas mais extravagantes, e seu vestido dourado e cheio de pedras era extremamente exótico.

– Tá todo mundo olhando pra mim! – cochichei para Ian.

– E por que não estariam? Não creio que algum deles já tenha visto uma jovem mais bela e encantadora tão de perto.

– Pare de brincar, Ian! – ralhei baixinho.

– Não estou brincando. – O rosto sério, os olhos traziam o mesmo brilho da noite passada. Meu coração deu um solavanco. Tentei me distrair para não acabar arrastando Ian para uma das dezenas de salas vazias.

Observei o salão abarrotado e fiquei desconfortável. Não gostava daquele tipo de reunião social, sempre me sentia excluída. Imaginei que estar em um século que não era o meu não tornaria as coisas mais fáceis para mim.

Ian se esforçou para me deixar à vontade, me conduziu pela sala até onde estava Elisa e imediatamente me apresentou às pessoas com quem ela conversava entusiasmada. Tentei guardar alguns dos nomes, parecia importante para Ian que seus amigos me conhecessem. Esforcei-me *muito* para não envergonhá-lo dizendo besteiras e gírias. Por experiência, me limitei a perguntas educadas – "Como vai?", "Linda noite, não?" Na verdade, estava linda apenas dentro de casa, parecia que uma chuva pesada cairia ainda naquela noite.

Admirei os vestidos brilhantes e cheios de plumas – tão diferentes do meu – e me perguntei se a tal gaiola era mesmo tão desconfortável quanto parecia. Nenhuma das mulheres parecia incomodada e, a julgar pelo diâmetro das saias, elas seguramente usavam a gaiola. Presumi que estivessem tão habituadas que nem se importavam mais.

A sala imensa estava quase vazia de mobília. Sobraram apenas algumas cadeiras, um sofá pequeno e uma mesa grande com muita coisa sobre ela: castiçais, os talheres que ajudei a polir, taças de cristal, pratos e muita comida. Vários tipos de carne assada, batatas e legumes, bolos delicadamente decorados, frutas e pães estavam arrumados sobre a mesa. Uma tigela contendo um líquido rosa e pedaços de alguma coisa me chamou a atenção. Descobri mais tarde que se tratava de um ponche feito com vinho tinto, conhaque e maçã picada. Eu ainda preferia chope, mas o ponche até que era bom.

Uma pequena banda no canto da sala afinava os instrumentos.

Conversei um pouco com a família Albuquerque. A mãe de Valentina não pareceu muito feliz ao me ver usando um bonito vestido. Valentina, contudo, foi mais educada e elogiou o trabalho de madame Georgette, mas seu rosto estava triste e eu sabia o motivo. Não importava onde ou com quem Ian estivesse, ele simplesmente não tirava os olhos de mim. Não fui a única que notou isso.

Senti-me mal por Valentina, mas também por mim mesma. Nenhuma de nós duas conseguiria o que queria. Ela pertencia àquele século e queria Ian, mas não o tinha. Eu tinha Ian, mas não pertencia àquele tempo.

Talvez, quando eu fosse embora, ela pudesse consolá-lo.

Quem sabe ele não acaba se apaixonando por ela e me esquece para sempre...
Meu coração afundou no peito.

A banda – ou seria pequena orquestra? – começou uma música animada. O violino vibrante contagiou as pessoas, que se puseram em fila, homens de um lado, mulheres de outro. Fiquei olhando com incredulidade, esperando que alguém gritasse: "Olha a cobra! É mentira!" Mas, é claro, ninguém fez isso.

A dança era familiar, meio parecida com a quadrilha que eu conhecia, só que séria, sem brincadeiras. Fiquei observando como homens e mulheres sabiam todos os passos, sem errar nada, como em um balé. Imaginei que ensinassem isso no colégio.

Vi Elisa dançando com um carinha a quem fui apresentada mais cedo. Talvez seu nome fosse Lucas, mas eu não tinha certeza. Ela parecia radiante e o rapaz não tirava os olhos dela.

Uma mão quente e grande tocou meu ombro. Senti um arrepio subir por minhas costas. Eu sabia dizer exatamente quem era o dono daquela mão antes mesmo de me virar.

– Me daria a honra da próxima dança, senhorita? – Ian perguntou sorrindo.

O rosto de Valentina desmoronou, mas ele não notou. Eu não queria magoar ninguém, nem mesmo ela, que mal vira duas ou três vezes na vida, mas seus olhos tristes me encheram de culpa. Só que eu também o amava, e não tinha culpa disso – tudo aconteceu naturalmente, sem que eu me desse conta, e agora era tarde demais para voltar atrás. A culpa era daquela vendedora-feiticeira que me mandou para aquele século sem bilhete de volta. E agora eu interferia cada vez mais na vida das pessoas dali.

O conflito interno já estava me deixando maluca.

Não seria possível simplesmente ser feliz sem magoar ninguém, sem me sentir culpada?

– Ian, eu não sei dançar assim! – falei, apavorada com o convite para dançar e muito desconfortável com o olhar de fúria que a senhora Albuquerque me lançou quando, sem pensar, o chamei pelo nome.

– A próxima dança será uma valsa – explicou carinhoso, um sorriso nos lábios perfeitos. – Acho que se sairá bem nessa, é bem simples.

Mordi o lábio. Queria muito ficar perto dele outra vez, mas ainda estava esperando que Santiago aparecesse. Já estava impaciente com sua demora. Se era para resolver tudo logo, eu não queria mais esperar. Queria saber de tudo para poder seguir com minha vida e aproveitar o tempo que tivesse ao lado de Ian.

Encontrei seus olhos negros suplicantes e não pude dizer não a ele.

– Tá bom! Mas já vou logo avisando que eu também não sei dançar valsa. Tenho certeza que vou acabar esmagando seu pé.

Ele riu abertamente.

– Creio que sobreviverei a isso.

Eu ri também.

Quando a quadrilha acabou, Ian pegou minha mão e a colocou em seu braço, parecendo muito orgulhoso ao me conduzir até o centro da sala, como se eu fosse a pessoa mais especial do mundo. Sacudi a cabeça, sorrindo. Ian era incrível demais para ser real!

Num piscar de olhos, o local se encheu de casais para a valsa. Quando a música recomeçou, vi as duplas praticamente flutuando pela sala. Entrei em pânico.

– Basta me seguir, Sofia. Veja! – ele tentou me conduzir. Tentei seguir seus passos e, como havia previsto, acabei pisando em seu pé.

– Desculpe, Ian – senti meu rosto esquentar.

– Não se preocupe. Agora relaxe e sinta a música. – Tentei relaxar. As mãos em minhas costas nuas me acalmavam um pouco.

– A valsa é uma dança muito íntima – ele me puxou com suavidade para mais perto. – Significa deslizar, girar. Imagine que estamos sozinhos aqui, apenas você e eu. Relaxe e confie em mim. – Sua voz rouca e baixa me trouxe a recordação de outros momentos íntimos. Momentos em que confiei nele cegamente. Arrepiei-me com a lembrança e, quando ele sorriu para mim com ternura, com paixão, soltei todas as minhas amarras e deixei que ele me guiasse, sem me importar com mais nada.

Ainda esmaguei seu pé mais uma ou duas vezes, mas acabei pegando o jeito depois de um tempo. Provavelmente não flutuava como as outras mulheres, mas eu estava começando a me divertir muito. Rodopiamos pela sala mais algumas vezes.

– Quem dera Storm cedesse às minhas súplicas assim tão facilmente! – ele disse depois de alguns giros.

– Está me comparando com um cavalo? – fingi estar ofendida.

– Não com um cavalo qualquer. Com Storm – ele sorriu. – Acho que vocês dois têm a mesma expressão nos olhos. A mesma liberdade cravada na alma.

— Liberdade! — zombei. — Minha alma já não me pertence mais. Como posso ser livre?

Ele me apertou um pouco mais, os olhos negros queimando nos meus. Eu tinha certeza de que os outros casais não dançavam tão colados quanto Ian e eu, mas não falei nada. Estava adorando poder ficar novamente sob seus braços protetores.

— Você disse que tinha desistido de montá-lo, mas ontem estava tentando outra vez. Por quê? — voltei ao assunto. Ian perturbava meu raciocínio apenas com o olhar.

Ele hesitou um pouco. Havia algo que o constrangia.

— Não pode me dizer? — pedi.

— É que eu... Parece ridículo, mas pensei que, se eu fosse capaz de montá-lo, de vencê-lo... talvez pudesse descobrir uma forma de fazer o mesmo com você.

Minha testa se enrugou. Uma batida dolorosa em meu coração me deixou sem ar. Não gostei disso.

— Você quer me vencer?

— Não! — ele se apressou. O horror cruzou seu rosto. — Não, não! Claro que não! Acho que não me expressei corretamente... Storm sempre foi um objetivo, eu queria ser capaz de montá-lo, vencê-lo, como eu disse. Mas logo a conheci e... meus objetivos mudaram, não as dificuldades. Depois entendi que, assim como ele, você não se deixa dominar, se prender... — seus olhos ficaram muito intensos. — Eu queria encontrar uma forma de prendê-la a mim para sempre, Sofia! Que nunca mais se fosse, que eu fosse capaz de mantê-la aqui — ele me abraçou mais forte.

— Ian... — eu comecei, sem saber o que dizer.

— Não se preocupe, você já me disse muitas vezes que não pode ficar. No entanto, não posso deixar de desejar fervorosamente que isso aconteça ainda assim — o sorriso triste em seus lábios causou um nó em minha garganta.

— Eu também — me ouvi sussurrando.

Ele ficou surpreso com minha resposta. Muito surpreso. Mas não tanto quanto eu. O que eu estava dizendo? Eu ficaria ali se tivesse a chance?

A dança acabou e todos começaram a aplaudir. Nem ele nem eu tocamos no assunto outra vez.

Ian e Elisa se revezavam em entreter todos os convidados, e eu era alvo constante da atenção de seus conhecidos. Alguns se aproximavam por pura curiosidade, e, mesmo eu tentando muito me comportar de maneira adequada, a diferença entre mim e as outras mulheres era gritante. Como lady Catarina tão polidamente apontou.

– Senhorita Sofia, estou admirada com sua ousadia – ela disse, o rosto pálido me analisava. – Fazia muito tempo que não encontrava uma jovem que não teme ser alvo da sociedade.

– Alvo? Alvo de quê?

– Ora, minha cara, é preciso muita coragem para se vestir de forma tão original. Nem toda mulher tem a sua ousadia – e examinou curiosamente minha saia de volume modesto.

– Bom, não é ousadia. É calor mesmo. Esses vestidos já são sufocantes o bastante. Acho muito engraçado as mulheres daqui usarem tanta roupa. – Sobretudo em um lugar sem ar-condicionado ou mesmo um ventilador portátil. – É tipo a moda cebola.

Lady Catarina se engasgou com seu ponche.

– Moda o quê?

– Cebola. Camadas e mais camadas de roupa – expliquei.

Ela me olhou incrédula. Mas antes que pudesse dizer qualquer coisa, seu filho, Dimitri – aquele para quem Teodora estava se desmanchando em sorrisos –, a interrompeu.

– Mamãe, será que se importaria de me apresentar tão formosa dama? – disse ele, me encarando de um jeito pouco lisonjeiro.

– Você já foi apresentado a ela, Dimitri. Logo que chegamos. – Lady Catarina parecia zangada.

– Oh! Quanta indelicadeza a minha. Perdoe-me, senhorita, mas com tantas jovens encantadoras reunidas nesta sala, fica difícil lembrar-me de todos os nomes. Não tenho como me desculpar por esquecer o nome de tão bela flor! – ele esboçou o que pensei ser um sorriso sedutor.

– Não tem problema. Eu também tenho dificuldades para guardar nomes.

Pobre Teodora! Era por isso que ela esperava? Um loiro sem graça com problemas de pele e que, ao que parecia, era o maior xavequeiro?

Mais tarde, finalmente, Santiago apareceu. Ian logo se apressou em cumprimentá-lo e eu o segui.

– Desculpe-me pelo atraso, senhor Clarke. Cheguei há menos de uma hora na vila. Mal tive tempo de alimentar o cavalo – ele explicou a Ian, mas seus olhos estavam em mim o tempo todo.

– Não está atrasado, senhor Santiago. O baile mal começou.

Ian pareceu desconfortável com o modo com que Santiago me olhava. Para dizer a verdade, eu também não gostei muito da forma como seus olhos se prendiam em meu decote de vez em quando.

Ian o apresentou a algumas pessoas e eu não saí do seu lado. Depois de um tempo, porém, ele foi convocado pela senhora Almeida – muito irritada – a ajudá-la a encontrar uma faca para cortar o assado. Aparentemente, esqueceram de colocar a faca na mesa.

– Se me derem licença – e me lançou um olhar de cautela.

– Claro! – eu disse, confirmando que estava tudo bem.

– Certamente, senhor Clarke. – Santiago pareceu entusiasmado. Não pude dizer se era pelo assado que observava ou por ficar sozinho comigo.

Ian pareceu relutante em me deixar sozinha com o estranho, mas, depois de hesitar por um segundo, se desculpou e saiu à procura de Gomes. Eu fiquei bem ali, ao lado de Santiago.

Se ele tinha alguma pista, eu precisava saber. E, se sabia como voltar, eu também precisava saber. Apesar da confusão emocional em que eu me encontrava, essa era uma informação que eu não podia deixar passar. Mesmo que não tivesse mais certeza se realmente queria voltar para casa. Porque eu já me sentia em casa.

– E então? – comecei meio insegura. – Já descobriu como voltar? – fui direto ao ponto. Não havia motivos para rodeios.

– Sim – ele me fitava daquela forma esquisita outra vez. – Amanhã, se nada sair errado, eu estarei a caminho de casa.

– Amanhã? – *Tão depressa?*

Ele assentiu.

– Então... – Era melhor saber logo, para que eu pudesse... me preparar. – Do que precisa?

Ele olhou em volta para se certificar de que ninguém nos ouvia.

– Vejo que ainda tem interesse nesse assunto.

– Claro que eu tenho! E você sabe bem por quê – ergui uma sobrancelha sugestivamente.

Ele assentiu outra vez, um pequeno sorriso nos lábios.

– Então... – instiguei para que ele abrisse a boca e falasse de uma vez. Se eu iria embora no dia seguinte...

Meu estômago se revirou e não consegui respirar direito, a dor rasgou meu peito.

– Creio que seria mais adequado discutir sobre isso em um lugar mais reservado – murmurou.

– Ah! Claro. – Estava tão atordoada que minha cabeça parecia estar cheia de minhocas devoradoras de cérebro. Não dava para ter aquela conversa ali, na frente de todo mundo. – Vamos até a sala de leitura.

32

Santiago me seguiu até a sala de leitura, mas não conseguimos entrar. A maior parte da mobília da sala de visitas havia sido deixada ali. Seguimos, então, para a sala de música. Estava menos amontoada, apenas um sofá e uma mesinha foram adicionados ao cômodo.

Entrei e fechei a porta.

– Então, me diga logo o que descobriu – exigi, cruzando os braços sobre o peito. Estava ficando impaciente, queria voltar logo para perto de Ian. Ainda mais agora!

– Se acalme. Temos tempo para isso – e andou em minha direção.

– Não temos tempo! Se partiremos amanhã...

– Mas não *partiremos* amanhã! – ele me interrompeu e sorriu maliciosamente, não como Ian fazia, mas de forma assustadora e repulsiva.

– Não? – exclamei mais alto do que pretendia, aliviada.

– Não. *Eu* partirei! Mas não posso levá-la comigo. Tenho esposa e filhos – ele se aproximou um pouco mais.

Fiquei confusa.

– Pouco me importa se é casado ou não! Se você sabe como voltar, exijo que me diga como fazer o mesmo! Tem alguma coisa a ver com o celular? – perguntei apressada. O jeito como ele me olhava estava me deixando mais nervosa a cada segundo.

– Celular? – sua testa se enrugou. – Não importa! Vamos resolver o seu problema primeiro e depois conversamos sobre minha viagem, está bem? – ele avançou em minha direção.

Recuei um passo e acabei batendo nas costas do sofá, ficando encurralada.

– Meu... problema? – repeti lentamente.

– Sim, minha cara. Notei que me olha de uma forma... diferente. Sei o motivo – o sorriso horripilante em seus lábios me disse que eu tinha me metido numa roubada. Numa bem grande! – Não é a primeira vez que uma belezinha como você se encanta por minha pessoa.

– O quê? – Eu não tinha mais para onde ir. – Ficou louco?

– Sim, fiquei. Esse seu vestido... – seus olhos me examinavam minuciosamente, meu estômago deu um salto, me deixando enojada. – Venha, vou ensinar-lhe algumas coisas, meu bem!

– Meu bem o cac...

Mas Santiago foi mais rápido e me atacou. Tentei empurrá-lo antes mesmo que seus lábios me tocassem, mas suas mãos grandes agarraram meus pulsos com muita força e não pude detê-lo a tempo. Mordi seu lábio o mais forte que pude, ele gemeu e me soltou. Aproveitei seu vacilo para dar a volta, mas seu braço me alcançou antes que eu pudesse escapar, e com um puxão me fez perder o equilíbrio e desabar sobre o sofá.

Não sei bem como ele conseguiu ser tão ágil, mas, antes que eu pudesse me levantar, ele já estava sobre mim. Lutei contra ele, empurrei-o com braços e pernas sem conseguir nada; ele era pesado demais.

– Saia de cima de mim! – ordenei.

– Não faça escândalos, minha cara. Não vai querer chamar a atenção de ninguém, vai? – senti sua mão em minha cintura e meu estômago reagiu.

Eu me contorci freneticamente tentando escapar dele. Pensei que fosse vomitar quando sua boca tocou meu pescoço.

– Agora, fique quieta e prometo que acabará logo – afirmou com a voz rude e assustadora.

– Tire as mãos de mim, seu porco nojento! – eu tentava fazer com que ele rolasse para o lado para que eu pudesse fugir, mas seu peso me imobilizava.

Sua boca esmagou a minha e, com todo seu peso sobre minha barriga, acabei perdendo o fôlego. Ele ergueu meu vestido e depois subiu a mão áspera por minha coxa. Meus olhos se arregalaram ainda mais e mordi seu lábio com tanta raiva dessa vez que senti o gosto de sangue em minha boca.

Ele levantou o tórax minimamente, tocou os lábios e observou o sangue em seus dedos com olhos coléricos.

– Sua... – Não pude ouvir o resto. A pancada em meu rosto fez zumbir meus ouvidos.

Fiquei desnorteada por um tempo. Meu rosto ardia e minha cabeça girava de um jeito desconfortável. Ele se aproveitou disso e tentou baixar o corpete do meu vestido.

– Pare! – gritei, tentando tirar suas mãos de meus seios. – Me solte, imbecil! SOCORRO! IAN! SOCORRO! – gritei até minha garganta arder. Mas duvidei que ele pudesse me ouvir. O barulho de música e falatório que vinha do salão abafava qualquer outro som.

– Cale-se! – Outro zumbido nos ouvidos.

Meu rosto latejava, queimava. *Eu* queimava. De raiva, de desespero, de medo, de vergonha por ter sido enganada e, principalmente, de nojo. Enganei-me pensando que ele pudesse me ajudar e ainda acabei dando a impressão de que estava interessada naquele animal.

Que imbecil!

Senti contra minha coxa a rigidez de seu membro. Fiquei apavorada. Aquilo não podia estar acontecendo! Tentei mover o joelho para aplicar o tradicional golpe na virilha, mas as pernas dele me impediram.

Não desisti da luta. Continuei me contorcendo, empurrando e chutando em vão. Sob a luva, a pele do meu punho estava em brasa pela fricção que as mãos de Santiago exerciam enquanto eu tentava me soltar.

– Você vai gostar, tenho certeza. Agora fique quieta. – Seu rosto havia se transformado em uma carranca horrenda.

– Me solta! – empurrei mais uma vez, meus braços já não tinham mais forças. – SAI DE CIMA DE MIM!

Vi sua mão se erguer mais uma vez e fechei os olhos, esperando a pancada. Contudo, o som que ouvi foi diferente. Primeiro, o barulho da porta sendo arrombada, seguido de um urro gutural e um *POU!*, e então o peso se foi.

Abri os olhos e vi Ian sobre o monstro, esmurrando sua cara com determinação. Gomes entrou instantes depois, com mais dois empregados a seu lado. Eu não conseguia me mover, não conseguia parar de tremer.

Santiago não reagiu aos golpes que recebia. Talvez só gostasse de bater em mulheres. E Ian parecia ainda mais transtornado com o fato de ele não revidar. Nunca tinha visto Ian tão furioso daquele jeito. Cheguei a pensar que, se ninguém o impedisse, acabaria matando aquele homem asqueroso.

– Já chega, patrão. Podemos cuidar disso – pediu Gomes, com um sorriso estranho nos lábios.

Ian pareceu recuperar a sanidade e parou. Sua mão estava repleta de sangue do miserável.

– Livre-se dele, Gomes – ele disse, soltando a gola da camisa de Santiago, que havia servido como apoio para seus golpes certeiros, depois se levantou do chão. – Cuidem para que ele jamais volte a dar as caras por estas bandas. – Os empregados assentiram, vendo a raiva homicida em seus olhos. Nenhum deles parecia estar aborrecido com a tarefa.

– Espere – pedi. Ian me olhou confuso. – Espere. Não vai matá-lo, vai?

Por mais que eu gostasse da ideia de estraçalhar a cara de Santiago – se bem que não tinha sobrado muita cara para ser estraçalhada, Ian fizera um ótimo trabalho –, não queria ser a culpada da morte de ninguém.

– Sofia, é claro que não! – Seus olhos se acalmavam gradualmente. E pareceram sinceros quando me respondeu. – Apenas aprenderá a se comportar perante uma dama!

Concordei com a cabeça. Essa era uma lição que Santiago precisava mesmo aprender.

Os dois empregados grandalhões agiram rápido, levantaram o infeliz do chão pelos ombros e começaram a levá-lo meio arrastado.

– Espere – me levantei do sofá. Percebi que ainda tremia muito. Meus joelhos não estavam prontos para me sustentar. Ian me pegou antes que eu caísse. Endireitei-me e, depois de respirar fundo algumas vezes e arrumar o vestido com a dignidade que me sobrara, andei até ficar cara a cara com Santiago.

– Me diga de onde você veio – ordenei.

Ele não disse nada, nem mesmo me olhou. Talvez não conseguisse focalizar nada com os olhos tão inchados.

– Posso pedir ao senhor Clarke para ser mais persuasivo – ameacei. Precisava ter certeza de que ele não era a outra pessoa presa no passado.

Santiago engoliu em seco, depois falou:

– De um pequeno povoado na divisa do estado.

Assenti lentamente.

– E em que ano? – continuei. Senti todos os olhos da sala grudarem em mim. Não me importei.

Santiago ficou confuso, não me respondeu.

– Em que ano? – repeti, trincando os dentes.

– Não sei se entendi sua pergunta.

Respirei fundo.

– Você saiu do povoado em que ano? – eu disse, observando atentamente sua cara desfigurada.

– Neste mesmo ano, em meados de janeiro – ele se apressou em dizer assim que Ian se aproximou.

– Neste ano? Você saiu desse povoado em janeiro de 1830? – fui mais explícita. Não podia haver enganos.

– Certamente. Em 1830 – respondeu, me olhando como seu eu fosse louca.

– Vi um objeto prateado em sua mão aquele dia na vila. Onde ele está?

Devagar, Santiago alcançou o bolso do casaco e me estendeu o objeto retangular. Não era um celular, era uma caixinha prateada. Eu a abri e vi meia dúzia de cigarros. Era apenas uma cigarreira.

Respirei fundo novamente e fechei os olhos.

– Então, você realmente *foi* assaltado quando chegou aqui. Nada de estranho aconteceu. – Eu estava confusa demais. Se ele não era a pessoa que estava ali perdida no tempo como eu, então quem era?

– Sim. Fui assaltado por três homens que me levaram tudo. Até mesmo meu cavalo. Precisei ficar na cidade por alguns dias a pedido da guarda, no intuito de encontrar os malfeitores. Quando foram capturados, recuperei parte...

Minha cabeça girava, não ouvi o resto de sua explicação. Não me interessava.

Então, talvez eu não soubesse como voltar. Seria tão ruim assim? Ficar ali com Ian para sempre e poder amá-lo sem medo? Mas e quanto às mensagens no celular? *Esteja preparada*, dizia a última. Elas chegaram sem a interferência de Santiago...

Ian percebeu minha confusão e me levou de volta para o sofá.

– Levem-no daqui! Pela cozinha, Gomes, por favor! Não quero estragar a festa de minha irmã. – Ele entregou a cigarreira para Gomes, a raiva ainda em sua voz me fez estremecer um pouco.

Os quatro homens saíram rapidamente, Gomes fechou a porta ao sair. Ian tocou meu rosto em chamas.

– Desculpe-me por não chegar a tempo, senhorita. Procurei-a por toda parte, mas ninguém a viu sair. Estava indo até seu quarto quando ouvi seu grito... – Ele parou. Seu rosto foi tomado pela fúria. Os olhos ficaram alucinados quando notaram o vermelho em minha bochecha.

– Você chegou a tempo. – Coloquei a mão sobre a dele, pressionando-a levemente em meu rosto latejante, para acalmá-lo. – Bem a tempo!

– Como se sente? – indagou com delicadeza. Vi que se esforçava para se manter calmo. – Precisa de alguma coisa? Um vinho, talvez?

– Pode ser. – Eu queria tirar o gosto podre dos lábios.

Ian pegou a garrafa perto do piano e a trouxe, me serviu uma taça cheia. Virei tudo em um único gole. O álcool queimou minhas entranhas e afugentou um pouco do tremor.

– Melhor? – perguntou.

Sacudi a cabeça, mais por hábito.

– E agora me explique o que aconteceu – exigiu, sentando-se ao meu lado novamente. – Por favor!

– Não é ele! Eu pensei que fosse Santiago, mas não é! Eu me enganei. Não é ele a outra pessoa perdida aqui. Ele é como você, Ian. Um homem do século dezenove.

– Não sou como ele! – ele contestou, colérico e ofendido.

Ele não entendeu a palavra-chave. Precisaria ser mais explícita.

– Claro que não! – sacudi a cabeça. – Não foi isso que eu quis dizer. Ele é como você ou Gomes ou Elisa, não como *eu*. A pessoa que procuro deve ser como eu.

Ele me observou por um longo tempo, tentando compreender o que eu dizia. Respirei fundo. Peguei a garrafa de sua mão e enchi minha taça. Bebi um grande gole.

– Exatamente como eu – murmurei. Sorvi outro gole de vinho. A coragem ainda não tinha dado as caras. Não tive alternativa além de seguir adiante sem ela. Mirei seus olhos e soltei a verdade. – Alguém que nasceu no século vinte e um.

Sua testa vincou. Seu rosto ficou ainda mais confuso.

– Preciso encontrar alguém que também estava em fevereiro de 2010 e veio parar aqui, no século dezenove, sem saber como voltar. Exatamente como eu!

Ele piscou várias vezes, tentando absorver minhas palavras.

– Perdoe-me, o que disse? – sua voz tremeu um pouco.

– Vou te contar toda a história, Ian. Desde o início. Meu nome é Sofia Alonzo e nasci nesta mesma região, onde, daqui a muitos anos, se erguerá uma enorme metrópole. Foi aqui que eu nasci, mas em 29 de maio de 1985.

33

Ian abriu e fechou a boca várias vezes – quase como um peixe –, mas absolutamente nada saiu de seus lábios. Ele pegou a taça de vinho da minha mão e a esvaziou.

Esperei, nervosa, para que ele pudesse assimilar o que eu havia dito. Ele tornou a encher a taça e a esvaziá-la. Não disse uma única palavra. Tirei minhas luvas e comecei a retorcê-las freneticamente. Depois de alguns minutos, a impaciência me venceu.

– Você ouviu o que eu disse? – perguntei.

Ian piscou e depois sacudiu a cabeça.

– Errr... Eu .... acho... que... sim? – resmungou, muito confuso.

Melhor contar tudo de uma vez!

– Vou te explicar tudo. Preste atenção, é tudo muito maluco! – alertei.

Ele apenas assentiu.

– Como eu te disse, eu vivia no ano de 2010 até sábado passado. Tudo isso aconteceu porque na sexta passada eu saí com a Nina e o Rafa. Fomos num barzinho que a gente curte. Foi lá que a Nina me contou que iria convidar o Rafa para morar com ela, e é claro que comemoramos a notícia... Só que acabei comemorando um pouco demais, exagerando na bebida. Depois de tanto chope, precisei usar o banheiro e meu celular caiu por acidente dentro da privada. Claro que eu não podia enfiar a mão lá dentro para pegar! Estava todo pifado, de todo jeito. Já era! Então, no sábado, saí cedo pra comprar um novo. Eu estranhei que não tivesse mais ninguém dentro da loja e achei a vendedora que me atendeu muito esquisita. Ela meio que me convenceu a comprar este celular estranho, sem me dar outras opções. Eu devia ter desconfiado. O aparelho está lá no quarto, posso te mostrar, se quiser – acrescentei. Ian apenas me observava, os olhos insondáveis. – Só depois que saí da loja percebi que o aparelho não funcionava. Eu já estava voltando para pegar meu dinheiro de volta quando ele finalmente ligou. Daí apareceu uma luz tipo... tipo... *muito* forte! Não consegui ver mais nada, e quando o clarão desapareceu eu estava aqui, daí você apareceu e me encontrou. – Eu estava meio sem ar quando terminei. O rosto de Ian estava impassível. – Entendeu agora?

Ele sacudiu a cabeça, negando.

– O que você não entendeu? – perguntei desesperada.

– Acho que quase tudo. Celular?

Ah!

– Desculpa, Ian. Esqueci que você não conhece algumas coisas. Celular é um telefone que pode ser levado para todo lugar. – Os olhos grudados em mim não compreenderam minha brilhante explicação. – Você sabe o que é um telefone, não sabe?

Ian sacudiu a cabeça novamente. Respirei fundo. Ele devia estar tão confuso quanto eu logo que cheguei ali.

– Telefone é um aparelho que tem um... fone... que você coloca na orelha e consegue falar com pessoas de lugares distantes. Ou de perto, se quiser. Permite falar com pessoas que não estão presentes. Pessoas vivas, quero dizer. Não vozes do além e essas coisas... – Difícil de explicar! – Acho que é melhor eu te mostrar o meu, só que o problema é que ele não funciona como um celular comum. Foi ele que me mandou pra cá, tipo uma máquina do tempo.

– Máquina. Do. Tempo – ele disse devagar.

– Sim. – Seus olhos opacos não permitiram que eu lesse nada neles. Segui em frente assim mesmo. – A tal vendedora me ligou logo depois que você saiu do quarto naquele dia em que me encontrou. Nem me pergunte como foi que ele captou o sinal! Deve ser coisa *dela*! Sinistro! Mas ela me disse que eu só voltaria pra casa depois de cumprir uma jornada, que eu acho que descobri qual é apenas ontem. Só que, se for o que eu acho que é, Ian, não faz sentido algum... – Porque, se Ian era a jornada, se eu tinha realmente que encontrá-lo, como poderia deixá-lo se eu o amava tanto? – E ela também disse que eu não estava nessa sozinha. Vez ou outra, ela me manda uma mensagem, tipo um bilhete, uma carta, através do celular. A última dizia que completei mais uma etapa e deveria estar preparada. Daí, eu pensei que talvez o Santiago... Mas ele... – sacudi a cabeça, confusa. Então quem, meu Deus? Quem era a tal pessoa? Onde ela estava?

– Entendeu agora? – perguntei angustiada.

– Não sei bem... Você bateu a cabeça ou coisa assim quando...

– Você não acredita em mim?! – minha voz subiu vários decibéis. – Você *tem* que acreditar em mim! Não estou mentindo! Eu juro, Ian! Eu sei que é difícil acreditar em tanta maluquice, mas eu juro que é tudo verdade!

Ele segurou meu rosto com as duas mãos e beijou minha testa.

– Claro que acredito, Sofia. Claro que acredito!

Era bom! Porque se ele, que me conhecia mais que qualquer um ali – e em meu século também, nem mesmo Nina me reconheceria agora –, não acreditasse no que eu dizia, não me sobraria nada. Estaria sozinha, perdida, sem saber como voltar e, provavelmente, na rua. Ian não permitiria que Elisa convivesse com uma maluca.

– Acalme-se, por favor – pediu ele. Sua voz estava retorcida com uma emoção nova.

– Você *precisa* acreditar em mim, Ian. Não estou mentindo nem inventando nada, eu juro! – eu disse, me agarrando à sua camisa.

– Eu sei, amor – ele segurou minhas mãos geladas, mas, pela primeira vez, as suas estavam tão frias quanto as minhas. – Tudo ficará bem.

Olhei dentro de seus olhos procurando confirmação, mas ainda estavam opacos. Não me diziam nada. Um arrepio subiu por minha espinha, um daqueles que não eram nada agradáveis.

– Ouça-me. Vou até a sala avisar Elisa que estamos aqui. Ela pode nos procurar e ficará preocupada se não nos encontrar. Voltarei logo, está bem? E então você poderá me contar tudo com mais calma. – Não gostei do tom de sua voz. Parecia... pena.

– Tá bem – concordei fracamente. Eu ainda tremia um pouco. – Vou te esperar aqui.

E, depois de beijar minha testa mais uma vez e me olhar daquela forma estranha de novo, ele deixou a sala.

Fiquei ali tentando me acalmar. Senti um imenso alívio por ter contado a verdade a Ian. Senti-me muito mais leve por não esconder dele o meu grande segredo. Agora que ele conhecia a história, talvez me ajudasse a encontrar a tal pessoa.

Ou talvez não procurássemos ninguém!

Talvez se eu enterrasse o celular em algum lugar... talvez não captasse mais o sinal "mágico" e eu estaria livre! Talvez eu pudesse ficar ali. Eu poderia morar com Ian e ajudar na administração dos cavalos ou até mesmo ajudar Gomes a lustrar talheres, não importava. Poderia cuidar de Elisa até que fosse adulta. Sentiria falta de muitas coisas, claro; meu banheiro – ou qualquer banheiro –, o computador, a cafeteira, os enlatados, a pizza, as lanchonetes, bebidas geladas, até do emprego. E sentiria falta de Nina. Muita falta! Mas ela estava com Rafa, iriam morar juntos. Ela seria feliz! Se ao menos eu pudesse avisá-la que estava bem e feliz...

E quanto ao resto...

Eu sobreviveria.

Quem precisava de cafeteira ou micro-ondas quando se tinha uma Madalena? Quem precisava de enlatados quando se tinha legumes frescos todos os dias? Quem precisava de TV quando se tinha Ian para conversar? Quem precisava viver uma vida solitária quando tinha a chance de viver uma vida plena e feliz ao lado do homem que amava?

Eu sobreviveria!

Sim, eu sobreviveria sem tudo aquilo. Só não poderia suportar viver sem Ian.

Esperei por ele por muito tempo, ansiosa para contar minha súbita descoberta, mas ele não voltava e minha paciência diminuía. Fiquei meio cismada com a expressão de seu rosto quando deixou a sala. De algum modo, ele parecia assustado de uma forma que eu nunca tinha visto antes – nem quando caiu do cavalo, nem mesmo quando Santiago me atacou. Depois de mais de meia hora esperando, desisti e resolvi procurar por ele, para saber se mais alguma coisa havia acontecido naquela noite desastrosa.

Não fui muito longe, porém. Apenas até o escritório. Eu pretendia ir até o salão, ao baile, mas, quando passei pelo escritório, vi a porta entreaberta e ouvi a voz de Ian lá dentro, me detive.

– Então, não há outra forma? – seu tom desesperado fez meu coração bater mais rápido.

O que era agora?

– Não, senhor Clarke. Sinto muito, mas não há outra forma. – Espiei pela abertura e vi o médico em pé, em frente à mesa. Ian estava sentado no sofá de couro escuro, os cotovelos sobre os joelhos, a cabeça afundada entre as mãos. – Pode ser apenas uma crise. Um surto. É normal acontecer isso depois de uma situação traumática. E, pelo que me contou, creio que seja este o caso. Sei que a estima muito, mas, se interná-la agora, antes que piore, talvez dentro de alguns meses ela possa recuperar a sanidade.

Levei pouco tempo para entender o diálogo dos dois. Um milésimo de segundo apenas.

O médico queria internar alguém em crise. Alguém que aparentemente tinha surtado. E Ian estava desolado com a descoberta.

Senti que meu coração fora arrancado do peito.

– Você mentiu! – eu disse, escancarando a porta. Ian se levantou, assustado com minha entrada tempestuosa. – Você mentiu pra mim!

Lágrimas encheram meus olhos. Uma dor profunda e lancinante dilacerava o local em que deveria estar meu coração.

– Sofia, acalme-se, por favor! Eu não menti. Apenas escute o que o dr. Almeida tem a lhe dizer – pediu, com as mãos espalmadas em súplica, o rosto transformado pela dor. Não me comovi. Sua dor não era maior que a minha. Eu não tinha mais ninguém. Ninguém que acreditasse em mim. Ninguém a quem pedir ajuda.

Ninguém!

– Senhorita Sofia, o senhor Clarke me contou o que lhe aconteceu esta noite. Talvez você apenas precise descansar um pouco, minha jovem. Conheço um lugar muito discreto onde...

– Você vai me jogar num manicômio?! – gritei para Ian. As lágrimas turvavam minha visão, eu respirava com dificuldade, a dor aumentava segundo a segundo.

– Não é isso! Apenas ouça o que o dr. Almeida tem a lhe dizer – ele se aproximou, os olhos cheios de piedade, as mãos ainda abertas com as palmas para frente. *Desarmado*, diziam, assim como disseram a Storm no dia anterior. E, logo em seguida, viria o bote.

– Não toque em mim! – berrei, me afastando dele.

– Sofia, amor, você prec...

– Cale a boca, Ian! – eu berrava descontroladamente. Não me ajudava muito, contudo, me descontrolar daquela maneira quando já suspeitavam de minha sanidade, mas não pude conter a raiva. – Só... cale a boca! Eu me enganei com você. Como eu pude ser tão idiota? Eu sabia que daria nisso! Sempre soube que isso aconteceria. – Minha única certeza: um coração destroçado no final de tudo. – Pensei que você me amasse de verdade! Pensei que acreditasse em mim!

– Mas eu a amo...

– Ama nada! Se me amasse, confiaria em mim. Você nem ao menos se deu ao trabalho de investigar minha história. Deduziu que eu estava louca e rapidinho arrumou alguém pra te ajudar a se livrar de mim!

– Não é nada disso! Você está...

– Como eu pude cair nessa? Esse tempo todo você só queria me levar para a cama! Como fui burra! Pensar que você pudesse me amar. Claro que nunca amaria alguém como eu, alguém que não sabe se comportar como as outras garotas, que nem ao menos consegue se expressar de forma clara. – Alguém *usada*. – Eu te odeio, Ian! ODEIO!

– Está enganada! Você não está entendendo, ouça-me... – ele implorou.

– NÃO! – berrei e corri para meu quarto.

Ouvi-o me chamar no corredor e depois me seguir apressado, mas consegui chegar a tempo de passar a chave e a trava de madeira na porta. Ele não entraria tão rápido dessa vez.

Olhei em volta e juntei minhas coisas. Enfiei tudo que era meu na bolsa.

– Sofia, perdoe-me. Eu... estou confuso – implorou com a voz abafada, cheia de angústia. – Abra, por favor! Vamos conversar. Não vou deixar que a levem a parte alguma, eu prometo!

Da mesma forma que prometeu que acreditava em mim!

Abri a janela, ainda mais alta do que eu esperava. As batidas na porta ficaram mais fortes.

– Sofia, abra, por favor! – A urgência em seu tom me fez crer que, mesmo com a trava, ele entraria naquele quarto. E não levaria muito tempo.

Pulei a janela sem hesitar.

34

A grama amorteceu um pouco o tombo, ralei apenas um joelho e um pouco do cotovelo. Estava frio ali fora, o vento gelado trazia a umidade da tempestade que se aproximava. Não me importei com isso, eu tinha que sair dali. *Precisava* sair dali. Não podia suportar olhar para Ian outra vez. Não podia suportar que ele me olhasse com piedade, depois de tudo o que vivemos.

Corri o mais rápido que pude, totalmente às cegas. Eu não tinha para onde ir nem a quem recorrer, mas, mesmo que tivesse que dormir ao relento pelo resto da vida, ainda seria melhor do que viver trancada em um manicômio.

As nuvens encobriam a lua, e a noite escura não permitia ver para qual direção eu seguia, mas continuei em frente. Corri sem destino, na ânsia de me afastar de Ian o máximo possível. Eu queria fugir até mesmo das lembranças, que agora me dilaceravam.

A chuva fina começou a cair e deixou a grama escorregadia. Caí muitas vezes, mas não parei. Os raios e trovões iluminavam o céu vez ou outra. Agradeci por eles. Clareavam a noite sombria.

O vestido encharcado ficou pesado demais e correr se tornou impossível quando a chuva torrencial desabou de uma vez. Andei sem rumo por muito tempo. Acabei tropeçando e caindo de novo, no mesmo instante em que um raio cruzou o céu. Reconheci onde estava. Reconheci *em que* tinha tropeçado. Não era a primeira vez que eu tropeçava naquela pedra. Peguei o celular na bolsa e apertei a tela freneticamente.

– Por favor – chorei, mas nada aconteceu.

Encolhi-me, tentando suportar a dor. Abracei os joelhos e deixei minha cabeça tombar sobre eles. Rezei muito para que a vendedora pudesse me ver naquele instante e acabasse com a brincadeira.

– Me leva pra casa, por favor – rezei baixinho. – Eu não quero mais ficar aqui! Me leva pra casa!

Eu não poderia ficar naquele lugar. Nunca seria a minha casa. Nunca seria o meu lar. Não sem Ian.

Eu não podia suportar que ele me internasse em um hospício. Não podia suportar que me visse como uma louca. Não poderia viver ali! Jamais!

E não queria acreditar que ele me usara.

Uma noite apenas!

Eu tinha que voltar para casa para ficar sozinha, como sempre foi. Voltar para a vida vazia de sempre. Sem amor, mas sem dor.

Rezei para que quando eu voltasse acontecesse um milagre e, como nos filmes, eu simplesmente esquecesse tudo que vivi ali. Porque eu queria esquecer o que vivi com Ian, esquecer suas falsas juras de amor, esquecer seus sorrisos, seu cheiro, nossas conversas, o que vivemos... Esquecer tudo!

Fiquei ali sentada, encolhida como uma criança assustada, por muito tempo. Eu tremia de modo convulsivo, cada parte de meu corpo se transformou numa pedra de gelo, mas eu não sabia se era de frio ou de medo. Eu não tinha para onde ir. Não sabia o que fazer. Jamais me sentira tão sozinha.

– Por favor, me leva pra casa!

Estava tão gelada que não sentia nem mesmo o calor das lágrimas que rolavam incessantes por meu rosto. Abracei-me mais, tentando me aquecer de alguma forma, mas a chuva gélida e pesada caía impetuosa. A consciência começou a me escapar.

Não sei por quanto tempo fiquei ali, mas me pareceu uma eternidade.

Como imagens fotográficas, um quadro por vez, vi algo se movimentar na escuridão. Não pude me mover, meus músculos pareciam estar congelados.

A coisa se aproximava mais a cada vez que eu abria os olhos. Meu corpo estava fraco e dolorido, como se milhões de agulhas estivessem enterradas nos músculos. Pisquei algumas vezes e a coisa estava bem perto agora. A coisa bufou e uma nuvem de vapor se fez visível na penumbra.

– Sofia! – alívio e desespero se misturavam na voz dele.

Ian.

Vi quando ele desceu da coisa preta.

– Storm? – tentei dizer, mas a voz não saiu.

– Sofia, você está bem? – Seus lábios tocaram minha testa com urgência. – Meu Deus! Está congelando! – Tirou o casaco molhado e rapidamente me embrulhou com ele.

– T-t-tire as mãos d-d-de mim – murmurei. Tentei empurrá-lo, mas estava fraca demais, tudo doía, o sono me vencendo.

– Vou levá-la para casa – seus braços me envolveram para me levantar do chão.

– E-eu tô t-tentando voltar pra ca-casa. Me s-s-s-s-solta! – Não conseguia conter o tremor, a dor nos músculos se tornou insuportável. Tentei empurrá-lo com mais força.

Não obtive sucesso. Ele nem notou que eu o empurrava. Levantou-me do chão com facilidade.

– M-me po-ponha no chão! – ordenei.

– Vou levá-la para *casa*, Sofia. Agora! Você precisa se aquecer! – sua voz firme, segura, não deixou espaço para réplica.

Respondi mesmo assim.

– Me-me-me s-s-s-s-solta – sacudi os braços e as pernas, tentando descer.

Não foi boa ideia. Parecia que meus músculos se rasgavam quando eu os movia.

– Sofia, você vai comigo, de uma forma ou de outra! – ele ameaçou. – Ninguém lhe fará mal, eu prometo. Não tenha medo.

Desisti da luta. Não que tivesse acreditado nele, mas começava a sentir a dormência dominar meu corpo inteiro. Sabia que não seria capaz de fugir, sentia a rigidez dos músculos e minha força sendo sugada pela chuva.

Ian me colocou no lombo de Storm com dificuldade, depois subiu e me segurou firme com as duas mãos. Eu estava muito sonolenta, nem mesmo a chuva gelada espantava o sono. Deixei minha cabeça tombar em seu peito.

– Logo estaremos em casa, você vai ficar bem – Ian disse, me apertando mais forte.

Fiquei furiosa comigo mesma por não ter ido mais adiante. Por deixar que ele me encontrasse tão facilmente e me levasse de volta sem meu consentimento. Ao que parecia, ninguém mais respeitava o que *eu* queria!

Escondi o rosto em seu pescoço, exausta, tentando fazer com que a chuva parasse de alfinetar minha pele.

– Eu t-te ode-deio! – murmurei, fraca demais.

– Não me importo com isso. Não muda nada para mim. – O cavalo começou a se mover e eu a escorregar para a inconsciência. – Vou amá-la por toda a vida. – Foi a última coisa que ouvi antes de cair no abismo escuro.

35

Acordei completamente desnorteada, meu corpo todo doía e a luz do sol fazia meus olhos lacrimejarem. Olhei ao redor, estava no meu quarto na casa de Ian. Ele estava ali, assim como o médico. Minha memória voltou como um raio, fazendo minha cabeça latejar. Encolhi-me na cama, como um bicho acuado, sentindo todas as juntas doerem.

– Não vão me levar viva pro hospício! – ameacei, procurando alguma coisa para poder usar como arma, caso eles tentassem me pegar.

Ian se aproximou lentamente da cama, os olhos grudados nos meus. Eu me encolhi mais quando se sentou na cama com deliberada lentidão.

Eu ainda não tinha encontrado uma arma.

– Ninguém a levará a parte alguma – prometeu com um sorriso agoniado nos lábios. – Jamais permitirei que alguém a machuque.

Não respondi. Apenas olhei para o médico. Ian seguiu meu olhar.

– O dr. Almeida está aqui porque você está doente. Ardeu em febre por dois dias – explicou.

Dois dias?

Não me lembrava de quase nada. Tive um sonho estranho, cheio de imagens soltas. Ian me colocando na banheira ainda vestida. Eu podia ver seus lábios se moverem, mas não ouvia o que ele dizia, parecia estar muito assustado. Madalena correndo apavorada com uma bacia nas mãos, o rosto de Elisa cheio de lágrimas, o médico tocando meu pulso, uma colher cheia de gosma preta – essa imagem se repetia diversas vezes – e depois o gosto amargo descendo em minha garganta. Os olhos negros desesperados e úmidos, seu rosto retorcido pela dor, seus lábios tocando as costas de minha mão de novo e de novo. Tudo muito confuso.

– Senhorita Sofia, você teve hipotermia por ter ficado tanto tempo naquela tempestade – o médico disse sem se aproximar. – Quando finalmente conseguimos aquecê-la, começou a queimar em febre. Imagino que se resfriou.

Funguei. Meu nariz estava mesmo um pouco entupido.

– Pensei que fosse perdê-la – Ian sussurrou, a voz cheia de angústia. – Você não reagia, resmungava muito enquanto a febre estava alta, pensei que... – Ele não continuou. Abaixou a cabeça e deslizou a mão sobre o lençol à procura da minha. Recuei um pouco e ele desistiu. – E o pior é que seria por minha culpa – e fechou os olhos.

– O pior já passou, senhor Clarke – disse o médico, se aproximando devagar. – Não se aflija mais. A melhora dela é visível!

Não tirei os olhos do médico. Esperava que, a qualquer momento, um bando de enfermeiros entrasse no quarto e me amarrasse em uma camisa de força. E o castiçal, que poderia ser tão útil caso isso acontecesse – eu poderia derrubar dois ou três deles antes que me pegassem –, estava sobre a cômoda, ao lado da poltrona; jamais o pegaria a tempo.

– Preciso checar sua temperatura, senhorita – esclareceu o médico quando me afastei de sua mão.

Fiquei imóvel, mas muito alerta. Pularia pela janela ao menor sinal de enfermeiros. O médico, lentamente, tocou minha testa.

– Ainda está um pouco quente – ele disse a Ian. – Acho melhor tomar o elixir outra vez.

Ian concordou. O médico pegou uma garrafinha e uma colher.

– Creio que ela prefere que você faça isso, senhor Clarke – o médico sorriu sem graça.

Ian abriu o vidro escuro e um forte odor atingiu meu nariz.

– Eca! Não vou tomar isso! – cruzei os braços teimosamente.

– Precisa tomar para se curar, amor – ele pediu numa súplica. Não deixei de notar a falta de surpresa nos olhos do dr. Almeida ao ouvir Ian me chamando daquele jeito carinhoso... e enganoso. – Por favor?

Observei a colher cheia de meleca escura.

– O que é essa gosma? – Não sabia o que era, mas sentia seu gosto amargo no fundo da garganta.

– Láudano. Sua temperatura voltará ao normal mais depressa – explicou o médico. – Eu mesmo o preparei. É uma mistura de ópio, vinho e ervas.

Que maravilha!

– Mas ele não cura nada, apenas alivia a febre? – perguntei apressada. Eu não pretendia tomar a coisa gosmenta.

– Não cura, mas a deixará um pouco mais disposta.

Assenti para ele. Ian se aproximou com a colher outra vez.

– Você pegou minha bolsa ontem, quer dizer, sábado?

Ele suspirou exasperado.

– Sim, eu trouxe suas coisas. Agora, *por favor*, tome o elixir – suplicou.

– Desiste, Ian. Eu não vou tomar! Obrigada, dr. Almeida – eu disse, olhando para o médico. – Agradeço sua... preocupação e sua ajuda. Mas leve seu remédio para alguém que precise dele, eu tenho algo parecido na bolsa. – Mesmo que não tivesse, não tomaria o remédio que *ele mesmo* preparou. Podia ser algum tipo de truque para me derrubar e, na próxima vez em que eu abrisse os olhos, estaria num quarto branco forrado de espumas enlouquecedoramente brancas.

Arrastei-me para fora da cama, sentindo tudo doer.

Deve ter sido um puta resfriado!

Peguei a cartela de antitérmico em minha bolsa e fiquei aliviada ao ver o celular ali dentro também. Não me lembrava se havia guardado ou não. Engoli um comprimido com um pouco de água.

– O que é isso? – o médico perguntou curioso.

Voltei para a cama trazendo a cartela – e o castiçal, só por precaução – comigo. Desviei de Ian, coloquei o castiçal na mesinha de cabeceira e me deitei outra vez. Notei que estava usando uma roupa estranha. Um vestido horroroso e longo, bem solto. Uma camisola, talvez.

– Isso é parte da minha loucura. – Atirei a cartela para o dr. Almeida, que não esperava pelo meu arremesso e acabou deixando o remédio cair no chão. – Imagina que enlouqueci a ponto de inventar que cientistas conseguiram colocar nestas bolinhas uma droga medicinal poderosa que alivia a dor e diminui a febre em vinte minutos? – disse, sarcasticamente. – Tô piradona!

Depois de pegá-la do chão, o médico examinou a cartela com curiosidade, me olhou de volta e vi o ceticismo em seus olhos.

– Pode ficar com alguns, se quiser experimentar, apenas me deixe o suficiente para o resfriado. – Então me lembrei: – Isso aí é diferente da sua gosma. Só pode tomar com intervalos de no mínimo seis horas. – Depois eu ri. Achei engraçado ensinar a um médico como usar paracetamol.

– Vamos ver como seu corpo reage a isso primeiro, sim? – proferiu. Ah, então eu não era a única desconfiada ali... – Vou até a cozinha pedir para que lhe tragam uma sopa. Seu corpo está fraco demais e você precisa estar forte para combater a doença. Voltarei logo.

Dei de ombros. Não que não gostasse dele pessoalmente, não gostava dele *medicamente*.

– Como se sente? – Ian perguntou, angustiado, assim que o médico saiu.

– Como se tivesse tomado chuva a noite inteira. – Estava furiosa com ele, primeiro por mentir para mim e, depois, por continuar me dando tanta atenção. O que ele pretendia com isso eu não fazia ideia.

Seu rosto ficou ainda mais infeliz.

– Como me encontrou?

– Não encontrei. Foi Storm quem a encontrou – ele sorriu, mas era um sorriso triste. Não entendi o que ele quis dizer com aquilo. Ian percebeu e continuou. – Eu a procurei em todos os lugares... A tempestade me deixou ainda mais angustiado, porque eu não sabia se você estava protegida ou se estava debaixo daquele dilúvio... Fiquei desesperado, Sofia – e seus olhos aflitos demonstravam isso.

Ótimo!

– Depois de algumas horas, eu voltei para casa na esperança de que um dos criados a tivesse encontrado. Mas ninguém tinha notícias suas. Eu não sabia mais o que fazer nem onde procurar. Então, sem pensar com coerência, fui até a baia de Storm, contei a ele que você havia fugido e pedi sua ajuda. Montei nele facilmente, ele me permitiu. – Não vi o sorriso que esperava ver por ele, afinal, ter dominado o bicho. Seu rosto estava sério. Os olhos intensos. – Deixei que ele conduzisse por um tempo e, quando notei para onde ele estava me levando, assumi as rédeas e fui o mais rápido que pude.

Eu não disse nada. Estava feliz por ele não ter se machucado tentando montar Storm só para me procurar. Isso não significava que tinha me esquecido de suas mentiras.

– Perdoe-me, Sofia, eu jamais deveria... Eu agi sem pensar! Fui um imbecil outra vez. Mas é que as coisas que me disse...

– São verdadeiras! Todas elas. *Eu* nunca menti pra você! – enfatizei, para que ele entendesse que alguém ali mentia.

– Eu sei disso, amor. – Um arrepio percorreu meu corpo todo quando ele disse de novo a palavra de forma tão carinhosa. Tentei ignorar. – Não pode imaginar como lamento!

Queria muito acreditar que ele me amava, mas então por que não acreditou em mim? Tudo bem que eu mesma tive dificuldade para aceitar a verdade no começo, mas, ainda assim, eu esperava que ele já tivesse tido provas o suficiente de que eu era diferente de tudo ali....

Fiquei sentada na cama, tentando não olhar em seus olhos. Eu sabia que, se não evitasse isso, minha resolução de ignorá-lo cairia por terra. Notei, então, que sobre a mesinha de cabeceira onde eu tinha deixado o castiçal havia uma bacia cheia de água e um pano ensopado.

– Pra febre? – perguntei, indicando com a cabeça.

Ian assentiu, o rosto muito sério.

Ao lado da bacia, vi a ponta de um livro com capa de couro.

– O que é isso? – me estiquei para pegar o objeto, mas Ian foi mais rápido e o alcançou, me entregando logo em seguida.

– É um livro. Tentei usá-lo para manter-me lúcido, mas não foi de muita ajuda. Não consegui me concentrar em nada, pensei que eu fosse enlouquecer, Sofia. Vê-la tão mal e ser incapaz de ajudá-la... Foram duas noites muito longas. Mas parece que será útil afinal, já que você ficará na cama por um tempo. – Ele ainda estava angustiado e, mesmo eu estando furiosa com ele, não pude evitar querer confortá-lo.

Olhei para a capa de couro marrom novinha. Minha boca se abriu e acabei deixando uma exclamação de surpresa escapar quando folheei algumas páginas. Era o primeiro volume do meu livro favorito – *Orgulho e preconceito*, em inglês, a *primeira* edição!

– Caramba! Valeu, Ian! Isso vai me distrair. Este é meu livro favorito da Jane Austen. Meu livro favorito no mundo todo! – Não pude deixar de sorrir para ele. – Já o li umas duzentas vezes. O meu já está todo estropiado.

Observei o livro sob vários ângulos, revirei várias páginas e me surpreendi com a encadernação firme e bem feita.

O rosto de Ian ficou cauteloso.

– Que foi? – perguntei.

– A autora deste livro não é conhecida. Ela o lançou anonimamente.

– Eu sei. Só muitos anos depois de sua morte a família resolveu dar o crédito que ela merecia.

– Como sabe disso? – perguntou desconfiado.

– Eu sei tudo sobre ela. É minha autora favorita. Este livro foi lançado em 1813, com os dizeres "By a Lady" no lugar do nome do autor, assim como todos os outros dela. Mas, como eu disse, ela ganhará notoriedade daqui a alguns anos. Na minha opinião, ela é a melhor escritora de todos os tempos!

Ele apenas me encarou.

Ah, chega!

Levantei-me da cama correndo e fui até a bolsa outra vez.

– A propósito, o que é isso? – eu disse, tocando o tecido branco do vestido horroroso.

– É uma camisola de dormir. Madalena a vestiu. Ela não permitiu que eu ou dr. Almeida fizéssemos isso.

– Ah! – dei de ombros. Estava tentando dar um gelo nele, mas, quando me olhava daquele jeito, tornava tudo mais difícil. – Toma – estendi meu livro surrado e agora um pouco empenado por culpa da chuva. Enfiei-me na cama novamente. O remédio ainda não tinha começado a agir. – Veja você mesmo.

Ele observou a capa, que trazia uma fotografia de Elizabeth e Darcy, tão diferente da que acabara de me entregar. Ian abriu o exemplar e folheou algumas páginas. Seu queixo caiu e seus olhos se abriram tanto que achei que pudessem saltar das órbitas.

– Já que você conhece a história, pode notar que está tudo aí, em um único volume: o senhor Darcy, a Lizzy, Pemberley e tudo o mais. E está em português, como já deve ter percebido. Acho que a primeira edição traduzida saiu em 1950, mas não tenho certeza. – Ele observava a primeira página com atenção. – É um livro muito bom! Sabia que em 2000 foi considerado o mais bem escrito de todos os tempos?

Ele não respondeu, continuava a folhear o livro com olhos incrédulos. Esperei para que pudesse colocar os pensamentos em ordem.

Então era para *isso* que o livro me serviria! Para provar que eu não estava louca!

– É o mesmo livro? – ele perguntou depois de um curto silêncio, a voz era apenas um murmúrio.

– É – confirmei. Seus olhos encontraram os meus. – Mas pode ser que você tenha se contagiado com a minha loucura e começado a imaginar coisas também...

Nós nos encaramos por um longo período. Eu sabia o que ele estava pensando. *Mas isso é impossível!* – da mesma forma que eu pensei quando cheguei ali e percebi que ele não estava brincando ao me dizer que estávamos no seculo dezenove.

– Mas... – ele começou, porém não continuou. O choque tão evidente em seu rosto o impediu de falar.

– Eu sei. Também não entendo como é possível, mas eu *estou* aqui!

Ele ergueu a mão, hesitante, e dessa vez não me afastei. Seus dedos quentes tocaram suavemente a lateral do meu rosto. Inclinei a cabeça, incapaz de resistir à carícia.

– Mas você é real! – ele exclamou.

A intensidade de seu olhar derreteu temporariamente meu ressentimento.

– Tenho tentado me convencer disso todos os dias. Que *você* é real! – sorri de leve.

– Mas... como? – perguntou fascinado, espantado e muito, muito confuso.

– Não sei, Ian. Eu realmente não sei. Te contei quase tudo o que sei.

Vi muitas dúvidas atravessarem seus olhos, o conflito sendo substituído pela credulidade.

– Como é possível? – ele sussurrou. – Eu... Você é tão real! O que eu sinto... – Sua mão desceu para meu pescoço, seu rosto se aproximou do meu num piscar de olhos.

Não recuei de seu súbito ataque. Permiti que Ian me beijasse. Fui incapaz de afastá-lo quando senti a fúria, o desespero, a paixão em seus lábios. Meu corpo reagiu imediatamente e, de repente, era eu quem o agarrava.

Claro que meu coração e minha respiração se comportaram conforme o esperado: o primeiro parecia uma escola de samba no ensaio final, e a segunda se assustou com o batuque e tentava fugir a qualquer custo, me deixando sem ar.

– Perdoe-me, Sofia – ele murmurou sob meus lábios. – Por favor, perdoe-me por ter sido tão estúpido!

– Tá.

– Eu fui um tolo! Como pude duvidar de sua história? Você é especial, eu sempre soube disso! – Ian colocou as mãos nas laterais de meu rosto, sua boca ainda grudada na minha. – Eu a amo tanto!

A convicção de suas palavras afugentou meu medo e meus receios de vez.

Ele me amava! É claro que me amava. Como pude duvidar disso?

Por que outra razão se daria ao trabalho de me procurar no meio daquela tempestade? Por que outra razão teria me trazido de volta para sua casa? Por que me olharia daquela forma se não me amasse?

Ele deslizou suas mãos grandes para minha cintura e senti o calor delas sob a camisola. Ian era melhor que os antitérmicos. Muito melhor! Esqueci da dor imediatamente. E, por um momento, pensei que não seria capaz de parar de beijá-lo nunca mais.

No entanto, fui obrigada a parar. Assim que ouvimos passos se aproximando no corredor, Ian me afastou com delicadeza, com um meio sorriso triste nos lábios. Ele também não queria interromper o que estávamos fazendo.

Elisa e Teodora entraram no quarto. Souberam de minha melhora e queriam mais notícias. Na verdade, o remédio – ou os beijos de Ian – começava a fazer efeito. Meu corpo doía menos. A febre devia ter cedido.

– Estou bem. Não se preocupem. Como foi o baile? – perguntei para as duas garotas, que trocaram um olhar conspiratório. – Foi bom assim? – perguntei baixinho.

Elas sorriram e eu ri da cara de Ian, que claramente tinha detestado cada minuto do baile.

– Podemos lhe contar tudo depois, agora você precisa descansar para se curar – Elisa disse. Ela era tão madura para sua pouca idade! – Mas você está bem mesmo?

– Estou, já disse! Pare de se preocupar. Sempre me recuperei bem rápido das doenças, e foi só um resfriado à toa.

Sua testa se enrugou.

– Não foi apenas um resfriado, Sofia. O dr. Almeida realmente ficou alarmado com seu estado. Disse que talvez não conseguisse... – ela não terminou.

Seus olhos ficaram tão tristes quanto os de seu irmão.

– Ai, Elisa! Que exagero! Acha que eu sou assim tão frágil? Vaso ruim não quebra fácil! – eu ri, tentando aliviar a tensão do quarto.

– Vaso ruim? – Teodora perguntou confusa.

– É, Teodora. Já reparou? Se você tem um vaso raro, muito caro, uma relíquia, ele se espatifa só de olhar. Mas se for um daqueles de loja barata, um vaso bem vagabundo, não quebra nem mesmo depois de arremessá-lo contra a parede. Entendeu?

Teodora assentiu, mas não acreditei realmente que tivesse compreendido.

– Fico feliz que esteja bem, senhorita Sofia – e sorriu para mim.

Achei bacana perceber que seu antagonismo parecia diminuir cada vez mais.

– Valeu, Teodora – também sorri para ela.

Conversamos mais um pouco até o médico voltar com Madalena e a sopa. Tomei tudo sem reclamar. Madalena ficou preocupada de verdade, de uma forma que me fazia lembrar de minha mãe. Fazia muito tempo que ninguém cuidava de mim daquela forma. Assim que terminei a sopa, me senti bem melhor.

O médico tocou minha testa mais uma vez e suas sobrancelhas se arquearam. Sorri um sorriso de "não te disse?" para ele. Seus olhos voaram para a cartela de remédio sobre a mesa.

– Bem, parece que funciona. E rapidamente! Então... – Ele parecia não saber o que fazer, já que a gosma preta não seria de nenhuma utilidade. – Tome muito líquido e repouse até que a febre cesse de uma vez.

— Beleza, doutor. — Eu não iria discutir com ele que não era necessário ficar deitada para o resfriado acabar. Na verdade, me sentia cansada mesmo tendo dormido dois dias inteiros. Um pouco mais de cama não faria mal. — Acho que amanhã estarei pronta pra outra.

— Realmente espero vê-la melhor. Você me deu um susto, minha jovem — falou, me mostrando um sorriso sincero. — Virei visitá-la amanhã de manhã.

— Tudo bem.

O médico se despediu de todos, recebeu os agradecimentos fervorosos de Ian com um sorriso satisfeito no rosto, depois fez uma reverência e partiu. Fiquei mais tranquila depois disso.

As garotas saíram do quarto a contragosto, praticamente enxotadas por Madalena, preocupada que elas também pudessem adoecer. Ian se recusou veementemente a me deixar. Alegou que estava ali desde que eu adoecera, se tivesse que ficar doente já teria ficado e que o risco não o preocupava. Ele deixou muito claro que não sairia do meu lado por razão alguma.

No entanto, não ficamos totalmente "sozinhos". A cada quando, um empregado aparecia com um suco, ou um chá, ou apenas para saber se eu estava bem. Madalena devia ter percebido nosso envolvimento. Imaginei que Ian não tivesse se preocupado em esconder nosso relacionamento enquanto eu ardia em febre.

— Então... — Ian começou quando ficamos sozinhos outra vez. — Como é o futuro?

Não pude deixar de sorrir da curiosidade latente em seus olhos.

— É muito diferente disso aqui. Mais simples em alguns aspectos, mais complicado em outros. Tem suas vantagens, mas também desvantagens.

— Como o quê? — perguntou divertido.

— Como se locomover, por exemplo. Imagine uma carruagem sem cavalos, movida por um tipo de máquina a óleo e que anda *muito* rápido Com uma dessas, chegaríamos à cidade em uns trinta minutos.

— É mesmo? — sua testa vincou.

— Dependendo do motor, pode ser até mais rápido.

Expliquei com mais detalhes sobre os carros, o metrô, as motos, os aviões. Ele sempre tinha uma pergunta sobre tudo, principalmente sobre o avião. Ficou fascinado que de fato pudesse voar e acabou um pouco decepcionado quando eu não soube responder como tanta ferragem podia flutuar no céu.

Revelei a ele como era a vida das pessoas, sempre corrida e com tantas obrigações que mal sobrava tempo para diversão. E quando ele me perguntou como eram as pessoas no futuro e eu disse: "São assim como eu", ele gargalhou alto e respondeu: "Então deve ser muito conturbado por lá", e eu corei porque, na verdade, ele não errou muito.

Narrei a ele como eram as mulheres em meu tempo Ele ficou horrorizado ao saber que mulheres também usavam calças, que dividiam a conta no restaurante, que muitas delas eram as provedoras financeiras de suas casas. Falei também sobre os homens e suas roupas, o futebol da quarta-feira, a cerveja do fim de semana, o modo como flertavam com as mulheres. Dessa vez, foi ele quem corou.

Contei sobre os filmes, as peças de teatro, as músicas que eu adorava. Ian pareceu gostar e tentei explicar a ele como eram os shows de rock, mas envolvia muita coisa que ele não conhecia. Fiz o melhor que pude, contudo acho que ele não entendeu direito.

Falei sobre a comida e como eu sentia falta do gelado: bebida, sorvete, sobremesa. E contei sobre o disk-pizza, sobre lojas de departamento, computador, meu emprego. Expliquei quase tudo que achei relevante, desde utensílios domésticos, como a cafeteira elétrica, até coisas mais banais, como acender uma lâmpada. Ian parecia fascinado com tudo. E eu fiquei feliz por ele não me olhar mais como se eu fosse maluca.

Precisei interromper minha *aula* sobre o futuro, já que Madalena e alguns empregados apareceram com vários baldes de água para o meu banho. Ian não queria sair do quarto, estava preocupado que eu pudesse precisar de ajuda.

– Mas eu ficarei aqui com ela, patrão. Vá jantar com sua irmã. Já é tarde! – Madalena o persuadiu.

– Pode ir, Ian. Eu tô bem – assegurei a ele, vendo a dúvida em seus olhos.

Ele me deu um beijo na testa, sem se importar com a presença de Madalena, e saiu, claramente insatisfeito. Não deixei de notar o olhar de desconfiança que ela lançou a ele.

Madalena ficou ali para me ajudar, mesmo quando insisti que não era necessário. Ela evitou me olhar enquanto eu tirava a roupa e depois me ajudou a sair da banheira.

Vesti a camisa manchada de Ian. Já começava a escurecer e eu logo acabaria dormindo de toda forma. Ela não gostou muito – nem um pouco, para dizer a verdade, pois minhas pernas ficavam muito expostas –, mas, como eu não tinha muitas opções, acabei convencendo-a de que ficaria debaixo dos lençóis, que ninguém veria nada, e ela acabou cedendo.

Sentei-me na cadeira em frente ao espelho porque ela insistiu em pentear meus cabelos. Foi gostoso, como se eu tivesse seis anos outra vez. Isso me fez lembrar de meus pais de novo. Fazia muito tempo que eu não tinha tantas pessoas em minha vida. Como uma família outra vez.

– Acho que o patrão não deve ficar aqui esta noite, senhorita. Agora que está consciente, as pessoas podem pensar mal – ela disse, ainda escovando meus cabelos.

– Não me importo com isso, Madalena.

Ela ficou em silêncio por um tempo.

– O problema, senhorita Sofia – ela continuou, cautelosa –, é que acho que ele está muito... interessado em sua pessoa.

Eu ri.

– Também acho, Madalena. – Sua testa se enrugou. Eu me apressei para explicar. – Mas o Ian é um cara especial. Jamais faria qualquer coisa que eu não quisesse.

Ela não ficou muito satisfeita com minha explicação. Talvez desconfiasse de mim também.

– Fique tranquila. Eu sei me cuidar.

Ian voltou e, relutante, Madalena acabou nos deixando sozinhos, mas, pela expressão em seu rosto antes de deixar o quarto, imaginei que eu receberia uma visita durante a madrugada, só para saber se, de repente, eu não precisava de um chá!

Ian se sentou ao meu lado encostando as costas na cabeceira da cama, e eu, cansada, me arrastei até ele. Descansei a cabeça em seu peito, sua mão brincava gentilmente em minhas costas. Estava tão confortável daquele jeito, tão "em casa", que não demorou muito para que eu ficasse sonolenta.

– Acredito que a senhora Madalena irá me passar um sermão se nos flagrar abraçados desta forma – pude ouvir a zombaria em sua voz.

– Posso apostar!

– Talvez ela não venha pessoalmente. Talvez mande algum *empregado* para nos vigiar.

Levantei a cabeça para observá-lo. Seu rosto estava brincalhão.

– Muito bem! Parece que finalmente aprendeu a tratar seus empregados com mais dignidade – eu disse, tentando não sorrir de sua careta.

Depois voltou a ficar sério.

– Você me fez enxergar muitas coisas, senhorita – tocou uma mecha de meu cabelo e a colocou atrás da orelha.

– Por falar nisso, quero te fazer uma pergunta.

– O que quiser – ele respondeu de imediato.

– Por que você pensou que eu fosse uma "senhorita" quando nos conhecemos? Por que não pensou que eu pudesse ser uma "criada"? – Isso me intrigava há vários dias, mas sempre acabava me esquecendo de perguntar a ele.

Ian riu, fazendo meu corpo sacudir um pouco.

– Bem, soube que você era uma *senhorita* porque uma criada jamais seria tão petulante e teimosa com um cavalheiro – seus olhos brilhavam de diversão.

– Eu não fui petulante. Nem teimosa! – retruquei ofendida.

– Ah, não. Nem um pouco! Como foi que disse? Ah! *Precisa mesmo me apertar tanto?* – ele imitou, exibindo os dentes brancos e perfeitos.

– O que você queria que eu dissesse? Eu nem te conhecia e você já estava cheio de dedos pra cima de mim. Apenas estava me defendendo.

– Certamente! E depois levei uma eternidade para conseguir convencê-la a aceitar minha ajuda. Uma criada não hesitaria. – Ele tocou meu rosto com delicadeza, deslizou os dedos de minha têmpora até meu queixo. – E, assim que vi seu rosto, eu soube que não se tratava de uma criada, mas de uma princesa.

Revirei os olhos e deitei a cabeça em seu peito outra vez. Ian sabia como me enrolar direitinho. Eu já não sentia mais raiva dele. Como poderia?

Ficamos deitados assim por um tempo, com Ian acariciando meus cabelos, e a luz fraca e tremulante das velas me compeliu a fechar os olhos.

– Sofia? – Ian chamou quando eu estava quase apagando. A voz baixa no quarto mal iluminado parecia uma cantiga de ninar.

– Humm – respondi meio mole, sem abrir os olhos.

Ele hesitou por um instante.

– Ainda me odeia? – sussurrou.

Sorri com os olhos ainda fechados.

– Muito! – resmunguei, me apertando mais contra seu peito.

36

Dr. Almeida chegou bem cedo como havia prometido. Ian já estava acordado. Eu estava muito bem, não só por ter dormido mais uma vez nos braços dele, mas bem fisicamente. O resfriado tinha ido embora, assim como a febre. E a volta do meu apetite deixou Ian e o médico mais tranquilos.

— Parece que seu corpo reagiu bem, senhorita — disse o dr. Almeida, depois de me examinar. — Você está muito melhor. Todavia, gostaria que ainda repousasse um pouco mais, só por precaução.

— Ah, não, doutor! Já tô ficando maluca nesta cama! E já estou bem. De verdade — argumentei. Sabia que Ian me obrigaria a ficar deitada se o médico não mudasse de ideia. — Eu me curo depressa. É inútil continuar aqui na cama quando já estou curada.

Até meu nariz tinha desentupido e a dor fora embora. Claro que o doutor ainda relutou um pouco, mas, diante da minha obstinação, não teve outra escolha a não ser me dar alta.

— Pelo menos continue ingerindo bastante líquido, sim?

— Pode deixar, dr. Almeida. — Se isso era tudo que ele tinha para recomendar, eu cumpriria de bom grado.

Assim que ele deixou meu quarto acompanhado por Ian, me apressei em ficar decente para poder sair dali. Odiava ficar doente. Não tinha paciência para ficar deitada sem fazer nada, gemendo o dia todo. Entretanto, às vezes isso era necessário, claro.

Encontrei Elisa na sala de visitas – que já tinha toda a mobília de volta ao lugar original – na companhia de Teodora.

– Sofia! – Elisa me abraçou. – Fiquei tão preocupada! Você não imagina o estado em que eu fiquei enquanto não vi seus olhos abertos outra vez.

Abracei-a bem apertado, comovida com sua preocupação sincera.

– Pensa que é assim tão fácil se livrar de mim? – brinquei.

Ela se afastou, ainda segurando meus ombros.

– Não brinque com coisa séria, por favor! – recriminou.

– Desculpe. Estou bem agora, pode relaxar.

Teodora não disse nada a princípio. Apenas me deu um sorriso tímido. Não éramos tão íntimas assim para que ela se descabelasse por minha doença.

– Recebi um bilhete de minha mãe agora há pouco – Teodora começou. – Lady Catarina Romanov irá nos visitar esta tarde. Elisa e eu estamos indo para minha casa. Não gostaria de nos acompanhar também, senhorita Sofia?

– Por acaso, essa Catarina é aquela mulher que estava no baile, coberta de joias dos pés à cabeça? – *Mãe daquele cara pomposo que ficou me cantando?*, eu quis acrescentar.

– Ela mesma! Ela está visitando algumas famílias, creio que seja para convidar para o baile em sua mansão. Pelo que mamãe disse no bilhete, seu filho, o senhor Dimitri Romanov, está acompanhando-a. E seria muito indelicado de minha parte se eu não estivesse presente para recepcioná-lo – ela terminou, meio sem ar. Parecia nervosa e inquieta.

– Me desculpe, Teodora, mas eu acho que é melhor eu não ir. Eu juro que tenho tentado aprender os costumes daqui, mas você sabe que eu ainda escorrego às vezes. Quase sempre! – eu disse sorrindo. – E me parece que você quer causar boa impressão, então é melhor eu ficar aqui e não te atrapalhar.

– Não diga tolices, Sofia! – ralhou Elisa. – Você é uma criatura adorável. Todos se encantam por você.

– Elisa, você é um doce! Mas não é verdade. Além do mais, acho que Ian enlouqueceria se eu dissesse que vou passar o dia fora. Ele tá me dando nos nervos com tantos cuidados!

– É uma pena! – Teodora lamentou, parecendo sincera. Fiquei feliz com a sua mudança de comportamento. Talvez pudéssemos ser amigas, afinal.

— Quem sabe da próxima vez... Logo Ian para de pegar no meu pé! — Sua preocupação exagerada não tinha mais fundamento. Eu estava totalmente recuperada. Ele teria que lidar com isso!

Aproveitei a oportunidade de que apenas nós três estávamos na sala para saber os detalhes do baile.

— Mas, me contem, como foi o baile? — sussurrei conspiratoriamente.

As duas garotas sorriram.

— Foi perfeito, com exceção de seu... acidente? — tentou. Elisa deixou claro que eu também tinha explicações a dar.

— Ah! Errr.... Eu... — Não sabia o que Ian havia dito a ela.

Como poderia explicar a ela que fugi depois que contei a seu irmão que eu vivia, até alguns dias atrás, no século vinte e um, e que ele tentou me internar por pensar que eu tinha enlouquecido? Odiava ter que enganá-la, mas para seu próprio bem — e o meu —, quanto menos ela soubesse, melhor seria.

— Meu irmão disse que vocês tiveram uma discussão e que você não queria mais permanecer nesta casa. Fugiu antes que ele pudesse impedi-la.

— Foi mais ou menos isso — concordei. Ao menos, era o suficiente para que Elisa entendesse sem tentar me mandar para o manicômio também.

Ela assentiu e se sentou ao meu lado.

— Nunca mais faça isso, Sofia. Não tem ideia de como meu irmão ficou transtornado até encontrá-la. Achei que ficaria maluco! Nunca o vi tão nervoso, tão...tão...

— Desesperado — completou Teodora.

Olhei para as duas e depois baixei os olhos para minhas mãos.

Seria assim quando eu fosse embora? Era isso que eu queria que acontecesse a ele?

Não! Claro que não! Mas eu já não era capaz de me afastar de Ian. Era tarde demais para isso. Então, minha única saída seria tentar ficar ali para sempre. Teria que descobrir um jeito de permanecer no passado. E rápido! As mensagens cessaram, mas eu podia sentir que estava perto do fim da jornada.

Entendi algumas coisas nos últimos dias. Eu estava ali para aprender. Aprender a amar, eu pensava. Não sabia se mais alguém do futuro estava ali de fato, mas já não importava mais. Eu não tinha mais pressa de voltar, não queria voltar. E aprendi que uma vida simples podia ser a mais complexa de todas, a mais feliz de todas, sobretudo se o amor da sua vida estivesse ao seu lado. E eu tinha Ian ao meu lado, que era, de muitas maneiras, mais que o amor de minha vida. Era minha vida propriamente dita. Sentiria falta de toda a modernidade, é claro, porém agora sabia que poderia sobreviver sem ela. Mas eu não poderia sobreviver sem Ian, tinha certeza disso. Seria como tentar viver sem respirar: sufocante, insuportável e impossível. Por isso, eu *tinha* que encontrar uma forma de ficar ali com ele.

– Me contem sobre o baile – forcei-me a dizer, tentando mudar de assunto. – O que eu perdi?

– Muita coisa! – Elisa disse sorrindo, exibindo suas adoráveis covinhas. – Conheci um rapaz muito gentil.

– É mesmo? E? – incentivei. Notei como seus olhos azuis brilharam quando falou dele.

– Seu nome é Lucas Guimarães. Está no mesmo internato que o sobrinho do dr. Almeida. Eles são amigos há alguns anos, mas essa foi a primeira vez que veio até a vila. Ele é divertido, se expressa bem, é muito educado, muito...

– Especial? – tentei adivinhar.

Ela assentiu.

– Dançamos algumas vezes e gostei muito de conversar com ele. Ele me faz rir – as covinhas se aprofundaram.

– Acho que te vi dançando com um rapaz... um de cabelos claros. – Um rapaz bonito e que não tirou os olhos dela.

– Sim! – ela disse eufórica. – Sim, é ele. É o senhor Guimarães.

– Então, acho que posso dizer que ele também gostou de você, pela forma como a olhava.

Ela baixou os olhos, corando.

– E não se esqueça de que ainda é muito jovem, terá tempo para descobrir se ele é realmente *especial*. – Ela nem tinha dezesseis. Não devia ficar pensando em casamento com tão pouca idade.

– Prestarei bastante atenção – ela ruborizou ainda mais.

– E se ele for o cara certo, e depois que tiver idade suficiente para isso, divirta-se e me faça o favor de ser muito feliz!

Elisa me abraçou mais uma vez, bem apertado, quase me sufocando.

– Eu prometo. Gostaria que pudesse ficar aqui para sempre. Não consigo mais imaginar não tê-la por perto.

– Também quero ficar, Elisa. Vou tentar ficar. Será complicado pra caramba e eu não tenho a menor ideia de como conseguir isso, mas eu não vou desistir! Você terá que me aguentar por um bom tempo, se tudo der certo.

– Oh, isso seria maravilhoso! – exclamou eufórica. – Imagine como Ian ficará feliz se você realmente ficar conosco por muito tempo.

Eu podia imaginar, claro que podia. Esse era um dos motivos que me fazia querer ficar ali no século dezenove. Poder vê-lo feliz.

Depois do almoço, Teodora e Elisa partiram e eu e Ian ficamos sozinhos – tão sozinhos quanto se podia ficar tendo uma dúzia de empregados e uma Madalena na casa.

– Sabe o que eu estava pensando? – perguntei a ele, enquanto nos dirigíamos para a sala de leitura.

– Creio que não – e sorriu.

– Queria ver Storm. Agradecer pela ajuda.

Suas sobrancelhas se uniram.

– Não sei se é uma boa ideia. Você ardeu em febre até ontem.

– Por favor, Ian! Eu estou bem. Ótima, na verdade! Eu queria tanto que você me levasse para passear – implorei, tocando seu braço.

– Você pretende montá-lo? – seus olhos se arregalaram de horror.

– Sim, eu queria. Só uma voltinha, Ian, por favor!

– Você já fez isso. Foi Storm quem lhe trouxe até aqui – argumentou secamente.

– Mas essa não conta, eu estava desmaiada. Por favor, Ian? – De certa forma, eu tinha uma ligação com Storm que não podia explicar. Era como se ele fosse meu amigo, e não apenas um cavalo. – Por favor?

Ian analisou meu rosto por um tempo e percebeu como aquilo era realmente importante para mim.

Suspirou, derrotado.

– Está bem – disse desgostoso. – Vamos passear um pouco.

– Espere só um minuto. Vou pegar minha bolsa. Tem uma coisa que quero te mostrar!

37

Encontrei-me com Ian no estábulo, Storm já estava selado e pronto para o passeio. De repente, minha coragem vacilou. Storm era grande e assustador demais.

Vi um sorriso desafiador se espalhar pelos lábios de Ian. E, então, me apoiei em seu ombro e subi, colocando um pé no estribo, toda desajeitada. Ian montou com a elegância de quem fazia isso desde os dois anos de idade.

Storm se comportou como um verdadeiro cavalheiro, trotando suavemente, me deixando mais à vontade depois de alguns minutos, e os braços de Ian firmes em minha cintura me mantiveram no lugar.

– Para onde estamos indo? – perguntei, quando não podia mais ver a casa, apenas mata e árvores.

– Não sei bem. Por ora, Storm apenas me permite montá-lo, mas ainda é ele quem decide para onde ir.

Eu ri.

– Muito útil ter um cavalo que não obedece aos comandos.

– Foi muito útil na noite de sábado – ele não sorriu. Não achava engraçado.

Alisei a crina de Storm.

– Valeu pela ajuda, amigão – sussurrei para o cavalo. – E obrigada por não ter derrubado Ian.

Dessa vez, Ian riu.

Depois de um tempo, comecei a reconhecer o caminho, e soube para onde Storm estava me levando. Exatamente para o mesmo lugar onde me encontrou no sábado. Para minha pedra. Paramos um pouco mais adiante, debaixo da árvore.

– Acho que aqui é, de alguma forma, o nosso lugar – eu disse, depois que Ian soltou a rédea e Storm saiu trotando feliz.

– De alguma forma – ele concordou.

Ele apoiou as costas na árvore e eu me sentei ao seu lado.

– Sabia que gosto muito deste vestido? – ele disse, me encarando com um sorriso no rosto. Eu usava o vestido vinho que tinha a cicatriz das linhas de Madalena na bainha, fechando o buraco que abri quando tentei sair do estábulo alguns dias atrás.

– Obrigada – eu disse, numa mistura de embaraço e prazer.

Ele tocou minha testa, depois suspirou aliviado.

– Eu estou bem, Ian. Pode parar de se preocupar, por favor? – resmunguei.

– Desculpe-me, mas não posso – e me lançou um olhar que implorava compreensão.

Eu ri.

Peguei minha bolsa e mostrei a ele as coisas que tinha comigo. Algumas delas Ian já tinha visto naquele dia em que lhe dei a caneta, mas dessa vez expliquei para que serviam: maquiagem, as chaves de casa e o maldito sachê de ketchup!

Rasguei a embalagem, coloquei um pouco no dedo e ofereci.

– Prove – estiquei o dedo.

Ele não hesitou. Rapidamente, pegou minha mão e levou meu dedo à boca.

Claro que todo meu corpo acordou de imediato com o contato.

– Hum! É meio doce e... azedo.

– É. Fica gostoso em sanduíches, e eu *amo* com batata frita.

– Ficou gostoso com dedo também – disse ele, brincalhão.

Eu ainda ria quando peguei o celular. Era isso que eu queria mostrar a ele, mais que qualquer outra coisa.

– Meu celular – estiquei a mão.

Ele pegou o pequeno retângulo reluzente. Seu rosto ficou muito sério. Ian virou o aparelho muitas vezes nas mãos, analisando cada linha, cada detalhe.

– Foi isto que a trouxe aqui? Esta coisa minúscula?

Assenti, ainda o encarando.

Ele me devolveu o aparelho com cuidado.

– Serei eternamente grato a ele, então.

E, de repente, me dei conta de que eu também. Também estava agradecida a ele, agradecida pela confusão em que tinha me metido, agradecida por tudo que passei ali por culpa dele.

Ele me trouxe até Ian.

– Eu não sei mais o que esperar, Ian. A última mensagem dizia para que eu ficasse preparada. Acho que estou perto – terminei sussurrando.

Ele entendeu o que eu quis dizer no mesmo instante.

– Talvez signifique outra coisa. Talvez seja... – ele se interrompeu, os olhos brilhando de ansiedade, tentando encontrar uma explicação lógica e miraculosa, qualquer explicação que não fosse "você está voltando pra casa".

– Seja... – instiguei, desanimada.

– Você não encontrou o que procurava! – ele disse firme.

– Não encontrei a outra pessoa! É diferente – retruquei.

– O que quer dizer?

– Quando *ela* me ligou, disse que eu teria que encontrar o que procurava e me conhecer de verdade para poder voltar. E acredito que as duas coisas já aconteceram. – Eu baixei os olhos, não queria pensar em ir embora. Não agora!

Nem nunca!

– E o que você procurava? – perguntou Ian.

Levantei os olhos e o encarei por um tempo. Como demorei tanto para perceber que aqueles olhos eram a porta de entrada para minha felicidade? Por que não vi logo de cara que Ian era... meu?

– Você – eu disse e voltei a olhar para o aparelho. – Parece maluco, mas eu procurava por você sem saber disso.

Ouvi Ian suspirar ao meu lado.

– Deve estar enganada. Se você precisa encontrar algo para poder voltar para o seu tempo, como eu posso ser a sua resposta? Não há sentido em me encontrar para depois me deixar – sua voz profunda e melancólica cravara uma estaca em meu peito. Ele sofreria muito se isso acontecesse. Eu tinha que ficar ali de alguma forma, nem que eu tivesse que esganar pessoalmente aquela vendedora.

É claro que para isso eu teria que encontrá-la primeiro.

– Já pensei nisso também – falei. – E também acho que não faz sentido, mas eu sei, eu sinto, nem sei te explicar como, que é por você que eu procurava. Não agora, não apenas aqui, Ian, mas desde sempre. E eu nunca encontrei nada porque você estava um pouquinho fora de alcance – brinquei, querendo tirar a tristeza de seus olhos.

Quase deu certo, ele tentou sorrir um pouco.

– É engraçado. Eu sinto o mesmo, que a esperava. Naquele sábado, quando eu voltava de viagem, me sentia tão nervoso... Pensei que fosse por ter deixado Elisa tanto tempo sozinha, mas então eu a encontrei e, quando a vi pela primeira vez... minhas mãos começaram a suar e eu não conseguia pensar com clareza.

– Eu sabia que não tinha sido a única a me sentir estranha naquele dia. Foi como se eu já te conhecesse! Não é estranho? E você ainda estava usando estas roupas antigas e carruagens passavam pela rua. Se você tentasse me jogar num manicômio naquele dia, acho que eu te apoiaria. Estava tão desnorteada que me perguntei muitas vezes se não tinha perdido o juízo.

O quase-sorriso aumentou um pouco; ainda não dava para dizer que era um sorriso, mas era um começo.

– Mas as minhas roupas eram apropriadas, senhorita! E eu também me senti estranho. Assim que desci do cavalo para ajudá-la e vi seus olhos pela primeira vez, eu soube que estaria perdido se permanecesse ao seu lado por muito tempo. E quando finalmente consegui persuadi-la a aceitar minha ajuda, você ameaçou quebrar meu nariz... – O sorriso que eu estava esperando deu as caras. – Naquele instante, eu soube que estava preso a você, que não haveria retorno, e eu nem mesmo sabia o seu nome.

– Bem que eu desconfiei que não havia necessidade de me apertar daquela forma! – tentei parecer furiosa, mas não fui capaz. Ouvi-lo dizer que me queria desde que nos conhecemos me lançou numa espiral de êxtase e felicidade quase tão prazerosa quanto sexo. Bem, talvez seja um pouco exagerado comparar com sexo, mas foi uma sensação boa pra caramba!

Ian deu risada.

— Perdoe-me por isso, mas minhas mãos teimavam em me desobedecer.

— Vou pensar nisso — falei brincando. — Eu queria te mostrar como funciona um celular. Não este, mas um celular normal. Sabia que se pode armazenar livros dentro deles?

— Livros? Mas é tão pequeno!

— Eu sei. É incrível tudo que esses monstrinhos são capazes de fazer. Eu ainda prefiro ler o livro de papel, mas é prático ter um à mão numa fila, num consultório médico ou no ônibus. Mas o que eu realmente queria te mostrar são as músicas de que gosto. Tenho centenas delas! Tenho certeza que você gostaria de algumas também... — parei de falar no momento em que a tela do celular se acendeu. Ian se assustou e recuou um pouco.

Não era uma mensagem dessa vez.

Ir para música em reprodução?

Apertei a tela sem entender.

— Calma, Ian. Não se assuste, ele só... — a pasta de música se abriu e só havia uma música na lista — ... está me deixando te mostrar uma música? — Isso não tinha acontecido antes.

O que estava acontecendo agora?

Apertei o play. Mal a música começou e Ian se encolheu. Pausei.

— Ian, não se assuste. É apenas uma gravação. É possível gravar o som de um show... ou de uma ópera, igual àquela a que você me levou. Assim, dá para ouvir a música sempre que tiver vontade. Não sei te explicar como funciona o mecanismo da coisa, mas não tenha medo, é apenas um som. Confie em mim.

Ele me encarou por um momento e depois relaxou, só um pouco.

— Lembra da música que tentei cantar pra você depois que nós...

— Com muita clareza — ele respondeu de pronto. Claro que se lembraria. Os momentos perfeitos que passamos juntos não eram importantes apenas para mim. Ele relaxou um pouco mais. — Estive pensando muito nela, sobretudo enquanto esteve doente. Não me lembro de todos os versos, mas acho que consigo me recordar de grande parte.

– Pois é *aquela* música que está aqui. É a única que posso acessar. – Levantei o celular. – E queria muito que você ouvisse como ela realmente é. Posso te mostrar?

Ele continuou me encarando, mas assentiu devagar.

Apertei o play. A música suave e harmoniosa – apenas violão no começo, depois o piano e o violino doce e quase melancólico se juntaram – preencheu o silêncio. Observei a reação de Ian, que de início ficou de boca aberta, depois, conforme a música continuava, suave e alegre, me surpreendeu sorrindo para mim aquele sorriso de tirar o fôlego. Levantou-se apressado, se inclinou e me estendeu a mão.

– Me daria a honra?

Agarrei sua mão sem pestanejar, deixando o celular sobre a bolsa.

– Posso te mostrar como se dança no futuro? – perguntei ansiosa.

– Por favor – ele sorriu e abriu os braços.

Peguei suas mãos e as envolvi em minha cintura. Aproximei-me mais dele, passado os braços em seu pescoço. Ele instantânea e instintivamente me apertou um pouco mais; encostei o rosto em seu queixo e ele, notando o que eu queria, se curvou de leve para que seu rosto colasse ao meu. Apesar de a música ser um pouco rápida para dançarmos tão grudados, não me importei com esse detalhe.

– Agora, um de cada vez – sussurrei movendo os pés. Ele me seguiu com facilidade e elegância, como em tudo que fazia.

Meu corpo pinicava de contentamento por estar em seus braços outra vez, seu cheiro e sua respiração em minha orelha me deixaram um pouco tonta.

– Gosto desta dança – ele murmurou depois de alguns instantes, me abraçando mais forte. – Gosto muito, realmente.

Sorri de olhos fechados. Nunca havia sido tão feliz em toda a vida. Abracei-o mais forte, desejando que o tempo parasse, que a vida não seguisse em frente, que nossa dança nunca terminasse.

– Sofia, tenho que falar com você. Pretendia ter essa conversa depois que o baile terminasse, mas as coisas não saíram como eu esperava – ele disse, com a voz muito séria.

Lembrei-me de que ele havia dito alguma coisa a respeito, mas tanta coisa aconteceu depois que acabei me esquecendo.

– Tudo bem. Tem algo errado?

– Sim... e não – ele disse, inseguro.

Levantei a cabeça para vê-lo.

– Não entendi, Ian.

– Você sabe como me sinto, não sabe? Com relação a você? – seus olhos negros e intensos me amoleceram os ossos.

– Acho que sei – murmurei. É claro que não dava para ter certeza.

Não se tem certeza de nada quando se está apaixonada. A voz de Nina ecoou em minha cabeça de repente. Lembrei que discuti com ela na época. Agora eu sabia exatamente o que ela quis dizer. Não dava para ter certeza de nada além do amor louco que eu sentia por ele.

– Eu a amo, Sofia. Vou amá-la para sempre. Não tenho mais escolha – e sorriu um meio sorriso. – Mas acho que você deixou bem claro que me odeia – seu rosto ficou brincalhão, mas eu vi a dúvida real em seus olhos.

– Você sabe que eu te amo. Loucamente. Desesperadamente.

Ian sorriu, fechando os olhos, sua testa grudou na minha. Dançamos um pouco mais. A música recomeçava mais uma vez.

– Então... – ele continuou, nervoso. – Vamos imaginar por um momento que você possa ficar aqui, se quiser.

– Tudo bem – concordei.

– E que quisesse viver aqui para sempre... – disse apreensivo.

Comecei a ficar ansiosa também.

– Não entendo aonde você quer chegar – eu disse sinceramente.

– Imaginando que isso fosse possível, você poder e querer ficar aqui, e desconsiderando o fato de que me conhece há pouco mais de dez dias, você... – Ele parou de dançar, me observando com intensidade.

– Eu...?

– Sofia, acredita que eu possa fazê-la feliz? – sua voz estava distorcida de ansiedade.

Sorri um sorriso enorme.

– Muito feliz. A garota mais feliz do mundo! – Era meio clichê dizer isso, mas era a mais pura verdade. – A garota mais feliz de qualquer século!

– Poderia ser feliz aqui? – indagou, cético. – Pensei que detestasse este lugar.

– Detestava – concordei. – Mas minha perspectiva mudou muito depois que te conheci melhor. Não é mais tão ruim assim...

Ele sorriu, mas ainda estava apreensivo.

– Então, se pudesse ficar comigo, se pudesse ser minha... por toda a vida. Se...

Vi a expectativa em seus olhos. Vi o brilho intenso que eles emanavam, e o amor sincero que sentia por mim. Vi que não era apenas paixão, coisa de momento – que sua alma me pertencia, assim como a minha já pertencia a ele. E que seria assim para sempre.

– Sim – respondi antes que ele pudesse dizer as palavras e tornar tudo real.

Como poderia dizer não a ele? Tampouco poderia dizer sim. Eu ainda não tinha ideia de como me manter ali. Não podia permitir que ele me pedisse com *todas* as palavras, para depois...

– Se eu pudesse, seria sim – era minha única resposta. Se. Apenas *se*.

Minha visão ficou turva pelas lágrimas e não pude ver quando sua boca me capturou num beijo desesperado. Respondi com a mesma paixão, como se minha vida dependesse daquele beijo. Ian me apertava tanto que pensei que pudesse quebrar alguma coisa dentro de mim. Era como se tentasse me segurar ali apenas com a força de seus braços. E eu queria, desesperadamente, que ele fosse capaz disso, que não me deixasse voltar, porque eu *já estava* em casa.

Estava exatamente onde deveria estar, pensei com tristeza. *Ela* havia dito isso, que eu estava onde deveria estar. E, sem poder esclarecer nem para mim mesma, eu soube que havia chegado ao fim da jornada.

Eu teria que agir rápido!

Estava tão absorta que não notei quando a música parou. Mas o barulho seguinte me trouxe de volta à terra.

Uma nova mensagem.

Olhei para Ian, alarmada. Seus braços se contraíram em minha cintura. Storm se aproximou, relinchando muito. Parou a poucos metros de onde estávamos. Olhei para Ian, sem entender qual era a do cavalo. O celular vibrou outra vez.

– Acho que isto o assustou – Ian disse, também confuso, indicando o aparelho com a cabeça.

Olhei para o cavalo, que me encarava como se fosse gente, de forma intensa e apavorante.

– Melhor ver o que é de uma vez. – Eu não queria ler. Não queria saber o que estava escrito. Queria fingir que a porcaria do celular não existia! – Ele vai continuar vibrando até que eu leia o que está escrito.

Suspirei infeliz.

Ian me olhava assustado, perturbado. Toquei seu rosto e beijei seus lábios com delicadeza. Depois me soltei de seus braços relutantes e caminhei até onde estava o aparelho.

Apertei *Ler mensagem*.

Jornada concluída com sucesso!

– NÃO! – gritei, me virando para Ian, que correu ao meu encontro.

Mas era tarde demais. A luz branca me cegou, envolvendo tudo ao meu redor com sua força ofuscante, levando tudo embora.

38

N*ão! Não! Não! Não!*
Por favor, não! Agora não! Eu nem pude dizer adeus! Por favor, não!
Quando a luz foi embora, levou tudo com ela: Ian, o cavalo, o gramado, tudo havia desaparecido.

Tudo!

Eu estava na praça outra vez, debaixo da mesma árvore em que Ian e eu estávamos encostados há alguns minutos, porém agora ela era muito maior, com a casca envelhecida.

Não! Por favor! Me deixe voltar! Por favor!

Não conseguia pensar direito. Apertei o celular, desesperada, tentando fazê-lo funcionar, tentando voltar. Eu precisava voltar. Aqui não era mais meu lugar. Não era mais minha casa. Nunca fora.

Ian era!

Desesperada, quase cega pelas lágrimas, comecei a correr em direção à loja onde havia comprado o celular. *Ela*, aquela vendedora, ou fosse lá quem fosse, teria que mandar de volta.

Esbarrei em algumas pessoas, que me olhavam espantadas, mas não pude parar para me desculpar. Não podia perder tempo. Entrei na loja ainda correndo, indo direto para o balcão de celular.

– Onde está a outra vendedora? – perguntei sem fôlego para uma garota.

– Quem? – ela me olhou espantada.

– A outra vendedora! A que me vendeu este aparelho há alguns dias. – Eu tremia muito. Quase não conseguia ficar de pé.

– Creio que se enganou de loja, moça – ela falou, enquanto examinava meu vestido. – Sou a única que trabalha neste setor.

– Não! – teimei. – Estou falando da outra. Uma mulher mais velha de cabelos grisalhos e com voz suave. A que me vendeu este aparelho! – teimei e mostrei o celular como prova.

A garota olhou em volta, assustada.

– Por favor, se acalme, tá? Vai ficar tudo bem. – Ela levantou as mãos espalmadas, me trazendo a nítida lembrança de Ian com as mãos abertas dizendo que não me tocaria depois de me beijar pela primeira vez.

Meu desespero se intensificou.

– Não! Não está tudo bem! – berrei. – Eu preciso encontrar aquela mulher! Ela precisa... Ela *tem* que me ajudar. Eu tenho que voltar! AGORA!

Eu tremia muito, me apoiei no balcão para não cair. Não vi quando a garota chamou os seguranças, mas lutei contra eles, empurrando com toda a força que tinha.

– Me solta! Eu tenho que voltar. O Ian está me esperando. – As lágrimas me impediam de ver qualquer coisa. – Ele vai sofrer se eu não voltar. O que você pensa que está fazendo? Me solta! – empurrei alguém com tanta força que acabei caindo.

Alguém se aproveitou disso e tentou me imobilizar. Debati-me no chão, gritando contra a pessoa, ouvindo muito barulho ao meu redor, mas ainda não conseguia enxergar nada com clareza. Mais mãos tentaram me segurar, até que, um tempo depois, senti uma picada no braço, e tudo desapareceu outra vez.

39

A primeira coisa que vi quando abri os olhos foi o teto branco. Um bipe constante perto de minha cabeça me acordou. Olhei em volta e percebi que estava em um quarto de hospital.

Como foi que eu vim parar aqui?

– Sofia? – uma voz suave perguntou.

Virei-me para o outro lado e a vi sentada numa cadeira ao lado da cama.

– Nina? O que estou fazendo aqui? – perguntei, ainda confusa.

Quando consegui focalizar seus olhos, a memória me invadiu.

– Nina! – gritei, e ela veio correndo me abraçar. Eu a apertei com tanta força que poderia ter quebrado uma costela da minha amiga. Meus olhos arderam e senti as lágrimas descerem por meu rosto. – Senti tanto a sua falta! Você não pode imaginar a confusão em que me meti!

– Posso imaginar, sim! Pode me explicar onde esteve todos esses dias e por que estava usando aquela roupa? E por que deu *piti* numa loja? A sorte foi que o Rafa viu quando te colocaram na ambulância e me ligou avisando. Ele está lá embaixo resolvendo a papelada. Por falar nisso, cadê seus documentos?

O Rafa estava ali também?

Eu a soltei para poder ver seu rosto.

– O que aconteceu? – ela perguntou, parecendo preocupada.

Endireitei-me na cama.

– Nina, é uma história muito longa e eu prometo que vou te contar. Mas só depois que eu sair daqui, está bem?

Sua testa se enrugou.

– Por quê? – perguntou desconfiada.

– Porque é uma história complicada e meio... doida. Você pode querer não me tirar daqui. – Eu tinha aprendido minha lição.

– Claro que não vou te deixar aqui! E nós temos tempo. Você não vai sair do hospital antes que o médico te libere. Então, vê se desembucha logo – seu tom era duro e, ao mesmo tempo, preocupado.

– Nina, eu estou bem... mentalmente. – Porque eu sabia que só ficaria bem de verdade se pudesse estar com Ian outra vez. – Eu tenho que sair daqui logo. Tenho que procurar uma pessoa.

Suas sobrancelhas se arquearam.

– Uma pessoa? – repetiu em voz baixa, desconfiada.

– Sim. E você vai me ajudar – afirmei, sem dar a ela a chance de decidir se ajudaria ou não uma amiga aparentemente surtada.

– Está bem – Nina falou, cautelosa. – Eu te ajudo, *depois* que você me disser tudo o que está acontecendo.

Suspirei. Encarei Nina por um longo tempo, decidindo se contava ou não. Ela era minha irmã em muitos sentidos, merecia saber a verdade depois da preocupação que causei – totalmente sem intenção. E ela não me internaria, eu quase tinha certeza disso. Quase.

– Tudo bem, Nina. O que eu vou te contar não é uma história fácil de engolir. – Ela assentiu, o rosto sério. – Tente manter a mente aberta, tá?

– Está me deixando preocupada, Sofia. Fala de uma vez!

– Lembra da noite em que fomos ao Oca e meu celular caiu na privada? – Ela assentiu de novo. Eu continuei: – Começou aí! No sábado, eu acordei cedo e fui comprar um novo, você sabe que eu não sabia viver sem ele. – Fiz uma careta ao pensar nisso. Quantas coisas inúteis pensei serem tão importantes a ponto de não poder viver sem elas! Sacudi a cabeça, desgostosa. – Então, quando cheguei à loja...

Contei tudo o que aconteceu na loja, depois na praça e como fui parar no século dezenove. Nessa parte, suas sobrancelhas se arquearam, mas eu não parei. Disse a ela tudo que passei por lá, a casinha, o pé de alface, a carruagem, as pessoas que conheci, os vestidos, Elisa, e falei sobre o principal.

Ian.

Não pude conter as lágrimas que rolavam continuamente por meu rosto. Falar dele triplicava a dor intensa que eu já sentia. Narrei sobre como acabei me apaixonando por ele sem me dar conta, sobre seu bom humor e seus modos educados, a forma carinhosa como tratava a irmã, como cuidou de mim quando estive doente, a noite mágica que passamos juntos.

Precisei de alguns minutos para continuar, a dor que invadiu meu peito me tirou o fôlego. Só consegui soluçar e tremer por um tempo.

Nina passou os braços por mim, tentando me acalmar, mas eu não conseguia nem mesmo respirar. Quando olhei seu rosto e vi que ela também chorava, fiquei ainda pior, pois eu não sabia se seu choro era por minha dor ou por mim, pela perda da minha sanidade.

Continuei com a história: a noite do baile, o ataque de Santiago, minha fuga. Contei absolutamente tudo, da nossa dança final perto da pedra até minha volta para cá e o pouco que me lembrava sobre a confusão na loja.

Quando terminei, fiquei sentada tentando me controlar. Tentei muito não pensar em Ian, mas toda vez que eu piscava via seu rosto assustado, sua mão esticada tentando me alcançar, atrás de minhas pálpebras. Um pesadelo que se repetia a cada vez que eu fechava os olhos.

Nina ficou em silêncio por alguns minutos, me observando, analisando meu rosto retorcido pela agonia.

– Sofia, preciso te fazer uma pergunta. – Sua estava voz séria, assim como seu rosto. Apenas a encarei. – Você está usando drogas?

– Nina! Você também não! – eu gemi.

– Desculpe, Sofia. Mas o que acaba de me contar é... – Ela me fitou, tentando encontrar a palavra certa.

– O quê? Surreal? Impossível? Maluco? História da carochinha? – ajudei. Ela sacudiu a cabeça, concordando.

– Mas é a verdade, Nina! Você viu o vestido, não viu?

– Vi, mas... Como? Por quê?

– Não sei! Não faço ideia! Acho que, se eu conseguir encontrar a vendedora, talvez ela me explique e me ajude. – Porque ela tinha que me ajudar, não tinha? Ela havia armado a confusão e agora ia consertar. Ah, se ia!

Nina não disse nada, vi a história se repetir de novo e de novo por trás de seus olhos de esmeralda, enquanto tentava encontrar sentido naquilo tudo.

– O que você vai fazer agora? – ela perguntou horrorizada depois de um tempo.

Suspirei de alívio. Nina acreditava em mim.

– Vou procurar por ela. Vou fazer com que arrume as coisas... Que me mande de volta. Ela vai ter que consertar isso. De uma forma ou de outra – eu disse firme, secando os olhos.

– Você pretende voltar? Me deixar aqui sozinha?

– Você não está sozinha. Tem o Rafa, tem seus pais. – Seria muito difícil nunca mais ver Nina. Éramos tão unidas que, com exceção da minha viagem para o passado, eu não tinha uma única memória que não a incluísse. Mas ela estaria feliz, eu sabia disso. Estaria ao lado do amor de sua vida, teriam filhos lindos, brigariam pelo resto da vida e se reconciliariam todas as vezes, como sempre foi. Não precisaria me preocupar com ela.

Ainda assim, seria doloroso não tê-la por perto.

– Não é a mesma coisa. E meus pais não falam comigo, você sabe disso – retrucou tristonha.

– Eu sei! Mas eles podem mudar de ideia e você pode vê-los quando quiser. E você tem o Rafael, que é maluco por você. Imagine se... Imagine se ele precisasse ir morar na... Groenlândia e nunca mais voltasse a pôr os pés aqui. Se tivesse a chance de ir com ele, você iria?

Ela não respondeu imediatamente. E nem precisava, eu sabia a resposta, assim como ela.

– Você entende, Nina? Eu preciso dele! Claro que eu sentiria uma saudade louca de você, mas, ao menos, saberia que está feliz. Além disso, se eu não voltar, ele... – Era insuportável imaginar. Doloroso demais imaginar que eu nunca mais voltaria a ver Ian. Nunca mais ver Elisa, Madalena e todos os que deixei para trás. Minha nova família. E eu não tinha uma há muito tempo.

– Também morreria de saudades! – Ela tocou minha mão gelada. – E tudo o que eu quero é te ver feliz. Mesmo que... nunca mais... Vou te ajudar a encontrar a tal mulher e vamos obrigá-la a te mandar para lá! Nem que eu tenha que usar a força! – Nina era tão exagerada! Mas dessa vez eu estava com ela.

– Onde estão minhas coisas?

– Tudo que me entregaram foi isto e aquele vestido estranho – ela levantou o celular.

– Ficou tudo lá com ele. Tudo! – A dor me deixou quase cega, pontos negros embaçavam minha visão. – Como foi com o Rafa? – perguntei, tentando me distrair para não me partir em duas.

– Foi maravilhoso! Bem, quase. Eu estava muito preocupada com você. Não sabia o que tinha acontecido... Te procuramos em hospitais e até em necrotérios!

– Desculpe, Nina! Não dava pra te mandar um bilhete. Acho que os correios ainda não fazem esse tipo de entrega – sorri, secando os olhos com as costas das mãos.

– Sua maluca! Não podia se meter em nada menos complicado, pra variar? – ela sorriu também.

– Ah, Nina! – estiquei os braços e a abracei bem forte. – Estou tão feliz por você e o Rafa!

Ela me abraçou também. Depois me olhou espantada.

– Você está chorando?

Não tinha percebido.

– É que eu... Não imagina como estou feliz por vocês dois! Serão tão felizes juntos! Vocês são perfeitos um para o outro.

– Já chega! Quem é você? Onde está minha amiga? – ela disse com a testa enrugada, depois sorriu.

– Você tem razão. Não vai acreditar em como eu mudei. Sou outra mulher. Romântica, chorona e melodramática. Tudo que eu nunca fui. Sou uma *emo*!

– Claro que não é. Só está apaixonada – ela sorriu, depois seus olhos se estreitaram. – Pela primeira vez.

– Tá legal! Fala logo – resmunguei.

– O quê? – ela perguntou inocente. – *Eu te disse?* Que tipo de amiga eu seria se tripudiasse sobre o seu sofrimento dessa forma?

– Obrigada – suspirei.

– Mas eu te avisei! É diferente de *eu te disse*.

Precisei fazer um teatro para o psiquiatra do hospital, inventando que tinha bebido demais e estava com estresse causado pelo trabalho, tudo para poder justificar o fato de ter pirado, saído na rua vestida daquele jeito, invadido lojas e agredido pessoas. Prometi procurar um psicólogo para me ajudar a aliviar o estresse. Ele até me deu o telefone de um especialista.

Saí do hospital com as roupas que Nina levou para mim; meu vestido e o celular estavam dentro de uma sacola de plástico.

Tive que suportar as piadinhas do Rafa durante todo o caminho até meu apartamento. "Você estava doidona, hein, Sofia? O que você usou? Me arruma um pouco! Não seja fominha. Divide o bagulho!"

Entrei em meu apartamento e tudo estava exatamente como eu havia deixado: de pernas para o ar. Foi estranho entrar ali de novo. Tanta coisa tinha mudado. *Eu* tinha mudado. A sensação de estar em casa não existia mais. Era apenas um apartamento.

– Tem certeza de que está bem? – Nina perguntou pela milésima vez.

– Tenho. Pode ir. Vocês têm muito o que fazer agora – eu disse, lhe dando outro abraço.

– Se precisar, me liga. A qualquer hora!

Assenti, mas eu precisava ficar sozinha um pouco. Queria botar os pensamentos em ordem, descobrir alguma pista de como encontrar a mulher.

Rafa não largou sua cintura em momento algum. E depois ele me surpreendeu me abraçando – quase sufocando – antes de sair.

– Se cuida, garota – ele disse, antes de fechar a porta.

Já era noite. Fiquei contemplando meu apartamento vazio. Tão vazio quanto eu. Tudo que era meu tinha ficado com Ian: minha bolsa com os documentos, meu livro, minha nova família, meu coração, minha alma.

Peguei o vestido e o aproximei do rosto. O cheiro dele ainda estava impregnado no tecido. Respirei fundo, deixando seu aroma inundar minha cabeça. A única lembrança concreta que restara. A única coisa que me fazia crer que eu não tinha imaginado tudo. Que ele era real. Que o que vivemos foi real. Ficava cada vez mais difícil acreditar nisso, estando ali no apartamento repleto de geringonças modernas.

Tomei um banho para me livrar do terrível cheiro de hospital, sem me importar com o chuveiro ou a privada. Não senti o alívio que imaginei que sentiria ao entrar em um banheiro outra vez. Nada mais importava. Embrulhei-me com a toalha e fui para o quarto, incapaz de me conter por mais tempo. Deixei-me cair em um canto e não impedi as lágrimas nem a dor dilacerante que rasgou meu peito, me tirando o fôlego, nem fui capaz de conter o tremor que se espalhou por meu corpo.

Fechei os olhos e abracei os joelhos. Repassei mentalmente cada instante que vivi com Ian, como em um filme. Ao menos, eu tinha isso. Ao menos, eu tive isso. Um amor tão profundo e sincero, mesmo que por poucos dias – algo que muitas pessoas jamais experimentam durante uma vida inteira.

Eu tinha Ian para sempre, guardado em minhas lembranças. Cada traço de seu rosto, cada expressão de seus olhos negros, cada sorriso divertido, cada linha de seu corpo perfeito. Até seu cheiro estava presente em minha memória e fazia meu corpo se arrepiar toda vez que pensava nele.

Quando dei por mim, o sol já batia na janela e eu ainda estava ali, sentada no chão, tremendo. A luz clareou o quarto e também minha cabeça.

Eu tinha que fazer alguma coisa. Não podia ficar ali parada, chorando. Não podia viver apenas de lembranças. Eu queria mais!

Eu iria lutar!

40

Não fui trabalhar naquela sexta-feira. Não me importava como eu pagaria o aluguel. Eu tinha que encontrar a tal mulher. Pensei em pesquisar na internet para descobrir informações sobre ela, mas eu nem mesmo sabia o seu nome.

Peguei meu carro e rodei pela cidade, entrando em todas as lojas que vendiam celular, sentindo o desespero me dominar a cada "não". Ninguém nunca ouvira falar dela. Procurei o dia todo em vão.

Claro que ela não deixaria rastro depois do estrago que fez.

Nina bancava a detetive virtual, procurava na internet casos de pessoas que diziam ter viajado no tempo, mas sem encontrar nada concreto.

Procurei por ela durante dias, até mesmo nas cidades vizinhas, até em delegacias.

Nunca havia nada. Nada de nada.

Uma semana depois, mudei meus planos. Pensei que a vendedora talvez fosse uma daquelas bruxas que faziam magia. Procurei nas páginas amarelas e visitei cada buraco cujo endereço pude encontrar.

Numa dessas incursões, fiquei tentada a me deixar levar – depois da minha viagem ao passado, não havia mais muita coisa em que eu não acreditasse.

Dentro de uma sala minúscula e repleta de incensos, cristais coloridos e tecidos, a cigana Odara tentou me convencer de que sabia de alguma coisa.

– Você está aflita – ela afirmou.

– Sim – confirmei. Mas isso era evidente, então não me surpreendi.

– Vejo que tem assuntos mal resolvidos no passado – ela disse, com a ponta dos dedos pressionada contra as têmporas, observando uma bola transparente que soltava faíscas azuis.

– Tenho.

– Um homem – ela continuou. – Que você ainda ama...

– É – eu disse, empolgada.

– Você o quer de volta. Por isso está aqui.

– Sim – confirmei. Afinal, o motivo de encontrar a vendedora era para que ela me levasse até Ian outra vez, não era?

– Posso fazer isso pra você. Posso trazê-lo de volta em três dias.

– Como?

– A magia de cigana Odara é muito poderosa. Custará trezentos reais.

– Trezentos? – Não que não valesse a pena. Se funcionasse, claro. Mas eu tinha que me certificar de que ela não era uma espertalhona antes de desembolsar aquela quantia. Eu estava quase desempregada, caramba! – Que garantias eu tenho de que está me dizendo a verdade?

Ela estreitou os olhos verdes carregados de maquiagem.

– Cigana Odara não mente. Cigana Odara é poderosa. – Era tão irritante que se referisse a si própria na terceira pessoa.

– Tá, mas me dá mais alguma coisa. Mais informações.

– Muito bem – ela disse, pressionando a testa outra vez. – Ele é bonito e educado. – Até aí tudo certo. – Te amava muito. – Meu coração começou a bater forte com a esperança. – Mas não foi capaz de resistir à tentação. A culpa foi da outra.

Murchei.

– Outra? – repeti desanimada.

– A outra mulher. Pela qual ele te trocou.

O complicado de se procurar em lugares místicos é que alguém sempre tenta te convencer de que sabe exatamente o que você procura.

Depois da cigana Odara, tomei mais cuidado, prestando atenção nas frases – quase todas genéricas: "Você está infeliz", "Vejo que está procurando alguém, tem um homem no seu destino, posso trazê-lo de volta por duzentos reais. Cem. Cinquentinha e não se fala mais nisso!" Mas, na última espelunca em que me atrevi a entrar, me surpreendi. Primeiro, por não se tratar de uma espelunca, mas de uma sala agradável, branca, com diversas velas coloridas e algumas imagens de santos. A segunda surpresa foi mãe Cleusa não querer me oferecer seus serviços – ela apenas respondeu que não conhecia nenhuma outra vidente com as características que eu descrevi. Mas a grande surpresa mesmo aconteceu quando eu estava de saída. Depois de me dizer para seguir em paz, os olhos de mãe Cleusa tremularam e ela ficou diferente, como se não estivesse ali na sala. Fiquei imóvel. Segundos depois, ela sacudiu a cabeça e piscou.

– Ele está te esperando.

– O quê? – perguntei insegura.

– Ele está te esperando. Não desistiu de você. Está esperando que você volte.

– Está? – Senti meus olhos ficarem úmidos.

– Ele está infeliz. Tanta dor! – ela disse fazendo uma careta, como se sentisse dor. – Ele te ama muito, menina.

– Eu sei. Eu também o amo. Demais! – respondi em meio às lágrimas. Ela podia estar inventando, mas ouvir aquilo era um alívio. Ele me amava. Ele existia! – Vê mais alguma coisa, mãe Cleusa?

– Um quadro. Ele fica parado olhando para um quadro.

– Um quadro? – O quadro que ele estava pintando? Meu retrato?

– É tudo que eu vejo, me desculpe – e sacudiu a cabeça.

– Por favor, mãe Cleusa, não dá pra ver mais nada? Nós vamos nos encontrar outra vez?

– Não posso ver mais nada, menina. Mas vejo uma flor azul no seu futuro. Significa alguma coisa pra você?

– Não. Não imagino o que possa ser.

Ela me abraçou, em seguida colocou a mão sobre minha cabeça, fez uma oração e disse que pediria aos orixás para que me ajudassem. Naquele instante, me senti em paz.

Mas a paz não durou muito tempo. Apenas algumas horas e eu estava de volta ao desespero e agonia habituais dos últimos dias.

Fui até o apartamento de Nina no fim de semana, para conhecer o "novo" ninho de amor do casal, onde fui informada de que se casariam oficialmente no próximo mês.

– Quem sabe você pega meu buquê, Sofia – Nina tentou me animar. Ela me conhecia o bastante para saber que eu não estava nada bem.

– Quem sabe – concordei, desanimada.

– Tem uns caras bacanas do jiu-jítsu que talvez você goste. Se quiser, posso te apresentar a algum deles – Rafa ofereceu. Nina contou a ele que eu estava apaixonada, para explicar minhas ações tão atípicas nos últimos dias. Mas é claro que ela não contou a ele que Ian não vivia naquele mesmo século. Rafa pensava que eu tinha tomado um belo pé na bunda.

– Não, não. Valeu pela oferta, mas não, obrigada!

Rafa foi até a cozinha pegar os pratos para comermos a pizza. Ele ajudava Nina em tudo, fiquei surpresa.

– Ele começa a trabalhar nesta segunda – ela me confidenciou, orgulhosa.

– Isso eu tenho que ver! Quem foi o maluco que deu emprego pra ele?

– Foi o Zezão. O Rafa vai ser personal na academia dele. O salário até que é razoável, e ele pode acabar conseguindo uns por fora! – sorriu entusiasmada.

– Bacana! Fiquei fora alguns dias e o Rafael está trabalhando, casando... e *eu* não estou trabalhando. O mundo tá mesmo de pernas pro ar! – tentei brincar, mas não me sentia muito animada.

Nina notou isso.

– Ah, Sofia! – ela lançou os braços ao meu redor e me apertou firme. – Você não podia se apaixonar por alguém mais acessível? – disse, meio brincando, meio lamentando.

– Não tive escolha, Nina. E agora não sei como viver sem ele. Quer dizer, acho que sei, mas não quero nem tentar! Tenho que encontrá-la a qualquer custo. Eu tenho que encontrar a tal mulher! – E muito rápido. A cada dia, ficava mais insuportável respirar.

– Humm – ela resmungou. – E nós vamos encontrá-la! Vamos procurar em cada canto do planeta. Você não vai passar o resto da vida sofrendo assim! – afirmou convicta.

– Valeu, Nina! – eu me apertei mais contra ela. – Eu te adoro.

Voltei para casa tarde da noite e, dessa vez, sóbria.

41

Ainda era muito cedo. A cidade começava a despertar. Dirigi pelas ruas semidesertas até o apartamento de Nina.

– Pra onde vamos assim tão cedo? Você encontrou alguma pista? – ela perguntou, entrando no carro com rapidez.

Eu não tinha encontrado nada. Mal havia dormido na última noite, mas o pouco tempo em que estava inconsciente eu sonhei com Ian. Estávamos em casa – na casa dele – e conversávamos sobre seus cavalos. Ele estava animado, sorridente, feliz. Seus olhos brilhavam e seu sorriso me hipnotizava. O mesmo de sempre! Mas, então, de repente ele começou a se distanciar. O sofá no qual estávamos sentados começou a se esticar e Ian ficava cada vez mais longe. Eu tentei gritar, chamar por ele, mas minha voz não saiu. Tentei me levantar para alcançá-lo, mas minhas pernas pareciam feitas de chumbo e eu não pude movê-las. Ele continuava se distanciando, até que, finalmente, foi engolido pelas sombras. Acordei com o coração batendo rápido, com lágrimas nos olhos e o grito ainda preso na garganta.

A dor me apunhalou fundo quando percebi que ainda estava em meu apartamento. Sem pensar, liguei para Nina e saí para encontrá-la.

– Não, Nina, não encontrei nada, mas eu preciso ir até lá. – Engoli alto. – Até a casa dele. Não vou conseguir fazer isso sozinha. Talvez tenha alguma pista lá ou... Sei lá! Eu *preciso* ir até lá!

– Acha que a casa ainda existe? – ela perguntou, descrente.

– Espero que sim – eu disse, pisando no acelerador.

Refiz o caminho para a casa de Ian, bem diferente agora – com avenidas pavimentadas e semáforos –, me perdendo inúmeras vezes antes de encontrar uma ruela estreita. Depois de um tempo, avistei a casa em uma pequena chácara no meio da cidade grande. Era a mesma casa, deteriorada pelo tempo, acinzentada, mas era a mesma, eu tinha certeza. Minhas mãos começaram a tremer, pensei que a dor fosse me rasgar em duas. Nina percebeu.

– É ali?

Assenti. Parei o carro perto das escadas envelhecidas, sem saber bem o que fazer. Não me importava se o dono chamaria a polícia ou se me levariam para a ala psiquiátrica outra vez, eu tinha que entrar lá.

– O que pretende fazer? – Nina indagou, observando a casa imponente.

– Eu não sei. Só quero... Só preciso entrar lá! Ver que tudo foi real e – Sacudi a cabeça. Eu não sabia o motivo, mas tinha que entrar naquela casa. Era como se ela me chamasse.

Saí do carro decidida, subi os degraus até alcançar a porta. Nina me seguiu. Eu bati e esperei.

– O que vai dizer? *Por acaso, o Ian ainda mora aqui?* – ela sussurrou, meio apavorada.

Não tive tempo para responder. A porta se abriu, e um rapaz de cabelos cor de areia, estatura média e olhos de um azul familiar nos observou.

– Oi! – comecei insegura. *Será que posso entrar e ver se o cara que eu amo está aí dentro? Você o conhece? Ele mora em 1830!* – Eu... Tudo b...

Para minha surpresa, o rapaz sorriu.

– Sofia Alonzo! – disse de forma muito segura.

Minha boca se abriu. Os olhos de Nina se arregalaram. Demorei um pouco para responder.

– S-sou eu. Como você sabe? – perguntei, ainda em choque.

– Entrem – e se afastou para nos dar passagem.

Senti meu coração se encolher dentro do peito ao ver a sala de visitas, agora mobiliada com móveis atuais e uma grande TV de plasma bem no centro. Tudo estava diferente, todos os móveis eram contemporâneos. Até a cor das paredes era diferente.

Também vazia, como eu. ·

– Estamos esperando por você há muito tempo. Há séculos, na verdade! Eu nem acreditava nas histórias, mas... – Ele esticou os braços apontando para mim e sorriu eufórico. – Você está aqui!

E como gostaria de não estar! Queria estar em casa com Ian, conversando sobre qualquer idiotice. Ou até mesmo assistindo a Teodora discursar fervorosamente sobre a importância da fita no chapéu.

– Ouvi muito sobre você – ele disse, animado.

– Ouviu? – Uma centelha de esperança se acendeu em mim.

– Vem comigo. – Ele indicou o caminho.

Fui na frente, olhando de vez em quando para ele e para Nina – que parecia aparvalhada, observando tudo de boca aberta – para ver a que lado ir. Contudo, depois de algumas portas, eu soube para onde seguíamos.

Para o meu quarto.

A porta estava trancada.

– Esperem um minuto, vou pegar a chave – disse o rapaz, saindo pelo corredor que levava até a cozinha.

Toquei a porta envelhecida. A mesma porta que tentei fechar e Ian me impediu. A mesma que ele arrombou quando pedi a navalha e ele pensou que eu fosse me suicidar. Procurei me controlar um pouco, respirando fundo diversas vezes, tentando juntar os cacos. Era doloroso demais estar ali sem ele, sem Elisa.

– Conhece este quarto? – Nina inquiriu. Minha mão ainda estava na porta.

– É o meu quarto, Nina – sussurrei.

O rapaz – cujo nome eu ainda não sabia – voltou e colocou a chave na porta.

– Este quarto fica trancado o tempo todo. Apenas a família tem acesso – me explicou enquanto o abria.

Estava escuro lá dentro. O quarto não tinha luz elétrica como o resto da casa. Fiquei parada na porta, enquanto ele se enfiava na escuridão abrindo as cortinas pesadas.

Dei um passo, vacilante, sem saber o que iria encontrar ali. Nina me seguiu. Logo fiquei sem ar.

– Puta merda! – Nina exclamou.

Estava tudo como antes. Exatamente como eu o deixara! A cama, a banheira, o frasco de xampu, a mesa com o vinho, a poltrona, até a roupa de cama era a mesma, mas agora tinha manchas amareladas causadas pela passagem do tempo.

Olhei em volta, sem saber o que procurava, quando encontrei. Minhas pernas falharam.

Não. Não estava exatamente *tudo* igual. Vários quadros haviam sido adicionados ao cômodo. Por um momento, não pude me mover. Senti que meus pulmões não sabiam mais o que fazer. Eu não conseguia respirar. Quando por fim consegui levar um pouco de ar para dentro, me aproximei da parede.

Eu estava no quadro, com o vestido rosa de Elisa, uma flor presa no cabelo trançado. Hesitante, levantei a mão, que tremia muito, para tocá-lo, do mesmo jeito que tinha feito na noite em que o vi pela primeira vez. Nenhuma voz pediu que eu não tocasse a tela porque borraria. O rasgo em meu peito sangrou.

Então ele terminou o quadro que vi em seu quarto na noite em que fizemos amor. A noite mais mágica de minha vida.

Toquei a tela, tentando sentir com a ponta dos dedos os lugares exatos onde os seus haviam estado. O quadro era lindo. Ele me retratou de forma deslumbrante. Muito mais bonita do que eu era na realidade. O melhor Photoshop que já vi.

Lágrimas inundaram meus olhos, pisquei diversas vezes para que desobstruíssem minha visão e eu pudesse admirar as outras telas. Meu olhar seguiu a sequência de retratos.

Eu estava em todos eles.

Eu na cama com o cabelo bagunçado e o lençol branco preso entre os braços: a noite em que fizemos amor. Eu na sala de música, com o vestido de baile e olhos assustados: depois que contei a verdade a ele. Meus tênis vermelhos num quadro pequeno em que apenas minhas pernas cobertas pelo vestido azul apareciam: o vestido era curto e os deixou à mostra. Eu com as costas nuas brincando na água fria do riacho: quase pude sentir os calafrios outra vez.

Muitos quadros. A memória de Ian gravada nas telas. Ele se lembrou de cada detalhe meu, cada traço, cada curva, cada expressão.

Meu coração se espremeu ainda mais, até o ponto de latejar.

– Estes quadros foram feitos por meu tio-avô. Tataravô, na verdade. Eles estão na família há seis gerações – o rapaz disse.

Não pude vê-lo, meus olhos não conseguiam parar de olhar tantas provas do amor de Ian por mim.

– O que sabe sobre ele? – sussurrei. – O que sabe sobre Ian?

– Bem... – Ele não se espantou quando usei o primeiro nome. – O que meus pais me contaram, que souberam através dos seus, e assim por diante... Ian Clarke se apaixonou por esta mulher, Sofia Alonzo, e a retratou até o fim da vida, numa tentativa de não esquecê-la, eu acho.

Até o fim da vida.

Não pude conter o soluço.

– Ele tinha vinte e um anos quando pintou este. – Eu me virei para acompanhá-lo. Sabia qual era o quadro. – Ela estava lá. Minha tataravó a conheceu. – Sua testa se enrugou. – Mas ela desapareceu depois de alguns dias e Ian não se recuperou nunca mais.

– Não! – Não era um lamento nem uma pergunta, era desespero e dor misturados com raiva, agonia e medo.

Nina me amparou.

– Respire, Sofia. Apenas respire – ela pediu. Tentei obedecer, mas não obtive muito êxito.

– Ele ficou obcecado por ela, a retratou por muitos anos até este aqui, quando tinha trinta e um – continuou o rapaz, apontando para a outra parede.

Era um quadro branco, muito branco, apenas a silhueta escura de uma mulher envolta na luz branca. Sua última lembrança. Nosso último momento.

– Depois disso, adoeceu. E, como estava fraco demais por causa de todo o álcool que ingeria, não conseguiu reagir e acabou...

– NÃO! – Isso não podia estar acontecendo. Eu precisava acordar daquele pesadelo.

Tentei engolir e não consegui. Senti os joelhos me faltarem. Nina me segurou antes que eu caísse. O rapaz a ajudou a me levar até a cama.

Respirei várias vezes. Eu não queria ouvir mais nada.

– Elisa ficou arrasada com... Depois que o irmão se foi – ele continuou. Meu corpo tremia muito, como se eu fosse partir ao meio. – Ela viveu com o marido e os filhos nesta casa até o fim. Este quarto se tornou um tipo de herança, que o herdeiro se comprometia a não modificar. Elisa dizia que um dia a garota voltaria, seu irmão insistia nisso. Que um dia ela voltaria a esta casa.

A mão de Nina subia e descia por minhas costas.

– Ela foi feliz? Elisa foi feliz? – sussurrei. Não tinha forças para nada.

– Sim. Muito feliz. Mesmo depois da m... Ela se casou com meu tataravô aos vinte anos. Eles se conheceram num baile. Foi amor à primeira vista.

– Lucas? – mal pude ouvir o som de minha voz.

Mas o rapaz ouviu, sorriu e balançou a cabeça, confirmando. Tentei sorrir também, mas acho que não consegui.

– Veja – ele pegou um papel na mesinha de cabeceira, o livro de capa de couro ainda sobre ela. – Esta é a carta que Ian deixou para a garota. Elisa a guardava como um tesouro.

Olhei para o papel em sua mão e demorei para entender que deveria pegá-lo. Estava totalmente anestesiada. Nina percebeu isso e pegou o papel, colocando-o em minhas mãos logo em seguida.

Fechei os olhos e respirei algumas vezes. Meus dedos tremiam muito. Desdobrei o papel antigo e manchado, com dificuldade. Sorri tristemente ao ver sua caligrafia perfeita escrita com minha caneta barata.

Sofia,

Escrevo esta carta na esperança de que algum dia ela possa chegar até suas mãos.

Uma década se passou desde que você apareceu em minha vida. Acreditará se eu lhe disser que para mim nada mudou durante este tempo todo? Que não perdi a esperança de que um dia volte? Que ainda sinto seu perfume em minhas lembranças? Que nossa última conversa gira em minha cabeça como se tivesse acontecido ainda ontem?

Perdoe-me, meu amor, por não ter sido capaz de prendê-la aqui. Perdoe-me por não ter sido rápido o bastante. Tudo seria diferente se eu tivesse sido capaz de impedir que fosse levada para tão longe. Contudo, eu não lamento nada. Os poucos dias que passei ao seu lado foram os mais preciosos de minha existência. Então, agradeço todas as noites por tê-la tido em minha vida, mesmo que por tão pouco tempo. São as lembranças desses poucos dias que me mantêm respirando.

Desejo fervorosamente que seja feliz, onde quer que você esteja agora. Não posso suportar, sequer pensar que você não tenha tido uma vida feliz como merece.

Estou tentando encontrá-la, tenho falado com alguns estudiosos sobre o assunto, mas ainda não obtive nada satisfatório. Talvez acabe encontrando uma solução em breve, algumas coisas evoluíram por aqui. Talvez eu possa ir buscá-la.

Nunca desistirei de encontrá-la. Por isso, não sou capaz de lhe dizer adeus agora. Pois sei que ainda nos veremos outra vez. E se, por sorte, algum dia puder vir a ler estas linhas, não esqueça que a amei desde o primeiro instante e a amarei até o último. Talvez até depois.

Vemo-nos em breve.

Eternamente seu,
J. C.

Meu cérebro parecia mingau. Ele tentaria me buscar? Abandonaria tudo por mim?

É claro que abandonaria! Da mesma forma que eu largaria tudo por ele. Mas era óbvio que ele não encontraria nada. Se nem banheiros existiam no século dele, quanto mais máquina do tempo!

Dobrei a carta e a guardei. Não sabia o que pensar. Nem mesmo o que fazer. Eu só queria estar com ele outra vez, abraçá-lo e confortá-lo. Fazê--lo sorrir novamente.

– Sempre me perguntei quem era você – o rapaz começou, depois de um tempo. – Sempre me perguntei quem era a garota retratada duzentos anos atrás usando All Star vermelho – ele olhava para o quadro. – Como é possível?

Sacudi a cabeça, sem forças para mentir – não havia necessidade. Ele sabia a verdade.

– Não sei. Apenas sei que duas semanas atrás eu estava lá, Elisa tinha ido até a casa de Teodora e Ian e eu estávamos no nosso lugar especial. De repente... eu estava aqui outra vez.

Seus olhos azuis, tão dolorosamente familiares, me analisavam com atenção.

– Você realmente esteve lá?

– Estive – sussurrei. – E preciso voltar. Voltar para Ian e...   O soluço me impediu de continuar.

O rapaz colocou a mão em meu ombro.

– Vai ficar tudo bem.

– Não vejo como – chorei desamparada.

– Nós vamos dar um jeito nisso! – Nina disse, determinada. – Meu Deus, esse homem é louco por você! Você não pode deixá-lo escapar. Vamos encontrar um jeito!

Queria muito ter a mesma convicção que Nina. Queria desesperadamente.

Ian fora infeliz por minha causa. Infeliz por toda uma vida. E a culpa era minha. Toda minha. Foi um erro ter me envolvido com ele. Jamais poderia ter permitido que as coisas fossem tão longe quando eu sabia que voltaria. Eu acabaria voltando, de uma forma ou de outra, sempre soube disso, e, mesmo assim, correspondi apaixonadamente a seus sentimentos, arruinando sua vida. E agora não podia fazer nada para reparar isso.

– Como é seu nome? – perguntei ao rapaz, quando consegui me recompor um pouco.

– Jonas – ele sorriu. – Ainda não acredito que isso está acontecendo. Meu pai vai pirar quando souber que você esteve aqui. É surreal!

— Nem me fale — eu disse, infeliz.

Levantei-me da cama, tinha que sair dali. A urgência de encontrar a vendedora me dominou por completo. Eu encontraria um meio de reparar as coisas. Mesmo que eu não pudesse voltar. Aquela bruxa teria que consertar a vida de Ian. Ela devia ter poderes para isso.

— Preciso ir agora. Obrigada por nos receber e contar o que sabe.

Ele se levantou também.

— Eu é que agradeço. Não imagina quanto tempo fiquei pensando nessa história — ele sorriu e covinhas apareceram em suas bochechas.

Toquei seu rosto, incapaz de me conter. Toquei o presente que Elisa tinha me deixado.

— Você tem o sorriso dela. De Elisa.

Ele sorriu ainda mais, em vez de se afastar.

— Sério? Olha, volte outras vezes, podemos conversar melhor. Meu pai conhece um pouco mais da história da família. Talvez ele saiba alguma coisa que acabe fazendo sentido ou até ajudando.

— Talvez — suspirei.

Lutei contra as lágrimas até entrar no carro. Nina voltou dirigindo, eu não tinha condições para isso. Ela não disse nada o caminho todo, apenas me deixou chorar.

O que foi que eu fiz?

Mutilei o destino e fiz da pessoa que mais amava no mundo miserável. Atordoada como eu estava, acabei me esquecendo de perguntar por minha bolsa. Mas não devia estar lá de toda forma, Ian devia ter escondido para o caso de alguém perguntar o que eram aquelas coisas estranhas.

— O que vai fazer agora? — Nina questionou, quando chegamos ao meu apartamento.

— Vou encontrá-la! — eu disse obstinada. — É tudo que me resta. Encontrá-la.

Nina não voltou para casa, ficou comigo sem me encher de perguntas. Apenas estava ali, me emprestando seu ombro a cada pouco, até minhas lágrimas secarem. Levou muito tempo para que secassem totalmente. Não dormi quase nada outra vez.

42

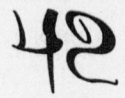

Para construir uma máquina do tempo, primeiro precisamos de um buraco negro, que será o coração do equipamento. Para consegui-lo, pegue uma estrela dessas bem velhinhas, a maior que você encontrar...

É claro que isso estava fora de cogitação.

Um professor de física norte-americano garante estar construindo uma máquina do tempo...

Humm... Talvez, se eu ainda não tiver conseguido voltar para Ian nos próximos meses... Talvez eu devesse mandar um e-mail...
Este parecia promissor:

Como construir uma máquina do tempo – não é fácil, mas também não é impossível

[...]
1 – Encontre ou monte um buraco de minhoca, um túnel que liga dois pontos no espaço. Pode ser que buracos de minhoca de grande porte existam no espaço profundo, herança do Big-Bang. Se não encontrar nenhum, vamos ter que nos contentar com buracos de minhoca subatômicos, ou naturais [...] ou artificiais (produzidos por aceleradores de partículas). Esses buracos de minhoca pequeninos teriam de ser aumentados até atingir proporções úteis [...]

2 – Estabilize o buraco de minhoca. Uma infusão de energia negativa, produzida por meios quânticos [...], permitiria a passagem segura de um sinal ou um objeto através do buraco de minhoca. A energia negativa [...] impede que o buraco de minhoca se transforme em buraco negro.
3 – Transporte o buraco de minhoca. Uma espaçonave, com tecnologia muito avançada, separaria as aberturas do buraco de minhoca. Uma abertura seria colocada junto à superfície de uma estrela de nêutrons, uma estrela de altíssima densidade, com campo gravitacional muito forte. A gravidade intensa faz com que o tempo corra mais devagar. Como o tempo corre mais depressa na outra abertura, os dois extremos do buraco de minhoca ficam separados não só no espaço, mas também no tempo.

Beleza! Então eu só precisava encontrar um buraco de minhoca, um acelerador de partículas, um estabilizador de energia quântica, uma espaçonave com tecnologia avançada e uma estrela de nêutrons.

Ah! E, é claro, descobrir como me transformar em uma minhoca!

Suspirei, frustrada.

Não estava dando certo. A internet não me ajudava em muita coisa. Muita baboseira e nada realmente concreto. Pesquisei sobre pessoas que diziam ter viajado no tempo, mas, quando investigava mais a fundo, eram apenas bêbados, drogados, malucos ou idiotas com muita imaginação. Meu desespero aumentava a cada avanço do ponteiro do relógio. E o tempo estava sendo cruel comigo. Passava depressa demais.

A carta de Ian me motivou ainda mais a encontrar uma solução para voltar ao passado, porque se ele, que estava em um lugar totalmente sem recursos, não desistiu, como eu poderia desistir?

No entanto, ele queria que eu fosse feliz, mesmo que isso fosse impossível sem tê-lo por perto. Talvez apenas não quisesse que eu fosse miserável. Então, tentei voltar para a minha vida. Tentei mesmo! Só que não parecia mais uma vida. Era como se eu estivesse ligada no piloto automático e apenas seguisse o fluxo.

Não desisti de encontrar a mulher, não desistiria enquanto ainda respirasse. Mas eu não tinha mais ideia de onde procurar.

Liguei para o escritório e expliquei que estava tendo problemas pessoais. Não me importei com as ameaças de demissão e os berros de Carlos. Eu disse que tiraria uma licença e voltaria assim que estivesse bem. Joana me visitou e me trouxe chocolates. Fiquei feliz em revê-la. Ela disse que estava preocupada comigo. Inventei uma história qualquer por ter sumido e ela acreditou. Contou-me que o escritório estava insuportável agora, que Carlos berrava mais que o normal e me amaldiçoava todos os dias, logo completando com "aquela filha da puta competente". Gustavo tinha assumido minhas tarefas e não estava se saindo muito bem. Carlos estava fazendo da vida dos meus colegas um inferno.

Os dias continuaram passando muito depressa. Mal vi o mês acabar e o próximo começar. Fui fazer a última prova do meu vestido – eu seria a madrinha de Nina, com Zezão. O casamento aconteceria em uma semana. Foi doloroso e, ao mesmo tempo, prazeroso usar um vestido longo outra vez.

– Talvez não estejamos olhando a coisa da perspectiva correta – Nina disse, enquanto analisava meu vestido (justo até os joelhos, depois se abria graciosamente em um rabo de peixe; de cetim lilás, tomara que caia, apenas uma alça finíssima toda bordada transpassando da frente do ombro esquerdo para a parte de trás do direito). Ian teria achado escandalosa a forma como o vestido se agarrava ao meu corpo, mas teria gostado. Quase podia ver o sorriso malicioso que brotaria em seus lábios quando me analisasse.

– Que perspectiva, Nina? Só tem uma. Ela sumiu. O celular nunca mais fez nada em quase dois meses.

– Não pode ser – ela sacudia a cabeça. – Se ela é realmente um... – ela diminuiu a voz para um sussurro – ... ser com poderes para interferir assim no destino das pessoas, não pode permitir que vocês dois sofram dessa maneira.

– Eu não sei o que ela é. – Não me importava também, contanto que eu conseguisse encontrá-la e a convencesse a consertar a vida de Ian. – Só queria que ela pudesse arrumar as coisas.

– Vamos, Sofia, ela tem que ter te dado alguma coisa! Pense!

Eu pensei. Outra vez. Pela milionésima vez. Já havia dissecado nossa conversa milhares de vezes e não tinha nada. Nenhuma resposta oculta, nenhuma pista, nada de nada.

– Não tem nada, Nina – eu disse, exasperada. – Além disso, o que eu vivi com ele foi maravilhoso! Isso basta pra mim. Pelo menos eu tenho as lembranças, não me importo de passar o resto da vida sozinha. – Na verdade, eu trocaria de bom grado o resto da minha vida para poder passar só mais uma tarde junto dele, mas Nina não precisava ouvir isso. Já estava preocupada o bastante comigo. – Mas preciso fazê-la mudar o destino dele. Ele *tem* que ser feliz, Nina!

– Isso não é justo! Eu quero ver você feliz também! – Ela ficou desolada, assim como eu tinha estado nas últimas semanas.

– Eu sei – suspirei. – Obrigada, Nina.

Ela sorriu, tristonha. Pegou uma caixinha na bolsa e me entregou.

– Toma.

– O que é isso? – perguntei, examinando a caixinha. Retirei a pequena fita e abri. Um lindo colar prateado, com um pingente delicado da letra I, brilhava no veludo negro. Olhei para ela sem entender.

– Comprei um pra mim também. – Ela abaixou a gola da blusa, me mostrando o mesmo colar, mas o dela tinha um R. – É tipo um colar de irmandade. Caso você precise sair correndo para algum lugar e nunca mais volte – sorriu triste.

– Ah, Nina! Você é incrível! – eu a abracei forte. – Você é a amiga mais especial de todo o universo. Não preciso de lembretes para não te esquecer. Mesmo que eu pudesse sumir outra vez, jamais te esqueceria! Jamais!

– Eu sei! E o pior é que eu queria muito que você sumisse de novo. Sou uma péssima amiga! – ela riu desanimada.

– Não é não! – contestei. – É a mais sincera de todas!

43

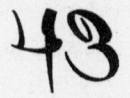

Não voltei mais à casa de Ian. Não podia suportar ouvir seus descendentes contarem histórias sobre seu desespero e, pior ainda, falarem dele como se estivesse morto. Ele não estava morto!

Parte de mim tentava ser racional e entender que ele nascera há mais de duzentos anos e que, a essa altura... Mas ele não estava morto! Eu sabia disso. Tinha certeza. Ele ainda vivia em algum universo paralelo estranho e incompreensível, mas *vivia*!

Meus dias se tornaram nulos, nada importante acontecia. Ou eu é que não percebia mais os problemas à minha frente. Todos os dias passava horas sentada no banco perto da árvore imensa, me lembrando dos momentos mais felizes que tive na vida. Gostava daquele lugar. Era minha ligação com Ian. Nosso lugar especial. Ficava ali por horas ouvindo nossa música.

Peguei carona no carro da noiva para ir até a igreja no grande dia. Nina estava deslumbrante! O vestido simples e elegante ressaltava ainda mais sua pele marrom. Ela estava radiante e mais linda do que nunca.

Fiquei feliz demais ao ver os pais dela ao seu lado no altar. Ambos pareciam acanhados e ainda se via uma pontada de ressentimento em seus olhos, mas eles estavam ali, era o que importava. Quando vissem quanto Rafa amava Nina, quanto ele se preocupava com ela, talvez acabassem gostando dele. Pelo menos um pouquinho.

A cerimônia foi perfeita e eu acabei chorando, o que não era comum para mim. Até bem pouco tempo, casamentos não me emocionavam, me deixavam apavorada. Percebi depois que não fui a única a chorar. Rafa tentou bravamente esconder as lágrimas, mas, depois de um tempo, seus olhos inchados ficaram muito evidentes. Tive a impressão de que ele amava Nina muito mais do que deixava transparecer.

Tirei centenas de fotos com meu novo e simples celular na deliciosa recepção. Mas, quando os noivos assumiram o centro da pista de dança para a valsa, tive que sair dali. Não dava para não pensar em Ian ao ver os dois rodopiando apaixonados pelo salão.

Nina praticamente me acertou com o buquê – de rosas azuis –, deixando várias garotas com cara de desapontadas.

– Te trará sorte – ela disse sorrindo.

– Tomara. Eu tô mesmo precisando de um pouco, pra variar – sorri de leve. – Mas não precisava ter escolhido as flores azuis por minha causa.

– Mas eu quis flores azuis! Não tem nada a ver com o que a mãe Cleusa te disse. Eu quis!

– Sei – retruquei desconfiada.

Nina tentara me animar de todas as formas nos últimos dois meses. Eu tentava demonstrar um pouco de entusiasmo quando estava perto dela, mas parecia que eu não tinha mais essa capacidade.

– Sofia, será que não seria melhor se... – ela começou, insegura – ... sei lá... você tentasse... esquecer?

– Não! Eu não quero esquecer, Nina. Não posso esquecer. Esquecer o que vivi com o Ian seria como... como tentar alimentar um tubarão só com legumes. Não dá! Eu não... Eu só...

– Desculpe, eu não queria te deixar nervosa. Só queria que pudesse ser feliz de algum jeito.

– Valeu, Nina. Mas não precisa se preocupar comigo. Eu estou bem.

Ela não disse nada, apenas me encarou. Não acreditou na minha mentira deslavada. Era inútil tentar esconder qualquer coisa dela.

– Eu vou ficar bem. Você vai ver! – emendei, tentando parecer mais segura.

Peguei minha bolsinha sobre a mesa e meu buquê.

– Tem certeza que não quer ficar um pouco mais? Ainda vai demorar um pouco para sairmos para a nossa *lua de mel* – Nina revirou os olhos.

– Tenho. Já está tarde e amanhã eu vou até a divisa do estado. Encontrei uma garota na internet que diz ter vivido algo parecido. Quem sabe eu descubro alguma coisa dessa vez. Além do mais, eu já vi o melhor da festa! – apontei para o Rafa no centro da pista dançando animadamente uma música muito *rebolativa*.

– Ele sempre se empolga quando bebe um pouquinho a mais... – ela sorriu encantada, admirando seu marido com olhos brilhantes.

– Você está feliz, não está? – perguntei, constatando o óbvio.

– Muito. Imensamente feliz. Acho que eu só poderia estar mais feliz se você não estivesse tão triste.

– Esquece isso! Hoje é o seu dia! A sua *noite*, melhor dizendo – pisquei para ela, forçando um sorriso.

Ela suspirou.

– Sofia, estou tão cansada que a única coisa que eu vou querer é cama! Pra dormir e mais nada. – Ela fez uma careta, remexendo um dos pés. – Sou capaz de acertar a cabeça do Rafa com o abajur se ele começar com gracinhas.

– Que belo começo de casamento! – zombei. Depois a abracei. – Boa viagem. Me liga quando voltarem.

– Adeus, minha amiga! – e me apertou forte.

– Ai, Nina, credo! Você só vai ficar fora por uma semana, não precisa fazer drama – brinquei, mas também a abracei mais apertado. – Te amo, Nina. Fala que eu disse "boa viagem" pro seu maridão!

– Sofia! – ela me soltou fazendo uma careta, depois sorriu, enquanto eu me dirigia para a saída.

Voltei a pé para casa, não tinha táxi ali perto e nem era tão longe assim. E eu gostei de caminhar com a brisa suave da noite brincando em meu rosto. A imensa lua branca deixava tudo prateado, como num quadro em branco e preto.

Parei na pracinha, perto da minha pedra – que nos últimos tempos eu tinha como meu lar –, incapaz de resistir. Fiquei no banco por uns dez minutos, contemplando a lua e pensando o que Ian estaria fazendo naquele momento.

E então, vinda do nada, a mulher que eu havia procurado sem descanso nos últimos dois meses se materializou bem diante dos meus olhos.

– Acredito que esteja procurando por mim – ela disse e sorriu gentilmente.

44

Levantei-me com um salto. Eu queria torcer seu pescoço, pisar na sua cabeça até os olhos saírem das órbitas. Mas, em vez disso, apenas encarei a mulher que bagunçou minha vida, com toda a raiva que eu sentia.

– Por quê? – perguntei, trincando os dentes.

Ela não respondeu, apenas me contemplou com olhos gentis. Minha raiva aumentou.

– Por quê? – repeti, sentindo o sangue ferver nas veias. – Por que fez isso?

– Você tinha que passar por isso. Tinha que conhecer Ian – ela disse com sua voz suave e musical.

– E pra quê?

– Ele estava no seu destino – ela deu de ombros. – Não tive alternativa. Precisei reuni-los como pude!

Eu não entendia o que ela me dizia. Nada fazia sentido.

– Vou explicar melhor, querida. Imagine que todas as pessoas têm sua outra metade e que, algumas vezes, passam por ela sem nem mesmo notar. Outras pessoas são mais atentas e as notam, têm a chance de escolher, e podem ser felizes por toda a vida.

Eu ainda a encarava sem entender.

– Acontece que ocorreu um *pequeno* erro e você não teve essa chance. Sua metade não vivia no mesmo presente que você. Precisei reuni-los para equilibrar as coisas.

– Reunir? Você acabou com a vida do Ian e com a da Elisa! E com a minha também! – eu gritei.

Ela não pareceu abalada.

– Bem, sim. Mas você aprendeu o que precisava.

– Aprendi! Aprendi a nunca confiar em estranhas que querem ferrar com a vida dos outros usando um sorriso gentil no rosto!

Ela levantou uma sobrancelha.

Eu bufei.

– É claro que aprendi. Mas não precisava ter estragado a vida de outras pessoas para fazer isso. – Não de pessoas tão boas como eles. – Se queria me ensinar a ser menos fútil, podia ter dado outro jeito.

– Não é bem a isso que estou me referindo. Nunca foi sobre sua futilidade.

– Ah, não? E por que você fez aquela cara quando me vendeu o celular?

– Porque, sendo você como era naquela época, eu sabia que sofreria mais em sua experiência do que outra pessoa. Muitas pessoas estão habituadas a uma vida mais simples. Seria mais fácil se você fosse assim, só isso – ela deu de ombros. – Me referia ao seu autoconhecimento.

– Então... então... – Agora é que eu não entendia nada mesmo!

– Na verdade, Sofia, como eu disse, foi tudo um erro de planejamento.

– Um erro?

– Sim, querida.

Ela estava me irritando profundamente com os seus "queridas".

– Então, o Ian está sofrendo por um erro *seu*? Como você pôde fazer isso com ele? Por que não me deixou quieta com minha vida vazia? Me deixasse passar pela vida sem vivê-la. Você nunca devia ter me mandado pra lá! Nunca! Eu não posso continuar... Não depois de saber que o Ian... – Meu peito doía ao pensar que ele tinha sido infeliz. E tudo o que eu mais queria era que ele fosse feliz.

– É por isso que estou aqui, querida – ela disse, sorrindo maternalmente. – Vamos consertar algumas coisas?

Olhei para ela, desconfiada, e querendo muito que não estivesse brincando comigo. Eu já estava no limite!

– Não estou brincando. Vamos resolver isso de uma vez. Há outros... clientes, por assim dizer, que preciso visitar.

– Por falar nisso, quem era a tal pessoa que estava lá também? – perguntei, querendo resolver finalmente o mistério.

– Eu não disse que era uma pessoa – e sorriu.

– O quê?

– Storm era seu protetor, se tivesse prestado mais atenção teria percebido – ela disse meio ríspida.

O cavalo? Meu protetor?

Eu procurava por um homem e era um cavalo o tempo todo?

– Eu jamais te deixaria sozinha, Sofia. Mas não podia envolver mais pessoas nesse caso. Storm foi perfeito para esse trabalho. Ele te ajudou diversas vezes, não foi? – apontou.

Comecei a juntar as coisas: Storm no quadro me deixou fascinada, depois que o conheci fiquei ainda mais ligada a ele. E foi por culpa dele que Ian e eu acabamos nos enroscando e caindo na estrada, o que resultou em nosso primeiro beijo. Ele me encontrou quando tentei fugir e me levou para *casa* quando chegou a hora de voltar.

– Claro – eu disse, sacudindo a cabeça com tristeza. *Como fui estúpida!*

– Estúpida não. Apenas desatenta – ela me corrigiu.

– Como você faz isso? Como sabe o que eu estou pensando?

– Querida, eu conheço todos os meus... clientes profundamente. Digamos que eu esteja em sintonia com sua cabeça. – Ela sorria para mim como se fosse minha amiga. – E eu sou! Então, vamos acertar tudo? Agora que se conhece de verdade, me diga o que deseja, Sofia.

– Quero voltar! – eu disse, firme.

– Não posso permitir que viva essa experiência outra vez – seu rosto ficou sério. – É contra as regras.

Assenti, sentindo parte de mim morrer naquele instante.

– Então faça o Ian feliz. Faça com que ele esqueça que me conheceu, ou que se apaixone por outra garota, ou qualquer outra coisa que o deixe feliz – implorei, cansada.

– Tem certeza de que quer mesmo isso? – suas sobrancelhas se arquearam. – Ele não se lembrará de nada do que vocês viveram juntos. Não se recordará nem mesmo que a conheceu.

– Eu não me importo! – eu disse abrindo os braços, meus olhos inundados. Eu me lembraria e isso me bastava. – Desde que ele esteja feliz, não me importo com mais nada.

Ela me observou por um longo minuto.

– Estou muito orgulhosa de você, Sofia! – um sorriso iluminou seu rosto delicado. – Muito bem, então. Me devolva o aparelho, por favor? – pediu esticando a mão.

Abri a bolsa e peguei o celular de que eu passara a gostar. Ele tinha me levado até Ian e agora estava indo embora para arrumar o estrago que eu causara. Coloquei o aparelho na mão dela bem depressa. Quanto antes ela fizesse sua mágica, mais rápido Ian deixaria de sofrer.

– Tem certeza? – ela perguntou mais uma vez.

– Você não disse que conhece cada segredo de minha alma? – retruquei. – Faça logo e o deixe viver em paz!

Ela abriu um enorme sorriso eufórico.

– Você é quem manda! – disse apertando o botão verde.

Obviamente, com ela, o aparelho funcionou. A luz branca me cegou. Dessa vez, porém, não me assustei. Esperei que a cegueira passasse para que eu pudesse voltar para meu apartamento e me enfiar no meu nada outra vez. Mas, quando tentei fazer meus olhos focalizarem a rua, não fui capaz. Não porque ainda estivesse cega ou por estar tudo escuro, mas porque não existia rua alguma. Tudo havia sumido.

Olhei em volta com o coração retumbando no peito. A luz prateada da lua me permitiu ver onde eu estava, ver a pedra perto de meu pé, o cedro ainda pequeno, o gramado que cobria todo o chão, e a *ela*, que ainda estava ali na minha frente.

– Mas você disse que... – comecei sem entender.

– Que você não poderia *repetir* a experiência. E não pode – ela sorriu. – Mas você pode escolher, Sofia. Agora que sabe quem realmente é e o que quer de verdade, poderá escolher. Ficar aqui ou voltar para o seu tempo. Mas, seja qual for sua decisão, não haverá retorno – ela advertiu. – Não é uma ameaça! Estou apenas te avisando, para que não haja mais erros.

Eu não precisava pensar.

– Fico aqui – eu disse, enfática. Meu coração martelava nas costelas, um sorriso se apoderou de meus lábios. – Fico aqui com Ian.

Ela assentiu, sorrindo.

– Imaginei que me diria isso.

– Posso ir? – Eu tinha pressa, já havia passado mais tempo sem ele do que podia suportar.

– Pode sim, querida. Seja feliz!

Dei alguns passos, mas depois voltei. Atirei os braços em volta dela e a apertei forte.

– Obrigada, seja lá quem você for. Obrigada por me trazer de volta para ele!

Ela não pareceu surpresa com minha reação.

– Sei que os mecanismos de magia se modernizaram um pouco ao longo dos anos, mas não pode ser tanto assim a ponto de você não me reconhecer! – ela disse, zombeteira.

Eu a soltei e olhei em seus olhos.

– Você é uma... fada? – experimentei dizer. Só podia ser! Como não pensei nisso antes? Talvez porque fosse ridículo demais, mas...

– Quase isso. Você pode adivinhar. Vamos, Sofia, pense! Eu lhe mandei um príncipe encantado, um vestido de baile, uma carruagem... – ela sorria divertida.

A compreensão me atingiu como um raio.

– Você é minha f... – Mas a luz branca voltou e ela desapareceu, seu riso musical ecoou na noite prateada.

Fada madrinha? Eu tinha uma fada madrinha? Ao que parecia, do tipo mais estranho que eu já tinha ouvido falar. Que te dava aquilo que você ainda nem sabia que queria. Mas eu estava onde queria estar, então agradeci por ela existir e, assim que a cegueira passou novamente, me pus a correr em direção ao caminho que me levaria até Ian.

45

Senti saudades dos vestidos soltos e bufantes quando tentei acelerar a corrida e o tecido não permitiu.

Droga de vestido apertado!

Tirei os sapatos de salto agulha e levantei a saia – o pouco que pude –, tentando ganhar mais velocidade. Eu meio corria, meio andava. Parecia um pato descontrolado correndo atrás de uma minhoca ou coisa assim; mas, a cada segundo, eu me aproximava mais de Ian.

Meu coração saltou dentro do peito assim que avistei a casa grande, ainda cor de creme, ainda sem nenhum desgaste do tempo. Tudo estava como deveria estar. Meus pulmões ardiam pelo esforço, mas eu não parei até praticamente arrombar a porta da sala e entrar feito um furacão, assustando Elisa, Teodora e Gomes – que tinha uma bandeja nas mãos e, com o susto, acabou derrubando tudo no chão.

– Elisa! – exclamei sem ar.

– Sofia? – ela perguntou, completamente desnorteada, enquanto eu me lançava contra ela. – Sofia!

– Elisa! Elisa! – Eu a apertei, soltando os sapatos, a bolsinha e o buquê, que caíram na bagunça de xícaras e açúcar. – Senti tanto sua falta! Muito mesmo!

Eu a deixei e abracei Teodora. Estava eufórica demais.

– E também senti saudades suas, Teodora. Não é estranho?

Ela me abraçou meio sem jeito

– Acho que sim... – mas estava sorrindo.

– Gomes! Como é bom ver essa sua careca outra vez! – eu disse, enquanto o esmagava com os braços. Ele ficou meio sem graça, mas acabou retribuindo meu abraço. – Desculpe pelo susto...

– Que bom que está de volta, senhorita – ele disse, um pouco acanhado.

– Onde ele está? – perguntei, ainda ofegante.

– No quarto. Ele não sai de lá – Elisa disse com os olhos arregalados, ainda surpresa com meu súbito aparecimento.

Comecei a correr em direção ao quarto dele quando Elisa gritou:

– Não no quarto dele! Em seu antigo quarto.

– Ian! – resmunguei, mudando de direção.

Não me perdi dessa vez.

Não me perderia nunca mais!

Alcancei a porta e tentei abri-la, mas estava trancada com chave.

– Vá embora! – ele gritou lá dentro.

Meu corpo todo estremeceu ao ouvir sua voz, mesmo ela estando mais rude que de costume. Bati na porta com mais força.

– Já pedi para me deixar em paz – ele vociferou.

Não desisti. Continuei batendo insistentemente até que ouvi sons de passos pesados e sua voz lamuriosa esbravejando outra vez.

– Eu já disse para ir embora! – berrou ao abriu a porta. Seus olhos furiosos se arregalaram, depois ficaram confusos. O rosto abatido me examinou por alguns segundos.

Meu coração batia ensandecido dentro do peito. Ele estava ali, bem na minha frente!

– Tem certeza? Eu vim de tão longe! Mas se quiser que eu vá emb... – Não pude terminar, pois os braços urgentes me puxaram para si e os lábios esmagaram os meus com desespero.

Ian me apertou muito, num abraço quase insuportável, mas eu não poderia ficar mais agradecida. Queria que ele nunca mais me soltasse! Minhas mãos tocaram o máximo dele que conseguiram: o cabelo, o pescoço, o rosto, os ombros.

– Sofia! – ele gemia vez ou outra, sem desgrudar os lábios dos meus.

Senti minha vida se encaixar de novo, exatamente como eu me encaixei em seus braços. Tudo fazia sentido outra vez.

Ian me beijou, ainda na porta do quarto, até que tudo ao meu redor se tornasse um borrão giratório e eu ficasse sem fôlego. Sua boca deixou a minha, mas suas mãos não deixaram meu corpo, ainda me apertavam com urgência.

– Você está aqui! – ele sussurrou, colando a testa na minha.

– Estou! – Fechei os olhos inspirando, deixando seu cheiro invadir meus sentidos. Eu estava finalmente em casa. – Desculpe ter demorado tanto. Mas acreditaria se eu te dissesse que levei dois séculos para conseguir voltar?

Ele levantou a cabeça e me encarou.

– Como? – o sorriso não deixava seus lábios.

– É uma longa história – sorri, incapaz de não corresponder a seu sorriso.

Ele alcançou a porta e a fechou, me puxando para dentro do quarto. Vi com satisfação que tudo ainda estava como deveria estar. Apenas meu retrato com o vestido rosa estava ali, já terminado, e uma garrafa quase vazia com um líquido âmbar fora colocada ao lado do vinho.

Suspirei de alívio. Eu iria mudar o futuro. Ele não se acabaria em tristeza, eu não deixaria isso acontecer. Iria amá-lo tanto que o sufocaria de felicidade, seríamos felizes para sempre. Ficaríamos *juntos* para sempre.

– Não estou com pressa – disse ele.

– Ela, a mulher que me mandou pra cá, me procurou esta noite. E consertou as coisas – falei apressada. Eu estava com pressa! Queria recomeçar de onde havíamos parado, de uma vez por todas.

Entretanto, ele fechou os olhos e suspirou.

– Quanto tempo desta vez? – ele quis saber, com a voz embargada.

Toquei seu rosto.

– Não tem tempo. É definitivo desta vez.

Ele abriu os olhos e eu sorri, seu rosto aos poucos se transformou. Um sorriso imenso apareceu ali enquanto ele entendia a nova situação.

– Você ficará aqui? – perguntou, parecendo não acreditar no que tinha ouvido. – Ficará comigo para sempre?

– Essa é a ideia. Ela me deixou escolher onde eu queria viver. E escolhi viver aqui. Não poderei voltar nunca mais. – Não havia nenhuma gota de arrependimento em minha voz.

Sua testa vincou.

– Você abandonou toda a sua vida por mim? – ele indagou, apavorado.

– Não. Eu abandonei todo o resto para ficar com a minha vida! – eu o corrigi. – Você não entende? Não dá pra suportar viver longe de você.

Ele assentiu, provavelmente sentia o mesmo.

– Tem certeza do que fez? Que escolheu corretamente?

– Ian, eu não tenho vida se você não estiver por perto. Simplesmente não rola! – sacudi a cabeça. – Sabia que isso deveria acontecer? Você e eu, quero dizer?

Suas sobrancelhas se arquearam.

– Deveria?

– Sim, ela me disse que estávamos predestinados. E que, por engano, fui colocada na época errada – eu ri. Era a minha cara estragar tudo me perdendo, para variar. – Então ela me mostrou como deveria ter sido, quando estive aqui da primeira vez. E hoje me deu a escolha de viver onde eu quisesse. Então, Ian, vou precisar da sua ajuda outra vez.

Seus olhos se arregalaram e seu rosto ficou tenso.

– Ajuda? – ele repetiu com a voz instável.

– É. Olha só, eu tô sem emprego, sem casa pra morar e os únicos amigos que tenho aqui são Elisa, Gomes, Madalena e você. Espero que Teodora também. Estava pensando se poderia me emprestar este quarto e me dar um pouco de comida até que eu arrume um jeito de ganhar dinheiro.

Seu rosto se iluminou, o brilho prateado de que senti tanta falta nos últimos dois meses apareceu em seus olhos.

– Creio que posso lhe emprestar este quarto. Talvez possamos fazer um acordo quanto ao pagamento... – ele deslizou os dedos por meu braço e eu estremeci com o toque quente e suave.

– Que tipo de acordo? – perguntei, minha respiração acelerando.

– Humm... Talvez possa me pagar com beijos – o sorriso malicioso que eu amava deu as caras.

– De acordo! – eu disse, me apressando em pagar adiantado.

Obviamente, Ian aceitou sem relutância alguma meu adiantamento. No entanto, depois de alguns minutos ele interrompeu o beijo.

– Então ficará para sempre? De verdade, senhorita? – A felicidade estampada em seu rosto inflou meu coração até quase explodir. Era por isso que eu estava ali!

– Pra sempre! Acho que desta vez terei que me habituar aos vestidos longos de uma vez por todas – franzi a testa.

Seus olhos voaram instantaneamente para o meu vestido. Ele examinou cada linha de meu corpo, então seus olhos se estreitaram.

– Onde estava antes de voltar para casa? – Adorei a forma como ele usou a palavra *casa*, tão natural, tão seguro de que ali era meu lar. Exatamente como eu também sentia.

– No casamento da Nina e do Rafa. Foi hoje à noite.

Ele ainda examinava o vestido.

– Este vestido é apropriado para ser exibido em público? – os olhos acompanharam minha silhueta.

– Sim, Ian – eu ri de sua reação reprovadora. – Eu sabia que você pensaria que este vestido é...

– Indecente! – ele completou sorrindo, enquanto tocava meu rosto. – Perturbador! – seus dedos acompanharam minha clavícula. – Escandalosamente justo! – sua mão deslizou suave e quente até minha cintura, enquanto a outra rodeava meu pescoço, me fazendo estremecer.

Tentei não perder o controle.

– Eu ia dizer *inadequado*. Mas vou guardá-lo, não se preocupe. Só preciso saber onde estão minhas coisas – respondi, o sangue pulsando nas veias enquanto ele aproximava os lábios para tocar meu pescoço.

– Posso ajudá-la a se livrar desta peça horrível, se desejar – a voz rouca contra minha pele mandou meu controle às favas.

– Seria um alívio! – murmurei, fechando os olhos e prendendo as mãos em seu cabelo macio.

– Será um prazer lhe ser útil, senhorita – e, com muita delicadeza, ele me levou para a cama, onde o resto de minha vida finalmente começou.

• • •

– Sabe o que eu estava pensando? – perguntei depois de um tempo.

Ian sorriu largamente, virando-se na cama.

– Não faço ideia – e apoiou a cabeça em uma das mãos para me observar.

– Acho que talvez você possa me ajudar a desenvolver um projeto para um banheiro. Você desenha tão bem! Eu te explico como é e você pode fazer um esboço. Não pode ser tão difícil fazer algo parecido, já que conheço na prática como ele funciona. Talvez possamos encontrar um engenheiro para nos ajudar. – A casinha era a única coisa que me atormentava.

– Podemos ver isso – disse ele, pegando meu colar e o analisando com curiosidade. – I? – perguntou, arqueando uma das sobrancelhas perfeitas, um meio sorriso no rosto.

– A Nina me deu de presente. Tipo um colar de irmandade. Acho que ela pressentiu o que iria acontecer.

– E contou a ela sobre mim? – Ian parecia não acreditar que eu tivesse contado sobre minha viagem maluca a mais alguém e ainda estivesse livre.

– É claro que contei! A Nina é como minha irmã. Nunca escondi nada dela. E ela acreditou de primeira! – meus olhos se estreitaram, ele sorriu se desculpando. – O casamento foi tão bonito, Ian! Queria que tivesse visto, a Nina estava tão linda, tão feliz!

Ele me olhou por um segundo, os dedos brincando em minha barriga. Começava a ficar difícil conversar quando ele me tocava assim.

– Ela parece ser uma boa amiga.

– A melhor de todo o universo. – Então me lembrei: – E você pode conhecê-la! Quer dizer, por foto. Eu tirei algumas com o celular. Não aquele celular, um normal que só faz o que tem que fazer. Tá na minha bolsa, acho que a deixei lá na sala.

Sua testa se enrugou.

– Você não sabe o que é uma foto, não é? – deduzi.

Ele sacudiu a cabeça.

– É um retrato mais fiel, como a capa do meu livro velho, lembra? – Ele assentiu. – Posso ir buscar minha bolsa, se quiser. O celular só vai funcionar mais alguns dias, depois a bateria vai acabar e não terei como recarregá-la.

Tentei me sentar, mas ele me abraçou, me impedindo.

– Pode me mostrar amanhã. Não vou permitir que saia daqui – e me apertou mais forte. – Nunca mais! Além disso, posso conhecer Nina por meio de suas histórias, se quiser me contar.

– Claro que vou contar. Parece que terei muito tempo aqui dessa vez – e sorri. – Mas agora é sua vez, me conte tudo o que eu perdi. O que aconteceu depois que fui embora?

De repente a diversão desapareceu de seu rosto.

– Eu... creio que nada aconteceu – resmungou, desconfortável.

– Como assim?

– Eu não estava muito atento ao que acontecia por aqui até esta noite – falou, envergonhado.

Ele se sentou na cama, abraçou os joelhos e encarou a porta. Observei-o por um segundo, depois prendi o lençol entre os braços e me sentei também, apoiando a cabeça em seu ombro, acariciando sua nuca com os dedos.

– Foi tão ruim assim?

Ele apenas assentiu, ainda olhando para o nada.

– Me desculpe, Ian. Eu tentei encontrar a fada desde o momento em que voltei para o meu século, mas ela não estava em parte alguma! Até fui internada na ala psiquiátrica depois de uma pequena confusão numa loja, e se não fosse o Rafa ter me visto e av...

– Fada? – ele me interrompeu, descrente.

– Não me olha assim outra vez. Estou falando a verdade!

Ele piscou, parecendo atordoado.

– Fada? – repetiu.

– Ela tinha que ser alguma coisa, não tinha? Fala sério, quantas pessoas você conhece que têm o poder de mandar alguém para outra época? Eu não conhecia nenhuma até pouco tempo atrás.

– Mas... fada?

– Eu sei. Eu acho que é tipo uma fada madrinha. E não faço ideia de por que eu tenho uma. Mas agora eu entendo melhor tudo o que aconteceu, como ela agiu, o que ela fez. Ela me disse que você e eu deveríamos nos conhecer e, por um erro de logística, por assim dizer, não havia essa possibilidade. Como ela me procurou, imagino que fui eu que acabei indo parar no lugar errado. E se ela tivesse usado uma abordagem mais direta, tipo dizer logo de cara que eu devia vir pra cá e conhecer o amor da minha vida, eu tenho certeza que teria dito "vá te catar!" e fugido como uma doida. Eu não pensava em amor, Ian, não queria me envolver. Mas então eu te conheci e me conheci melhor. Descobri que eu queria sim, queria muito estar loucamente apaixonada. – Beijei seu ombro. Ele sorriu um pouco. – E voltar para o meu tempo também foi muito... esclarecedor. Eu poderia ter seguido com minha vida se quisesse. A dor teria que diminuir depois de um tempo, ou eu me tornaria mais resistente a ela, ou essas baboseiras que as pessoas dizem pra animar quem está sofrendo. Só que eu não *queria* seguir em frente. Ficar longe de você me fez ter ainda mais certeza de onde eu realmente queria estar. Você não pode imaginar o estado em que eu fiquei quando vim até esta casa e a encontrei mudada, envelhecida, vazia. O Jonas me mostrou a sua carta e os quadros, mas eu...

– Minha carta? – ele inquiriu, tão surpreso que tive que rir.

– Você escreveu uma carta pra mim. Acho que quando tinha trinta e um anos.

– Escrevi? E o que ela dizia?

– Pensei que fosse morrer de tristeza naquele dia. Você escreveu que ainda me amava, que ainda me esperava, que estava tentando fazer uma máquina do tempo! Depois, o Jonas me contou o que tinha acontecido com você. Foi o pior dia da minha vida, juro que desejei estar morta pra não ter que ouvir aquilo! – sacudi a cabeça, a lembrança ainda fazia meu peito doer.

– Nunca mais diga isso! Não posso sequer imaginar que você... Nunca mais repita isso! – ele ralhou, o rosto sério. Então, uma pequena ruga surgiu em seu cenho. – O que foi que aconteceu comigo?

– Não importa mais! Não vai mais acontecer. Eu nunca mais vou sair do seu lado!

Ele beijou minha testa. Tentei distraí-lo com assuntos mais leves.

– Sabia que eu conheci o seu sobrinho-neto? Sobrinho-tataraneto, na verdade.

– Meu sobrinho?

– Ele é um cara muito bacana. Tem o sorriso da Elisa.

– Você conheceu... o neto... de Elisa? – ele perguntou descrente.

– Tataraneto. Maluco, né? – e ri.

– Ela se casará, então? – e também sorriu.

– Sim. Eles se apaixonaram no... Quer saber? Acho melhor as coisas seguirem seu rumo. Não quero interferir em mais nada. Ela será feliz, é o que importa, certo?

Ele assentiu e depois voltou a ficar sério.

– O que foi? – perguntei tocando seu rosto.

– Lembra-se da última vez que dançamos? – e me observou com olhos intensos.

– Claro que sim. – Eu me lembrava de absolutamente tudo, até mesmo da cor rosada do pôr do sol. Não entendi a expressão de seu rosto. Era uma lembrança feliz.

– Lembra-se que lhe fiz uma pergunta? – seus olhos fulguraram nos meus.

Ah, isso!

– Lembro – murmurei, incapaz de desviar o olhar.

– Não podemos viver dessa forma, Sofia! Não posso viver sob o mesmo teto que você desse jeito. Não é honrado de minha parte. Arruinaria a sua reputação e a de Elisa.

– Oh! – murmurei meio insegura. Não tinha pensado nisso. – Eu posso... viver na pensão por um tempo até conseguir um trab...

– Não foi isso que eu disse – ele me interrompeu, sacudindo a cabeça. – Você não entendeu! Não quero que seja minha amante. – Meu coração se transformou numa britadeira assim que entendi o que ele me dizia. – Quero que seja a dona desta casa, assim como já é a de meu coração. Quero que seja oficialmente minha e que todos saibam que existe uma nova senhora Clarke.

– Ai, pelo amor de Deus! É mesmo necessário me chamar de senhora Clarke? Me faz parecer uma velha de sessenta anos! E nem pense que vou chamar o *meu marido* de senhor Clarke! Acaba com o tesão de qualquer uma! – Ele arqueou as sobrancelhas. Eu continuei: – Se você está pensando em me pedir em casamento, acho melhor excluir essa coisa de *senhor e senhora* do acordo.

– Não quer ser minha esposa, então? – vi a dor cruzar seu rosto.

– Não! Quer dizer, sim! – Ele piscou confuso. Tentei ser mais clara. – Claro que eu quero ser sua esposa, Ian! Mas não vão me chamar por aí de senhora Clarke. Não vão mesmo! Já vou ter que usar aqueles vestidos gigantes e me virar até que você me ajude com o projeto do banheiro, então vê se não complica ainda mais as coisas pra mim. Acho justo que você também sacrifique alguma coisa.

De jeito nenhum eu iria me transformar em senhora Clarke! Depois o quê, me preocupar se a fita combinava com o vestido? Nem pensar!

– Entendo. Então, supondo que eu consiga fazer com que as pessoas não a chamem de senhora Clarke, aceitaria se casar comigo, senhorita? – ele tentou bravamente não sorrir. Parecia estar se divertindo muito.

Pensei por um segundo.

– E se você me ajudar a construir o banheiro – esclareci meus termos.

Ele deliberou por um momento, tentando manter a fachada de negociante, mas os cantos de sua boca teimavam em subir.

– Muito justo.

– E já sabe que eu não entendo nada sobre comandar empregados, entreter convidados e essas baboseiras todas. Não sou uma *jovem preparada*!

– Ah, não diga isso, senhorita, você consegue entreter qualquer pessoa que a conheça. E seus talentos são infinitamente mais interessantes que os de qualquer outra jovem que eu conheço. – Ian se virou até seu rosto ficar bem próximo do meu. – E então?

– Então o quê? – repliquei, enquanto me deleitava com a visão de seu corpo nu. Ian era perfeito! O corpo mais perfeito que já tive o prazer de ver sem roupas. Tudo nele era perfeito, absolutamente tudo.

Ele revirou os olhos.

– Será minha esposa?

– Sim! A esposa mais despreparada que alguém já viu. – Puta merda! Como eu iria fazer isso? – A mais atrapalhada, desastrada e esquisita de que já se teve notícias por aqui.

Ele deu aquele sorriso de fazer minha cabeça girar.

– A mais petulante, complicada e teimosa, não se esqueça. A mais linda também – adicionou carinhoso.

– Sabe bem onde está se metendo, não sabe?

– Sofia, não tenho escolha! Eu me meti na maior confusão de minha vida quando parei para ajudá-la. – Fechei a cara. Ele riu. – E vou agradecer todos os dias por ter feito isso.

– Vamos ver se ainda vai pensar assim daqui a alguns anos.

Ele riu e tocou meus lábios de leve com os seus.

Reagi no mesmo instante, deixando os pensamentos de lado, enquanto sua boca faminta mordiscava meu queixo.

– Há mais alguma coisa que deseje? – e, com cuidado, me deitou na cama.

Sua boca desceu até meu pescoço, fazendo minha respiração acelerar. Continuou descendo um pouco mais, sua barba curta pinicando deliciosamente minha pele.

– Não. Acho que é tudo. O banheiro e meu nome. – Eu estava muito distraída com suas carícias, mas, com algum esforço, me concentrei em sua pergunta e me lembrei da mais importante de minhas condições. – Não, espere! Tem mais uma coisa, sim!

Ele levantou a cabeça e me olhou nos olhos, a testa enrugada.

– E qual seria?

– Será que não dava para me casar com você e *continuar* sendo sua amante? Eu gosto de ser amante... – e me abracei a seu pescoço. – Gosto demais!

Vi o sorriso malicioso transformar seu rosto, os olhos brilhando em tom prateado. Seu corpo quente rolou sobre o meu, me afundando um pouco no colchão.

– De acordo! – ele concordou sem hesitar.

46

Claro que minha volta causou muito rebuliço na casa – e, na vila, a fofoca se espalhou depressa.

Elisa ficou felicíssima – mas não surpresa, ainda mais depois de Ian e eu termos passado a noite juntos tão abertamente – ao saber que nos casaríamos dentro de algumas semanas. Ian não queria esperar, tinha pressa, assim como eu. Mas a papelada tomava algum tempo, sobretudo porque eu tinha que arranjar novos documentos. Veio muito a calhar que Ian tivesse tanto prestígio com o escrivão do cartório, que nem ao menos questionou a história do falso assalto e, em troca de algumas moedas, criou documentos novos para mim. Não dava para apresentar os meus originais, com data de duzentos anos à frente. Então, agora eu era Sofia Alonzo, nascida em 29 de maio de 1805. Uma loucura!

Teodora se tornou mais tolerável; ainda que não fôssemos melhores amigas, vi que ela se esforçava para ser mais agradável, e eu tentei fazer o mesmo. Tendo Elisa como amiga em comum, imaginei que o tempo se encarregaria de nos aproximar.

Madalena chorou muito quando me viu pela manhã. Abracei-a forte contra o peito. Ela me disse quanto sentiu minha falta e que não apenas ela, mas os outros empregados estavam estranhando a monotonia. Ela me botou a par de muitas coisas que aconteceram durante minha ausência. Não gostei de ouvir sobre o modo como Ian havia se comportado nesse período: sem comer, sem sair de casa, abandonou os assuntos comerciais, estava sempre acompanhado de uma garrafa de uísque, sempre gritando com todos, até mesmo com Elisa.

Pretendia dar uma bronca nele, mas seus olhos cheios de angústia com a lembrança me impediram. Eu não permitiria que ele sofresse daquela forma outra vez. Nunca mais!

E, apesar de minhas negativas, Ian decidiu fazer um novo baile para anunciar formalmente o nosso noivado. Elisa ficou eufórica e eu sabia o motivo. Ela se encontraria com Lucas, e eu era a única que sabia como aqueles dois terminariam.

Ian me levou até a vila para encomendar novos vestidos – um para o baile de noivado, um para o casamento e uma dezena deles para o dia a dia. Aproveitei para pedir a madame Georgette que me fizesse calcinhas novas. Fiz alguns rabiscos – eu desenhava mal pra caramba – do que eu queria e pedi que fizesse pelo menos uma dúzia delas. Não conseguia me acostumar com os tais shortinhos. É claro que ela quase surtou quando expliquei que aquele pequeno pedaço de tecido fazia a função deles. Tive muito trabalho para fazê-la entender que calcinha não era coisa do demônio. Ian gargalhou enquanto eu tentava explicar para a costureira que algumas mulheres preferiam usar menos roupa debaixo do vestido porque sentiam muito calor. Madame Georgette também me prometeu que faria vestidos mais simples, sem tanto volume, mas que fossem bonitos.

Depois, Ian me convidou para um passeio pelas ruas da vila no final da tarde, mas, na verdade, desconfiei que era apenas um pretexto para poder me exibir aos seus conhecidos.

– Boa tarde, senhor Cabral. Como tem passado? Creio que ainda não lhe apresentei minha noiva – ele disse, orgulhoso, ao padeiro, com um imenso sorriso no rosto.

Ele me apresentou como sua noiva a dezenas de pessoas. Algumas que eu até já conhecia, como Valentina. Seu rosto de porcelana se retorceu em tristeza quando Ian lhe informou sobre nosso compromisso. Fiquei com pena dela, mas ela encontraria seu par por aí, porque Ian era o meu, e jamais seria de outra pessoa, mesmo que eu não tivesse aparecido e bagunçado tudo.

E, contra minha vontade, precisei pedir a Ian que me comprasse um sapato. Eu só tinha o sapato de salto agulha, e ali não era o melhor lugar para usar salto fino. Ele sempre enroscava nas pedras do pavimento ou afundava no chão de terra, era irritante. Amaldiçoei-me diversas vezes por não ter usado tênis no casamento de Nina.

Além disso, Ian adorou a ideia de fazer mais compras. Ele estava eufórico – na verdade, esse era o seu estado constante agora –, enquanto me comprava tudo que via pela frente, tudo o que havia para comprar ali: perfumes franceses, cremes para o rosto, talcos, adereços delicados para o cabelo. Parecia que queria me dar o mundo! Ele só não entendia que já tinha feito isso quando disse que me amava pela primeira vez.

– Vou sentir falta de seus antigos sapatos, senhorita – suspirou, enquanto o sapateiro tirava o molde de meus pés. Os sapatos eram feitos sob medida, de forma artesanal, e não comprados prontos por numeração, como eu estava habituada. Infelizmente, o sapateiro não sabia como fazer tênis, apenas sapatos e botas. – Foi a primeira coisa que prendeu minha atenção quando a conheci.

– Sei! Os tênis e a falta de roupas, não se esqueça – retruquei, e ele sorriu descarado.

Suspirei. Meus pés também sentiriam muita falta do meu All Star.

Depois da noite em que voltei para casa, Ian e eu tivemos alguns problemas para ficar juntos. Madalena nos vigiava – dia e noite e madrugada, principalmente madrugada! – sem descanso.

"Tudo para o bem de Elisa!", me dizia Ian, revirando os olhos, visivelmente insatisfeito. No entanto, ele conseguiu despistá-la algumas vezes, e eu não pude – e não quis – impedi-lo de entrar em meu quarto nas demais. Nada parecia tão certo como quando eu estava em seus braços.

Storm ainda estava ali, não tentou fugir outras vezes – mas ainda continuava arredio e cheio de vontades. Ian e eu o montávamos com frequência, contudo ainda era ele quem decidia para onde ir. E, em geral, ele nos levava para nosso lugar especial, o lugar onde tudo começara. Passávamos muito tempo debaixo da nossa árvore, conversando, planejando o futuro, namorando, sem nos preocupar com mais nada.

Dessa vez, não me assustei com o frenesi causado pelo baile quando o dia chegou. Na verdade, estava tão nervosa quanto todo mundo ali. Talvez até mais! As pessoas viriam ao baile para conhecer a noiva do senhor Clarke. Eu queria causar boa impressão em seus amigos, o que não era nada fácil, especialmente quando precisava pensar em cada sílaba que sairia de minha boca.

– Quer, por favor, acalmar-se? – Ian pediu depois do almoço, quando a casa já estava abarrotada de comida e de empregados preparando tudo para o baile daquela noite. Eu quicava no sofá, inquieta. – A maioria dos convidados já a conhece, e estou certo de que apreciam sua companhia quase tanto quanto eu.

– Não sei não, Ian – falei apreensiva. Ele pegou minha mão e a apertou entre as suas. O calor se espalhou rapidamente por todo meu braço. – Eu não sei agir como Elisa ou Teodora. Acho que nunca serei capaz de agir como elas! As pessoas vão rir de você por se casar comigo.

– Não vão, não! - ele sorriu carinhoso. – Ninguém se atreveria a rir de alguém tão especial como você. E espero que tenha razão, que nunca possa ter os mesmos modos que minha irmã – o sorriso que eu adorava apareceu em seu rosto.

Minha testa se franziu.

– Não seria mais a minha Sofia – ele explicou, tocando meu cabelo e me encarando com intensidade, fazendo meus joelhos bambearem.

Depois disso, tentei ficar mais calma. Era mais fácil tentar, no entanto, do que de fato conseguir ficar tranquila. Arrumei-me com deliberada lentidão para o baile. Fiz o melhor que pude. Elisa e Teodora me ajudaram com o cabelo, fazendo um coque largo e complicado, muito elaborado. O vestido ficou bárbaro, o modelo desta vez havia sido escolhido por mim: armado do tipo princesa, bufante e rodado – abri uma exceção para meu baile de noivado, escolhendo um modelo bem típico da época –, sem alças e na cor azul-bebê. Experimentei usar a tal crinolina, para que o vestido ficasse tão exuberante como no desenho que vi no ateliê. E, já que estava ali, resolvi dar uma chance ao espartilho. Logo notei que não daria para comer nada usando aquilo, eu mal conseguia respirar.

Uma olhada na janela – já que o espelho era pequeno demais – e alguns rodopios depois, eu estava pronta, parecida com uma princesa de conto de fadas, me sentindo totalmente ridícula e indescritivelmente feliz.

Ian me esperava do lado de fora, e quando abri a porta vi seus olhos se arregalarem e sua boca se abrir.

– Não me olhe com essa cara. Estou tentando me adaptar o melhor que posso. Já me sinto muito ridícula sem essa sua cara de bobo!

Ele piscou algumas vezes antes de conseguir falar. O fogo dentro dos seus olhos me animou um pouco.

– Sofia! – disse ele, me examinando de cima a baixo. – Você está...

– Eu sei... – murmurei. – Pareço uma caricatura.

Ele passou a mão pelo cabelo e suspirou, depois sorriu.

– Acho que não é essa a palavra que procuro, senhorita. – Ele esticou a mão para pegar a minha. – Você está indescritivelmente linda esta noite! Mas acho que falta alguma coisa.

– Ah, não falta nada! Estou usando até a droga do espartilho dessa vez.

– Posso notar – ele rebateu, com o olhar preso em meu decote.

Realmente, o espartilho tinha suas vantagens – deixava a cintura mais fina e o busto empinado e volumoso –, mas, ainda assim, a tortura não valia a pena.

– Mas ainda acho que falta alguma coisa – e aproximou minha mão de seus lábios, beijando-a. – Talvez uma flor?

Pensei que ele fosse colocar uma flor em meu cabelo como da outra vez, como fez no meu primeiro baile. Mas, em vez de uma flor, Ian retirou algo pequeno e reluzente do bolso da calça e com muita delicadeza o deslizou por meu dedo anelar.

Pisquei algumas vezes. Era o anel mais incrível que eu já tinha visto! Uma grande pedra azul e redonda bem ao centro, rodeada por pequenos diamantes em toda a circunferência. Dois brilhantes triangulares pendiam nas laterais, como se fossem folhas perfeitas. Como uma flor.

Uma flor azul!

Fiquei sem ar.

– Ian! – exclamei, quando consegui colocar o ar para dentro. – É lindo! Meu Deus, é demais! – Quando examinei o anel mais de perto, tive a impressão de que as pedras tremulavam, exatamente como faziam os olhos de Ian de vez em quando. Gostei dele ainda mais. – É perfeito!

– Eu queria lhe dar um anel especial. Pedi que o ourives fizesse este conforme eu o havia imaginado. – Senti meus olhos arderem, mas não era boa ideia chorar quando se estava tão maquiada. – Eu pretendia ter lhe dado no dia do baile, mas depois de tudo o que aconteceu... – ele sacudiu a cabeça, um sorriso amargurado nos lábios.

– No baile? Quer dizer, no baile de Elisa?

Ele assentiu.

– Mas... no baile que eu fugi de você? – perguntei sem entender.

– Sim, naquele baile. Não se lembra que eu queria falar com você quando o baile terminasse?

– Lembro. E eu disse que precisava te contar minha história antes, e depois...

– Depois tudo deu errado e eu não tive oportunidade. Tentei de novo naquele dia em que você... se foi. – Ele tinha dificuldade para tocar no assunto, ainda doía muito pensar na separação à qual tínhamos sido forçados. – Eu pretendia lhe pedir em casamento da forma correta, e você já havia dito sim. Hipoteticamente, mas foi um sim! No entanto... outra vez, não deu certo.

Tentei engolir.

– Você já tinha o anel? – sussurrei.

– Sim. Quando fui até a cidade, às vésperas do baile de Elisa, passei pelo joalheiro e o encomendei com urgência. Eu lhe disse que tinha comprado uma coisa especial, não se lembra? Um mensageiro o trouxe no dia do baile. Estava tudo certo até...

– Você comprou o anel naquele dia em que eu te procurei feito uma doida e não te encontrei em lugar algum? – o interrompi maravilhada. – Mas nós nem tínhamos ido pra cama ainda!

– Eu sei. E nem pretendia. Não sem antes lhe oferecer compromisso. – Seu rosto se iluminou, a tristeza foi substituída por outra coisa. – Mas não fui capaz de refrear meu desejo e me perdi em seus encantos.

– Você pretendia me pedir em casamento antes de me levar pra cama? Antes de fazermos amor? Antes de saber quem eu era de verdade?

– Certamente. Por que se espanta? Será que não percebeu como eu estava louco por você? – ele se aproximou mais, deslizou um dedo na lateral do meu rosto suavemente. – Como *sou* louco por você?

– Você é incrível, Ian! – eu disse, olhando em seus olhos negros e brilhantes. Depois voltei a admirar o anel. – Não acredito que estava disposto a me pedir em casamento sem ter feito um test-drive antes!

– *Test-drive?* – ele indagou, roçando os dedos de leve em meu pescoço, minha pele formigava. Ele se aproximou mais, eu podia sentir seu gosto em minha língua.

– Experimentar primeiro para ver se realmente gosta... – murmurei, instável.

Ele riu, seu rosto tão perto do meu me deixou tonta.

– Eu não precisava disso. Eu sempre soube quem você era. Sempre soube que o amor que queima em meu peito jamais se extinguiria.

– Eu te amo tanto, Ian!

– Não mais do que eu a amo – e se inclinou para me dar um beijo de tirar o juízo. Então, cedo demais, se afastou um pouco, com os olhos ainda fechados. – Acho melhor nos apressarmos, não quero que se atrase em seu próprio baile. – O fogo ardente que vi em seus olhos quando voltou a abri-los me disse exatamente a que ele se referia.

– Então, vamos. – *Droga!*

O baile foi perfeito – dessa vez sem incidentes desagradáveis. Apenas um *pequeno* acidente com taças colocadas sobre uma mesa mais baixa, na qual eu esbarrei com a saia do vestido, estilhaçando os cristais. Era muito difícil "manobrar" aquela coisa! Ian riu do desastre. Disse que nos traria sorte, então deixei o acidente de lado e me concentrei em não esmagar ninguém com aquela gaiola.

Observei Elisa e Lucas, e como eram evidentes seus sentimentos. Ele não tirava os olhos dela, e ela não conseguia olhar para ele sem corar violentamente. Eu ri. Talvez por isso só se casassem dali a alguns anos. Levaria uma eternidade até que Elisa se acostumasse com a paquera.

A sala estava abarrotada de gente – talvez toda a vila estivesse ali, como Ian pretendia. Dr. Almeida e sua esposa vieram nos cumprimentar, conversaram um pouco e depois se dirigiram para a mesa farta. Mas, antes de sair, o médico me fitou com um sorriso brincalhão nos lábios. Foi aí que me dei conta de que Ian não era o único ali que sabia da minha história.

– Está tudo bem, Sofia? – Ian me perguntou, pegando minha mão. – Você está pálida!

– Ele sabe! Ele *sabe*! – eu gaguejei aflita.

– Quem?

– O dr. Almeida, Ian! Ele sabe!

Ele não pareceu preocupado.

– E qual é o problema?

– Como assim, qual é o problema? E se ele resolver contar pra mais alguém? E se ele resolver estudar o caso para descobrir como isso foi possível? E se ele quiser abrir meu cérebro pra ver se é igual ao de todo mundo aqui? E se quiser arrancar...

— Não diga besteiras, amor. O dr. Almeida é meu amigo. *Nosso* amigo! Ele jamais iria machucá-la, mesmo porque eu não permitiria. Além do mais, ele sabe muito pouco. Apenas o que eu disse a ele naquela noite, e nem eu mesmo sabia muito.

Tentei não me preocupar com o doutor. Até onde eu sabia, ele era o único médico na vila, não era prudente criar inimizades. Mas ficaria atenta, só por precaução.

Conversei com muitas pessoas e, para minha surpresa, Ian estava certo: elas realmente pareciam gostar de estar ao meu lado, exceto a senhora Albuquerque, que estava ofendida por Ian ter escolhido uma noiva tão menos preparada que sua filha.

Não comi nada, é claro, mas notei que o banquete foi devorado com deleite.

Sentar vestindo espartilho e crinolina não foi tarefa fácil. Decidi, depois de algumas espetadas nas costelas, que era melhor aproveitar o baile em pé. E, já que eu estava ali sem fazer nada, Ian achou ótima ideia passar o resto da noite dançando.

Não me importava que eu não soubesse os passos, Ian também não pareceu se incomodar com isso. Na verdade, pensei que nada o incomodaria naquela noite. A felicidade estava estampada em seu rosto e era tão grande quanto a minha. Dançamos abraçados, mas a certa distância, assim como na valsa, e não como eu havia ensinado a ele.

— Não gosto deste espartilho. Não consigo sentir seu corpo com todo este tecido — ele sorriu timidamente. — Não estou habituado — e apertou a base de minhas costas, me trazendo para mais perto.

As barbatanas de ferro esmagaram minha carne e a gaiola impedia que eu me aproximasse dele. Parecia um campo de força que proibia meu corpo de se colar ao de Ian.

— Não se preocupe, não pretendo usar estas coisas nunca mais! Mas acho que entendi o uso da gaiola, afinal. É tipo uma gaiola de castidade, não é? — perguntei, aborrecida por não poder abraçá-lo como eu gostaria.

Ele gargalhou.

— Realmente... dificulta o contato físico. — Então, colocou a mão na parte nua de minhas costas. O arrepio em minha coluna me fez lembrar de que nem duzentas gaiolas teriam resolvido meu caso, o desejo que eu sentia por Ian era irracional.

Dançamos mais algumas músicas e fiquei surpresa ao notar que eu estava completamente à vontade no meio de tantas pessoas. Ian não escondia sua alegria, ela irradiava por cada poro de sua pele. E ele era meu, para sempre! Jamais pensei que pudesse existir tamanha felicidade. Que amar alguém assim como eu o amava, com tanta intensidade, fosse possível. Suspirei satisfeita e tentei encostar a cabeça em seu peito.

Bem que eu tentei!

— Gaiola estúpida! — resmunguei.

Ian deu risada e, suavemente, tocou minha testa com seus lábios, sem se importar com as pessoas ali presentes. Meu corpo reagiu de pronto.

— Não se preocupe, amor. Nossos convidados logo deverão partir e você poderá se ver livre desse aparato.

— Vai ser um alívio. Mal posso respirar usando esse treco.

— Você deve estar muito cansada, foi um dia muito agitado — disse ele, enquanto me girava pela sala.

— Bastante cansada — suspirei.

Ele suspirou também. Olhei para ele, que parecia estar frustrado. Pela expressão de seus olhos, pelo brilho prateado, imaginei que tivesse planejado alguma coisa para depois do baile. Talvez uma comemoração mais íntima.

— Tão cansada que talvez nem consiga desabotoar este vestido sozinha. Será que Madalena me ajudaria? — perguntei inocente.

— Madalena? — ele quase gritou. — Não, senhorita. Não seria adequado! Serei seu marido muito em breve, e é meu dever, como futuro marido, garantir o bem-estar de minha futura esposa. Não permitirei que outra pessoa cumpra um dever que é só meu. Faço questão de ajudá-la com essa tarefa tão árdua!

Tentei não rir de seu pequeno discurso.

— Agradeço muito que se preocupe assim com meu bem-estar. Então, já que está disposto a me fazer esse imenso favor, seria abusar muito de sua bondade se eu pedisse para me ajudar com o espartilho também? Tem muitos laços! Acho que, se ninguém me ajudar, vou ficar presa a ele pra sempre!

Ian tentou se manter sério, mas um sorriso traiçoeiro se apoderou de seus lábios.

— Terei imenso prazer em lhe ser útil!

Nota da autora

As diferenças que Sofia encontra no século XIX de fato existiram – inclusive a alface (que eventualmente podia ser substituída por repolho), a casinha, o sabonete, a comida, os costumes.

O túnel ou buraco de minhoca, porém, não é – apesar do nome – um túnel para minhocas. Também é chamado de ponte de Einstein-Rosen. Ainda que não haja comprovação de que esses túneis realmente existam, alguns físicos acreditam que eles, de fato, possam fazer um objeto (ou uma pessoa) viajar no tempo. O buraco de minhoca supostamente ficaria na galáxia e seria parecido com os buracos negros. Estas são as fontes dos textos citados sobre o assunto:

"Para construir uma máquina do tempo..." (p. 330): Belmiro Wolski, "Como construir uma máquina do tempo", *Humor na ciência*. Disponível em: www.humornaciencia.com.br/fisica/construir-maquina-tempo.html.

"Um professor de física norte-americano..." (p. 330): "Físico americano promete construir máquina do tempo", *Popular*, 5 abr., 2002. Disponível em: www.terra.com.br/noticias/popular/2002/04/05/009.htm.

"Como construir uma máquina do tempo..." (p. 330-331): "Como construir uma máquina do tempo", *Scientific American Brasil*. Disponível em: sciam.uol.com.br/como-construir-uma-maquina-do-tempo/

E talvez você tenha percebido que eu ocultei um fato importante desse período da história. Não percebeu? Então lá vai! Em 1830, ainda havia escravos no Brasil (a escravidão terminou – oficialmente – em 13 de maio de 1888). Você deve estar pensando: *Por que ela deixou de lado um fato importante como esse?* Porque, além de hediondo e muito vergonhoso para nossa história, tamanha barbárie não pode jamais ser tratada com descaso ou, ainda pior, romantizada. Eu nunca poderia alterar todo um passado de dor e luta, por isso, como na ficção tudo é possível – inclusive viajar no tempo através de um celular –, idealizei um universo paralelo e utópico para *Perdida*, em que não houve escravidão, e cada homem e mulher da vila, independentemente da cor da pele, eram livres para viver, sonhar e amar.

Se você, leitor(a), chegou até aqui, quer dizer que leu este livro até o fim. Então só posso dizer, no melhor estilo Sofia: VALEU! Espero que tenha se divertido lendo este romance tanto quanto eu me diverti escrevendo.

Agradecimentos

Este livro jamais teria sido escrito sem a ajuda das seguintes pessoas:

Meus pais queridos, Antônio Donizete Rissi e Leonete Godoy Rissi, por nunca terem me impedido de ter meus mundos e amigos imaginários, por moldarem meu caráter e por sempre acreditarem.

Minha querida amiga Cintia Perez São Mateus, por ter deixado acidentalmente seu celular cair na privada e ter me dado o início deste romance, e por continuar sendo, mesmo a distância, ainda tão presente em minha vida.

Aline Benitez, pela paciência e carinho com uma autora recém-saída do forno.

A equipe fantástica da Verus Editora, sempre tão carinhosa comigo. Em especial Raïssa Castro, Ana Paula Gomes, Gabriela Lopes Adami e Anna Carolina Garcia.

A galera da Nokia, por ter criado um *monstrinho* tão perfeito, no qual os três primeiros capítulos deste romance foram escritos.

A banda OneRepublic, por criar músicas tão incríveis que fizeram a mente desta autora viajar no tempo.

A minha pequena especialista em vestidos bufantes, Lavínia Rissi Capela, minha Lalá, pelos conselhos preciosos de moda e pela empolgação contagiante que só as crianças são capazes de ter. Obrigada por permitir que eu faça parte do seu mundo, e por me ensinar o verdadeiro significado da palavra amor.

Adriano Martins Capela, meu Adri, meu oráculo, meu Google, meu editor, revisor, carrasco, ombro amigo, saco de pancadas, meu amor, meu Ian. Obrigada pela dedicação, por acreditar, por ser meu primeiro fã, por suportar minha TPM por tanto tempo e por me dar o melhor de todos os presentes, que tem a sua cara, mas o gênio imperioso dela sei que é meu. Este livro é pra você!